글 읽기 능력 향상을 위한
초등국어
독해왕
6
단계

KB052874

이룸이앤비
Education&Books

모든 공부를 잘하기 위한 첫걸음

국어 독해(글 읽기)

왜? 초등학생에게 국어 독해(글 읽기)가 중요할까요?

우리에게 전달되는 정보는 국어(문자)로 이루어져 있고 그 정보를 이해하고 습득하는 능력은 독해 능력과 깊이 연관되어 있습니다. 초·중·고교생, 더 나아가 어른이 되어서도 학습 능력의 기본은 독해 능력이라고 해도 무방할 정도입니다. 따라서 독해 능력이 뛰어난 학생은 많은 양의 학습 정보를 다른 학생보다 훨씬 쉽고 빠르게 습득할 수 있습니다.

글 읽기 능력은 **국어뿐 아니라, 사회·과학·수학·영어 등 다른 과목의 학습 능력에도 지대한 영향을 끼친다고 합니다.** 많은 전문가들은 어릴 때 자연스럽게 형성된 독서 습관이 모든 학습의 첫걸음이라고 말합니다.

초등학생 때 글을 읽고 이해하고 문제를 해결하는 능력, 즉 국어 독해 능력은 모든 공부의 큰 **힘이며 평생을 좌우할 학습 능력의 첫걸음이자 디딤돌입**니다.

"초등국어 독해왕" 시리즈는

학부모님들의 의견을 충분히 반영하였습니다

의견 1 다양한 글을 읽히고 싶어요. 설명문, 논설문, 전기문, 동화, 동시, 생활문, 기행문 등 다양한 종류의 글과 인문, 사회, 과학, 예술 등 다양한 분야의 글이 모여 있는 책이 있었으면 좋겠어요.

의견 2 평소 책을 좋아하지 않는 아이도 쉽고 재미있게 글 읽기 훈련을 할 수 있는 책이 있었으면 좋겠어요.

의견 3 글 읽기를 20~30분 정도 짧게 집중해서 하고 글을 잘 이해했는지를 점검할 수 있는 문제집이 있었으면 좋겠어요.

의견 4 글 읽기에서 어떤 부분이 부족한지, 또 어떤 종류의 글 읽기를 좋아하고 싫어하는지를 판단할 수 있었으면 좋겠어요.

의견 5 글의 주제나 요지 파악, 제목 찾기 등을 쉬운 수준부터 차근차근 단계별로 훈련할 수 있는 책이 필요해요.

의견 6 아이 혼자 스스로 조금씩 꾸준하게 공부할 수 있도록 학습 계획(스케줄)을 쉽게 짤 수 있는 교재가 있었으면 좋겠어요.

의견 7 학부모가 아이를 지도하기 쉽게 해설이 자세한 독해 연습서가 있었으면 좋겠어요.

구성과 특징

❶ 일차별·단계별 구성

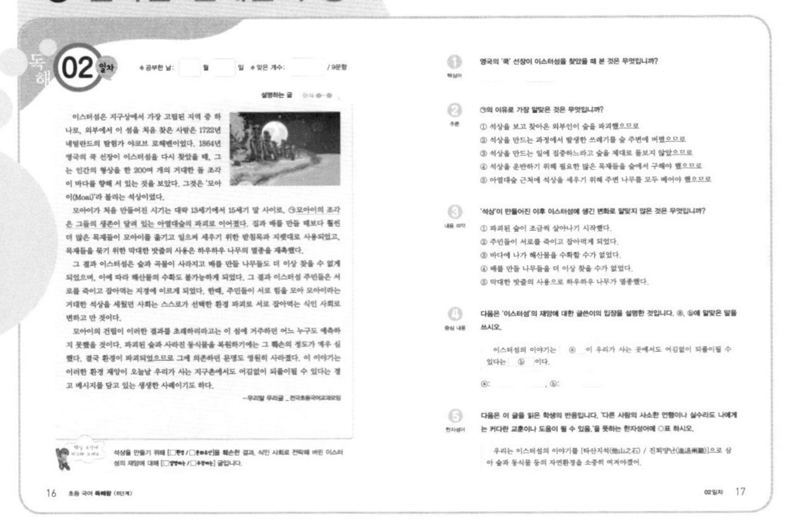

하루의 학습량을
초등학생이 집중력을
유지할 수 있는 약 20~30분
분량, 2~3개 지문으로
구성하였습니다.

❷ 다양한 종류의 글

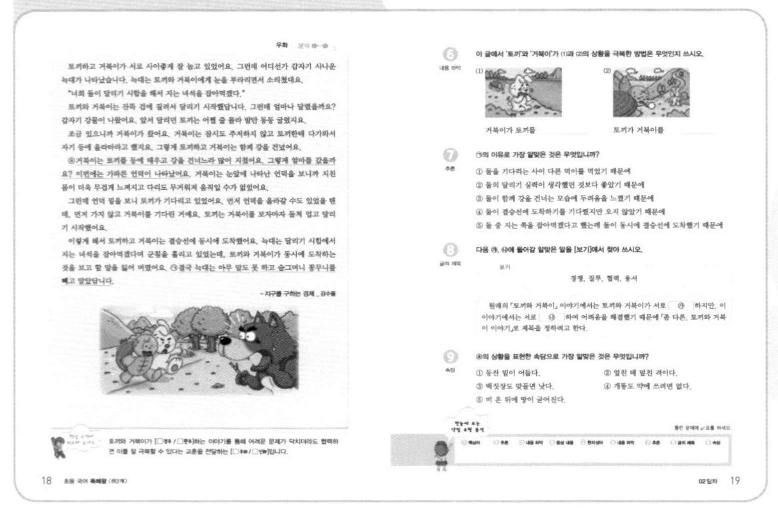

재미와 흥미를 유발할 수
있는 문학(동시, 동화, 기행문,
전기문 등)과 비문학(설명문, 논설문,
안내문, 소개문, 실용문 등) 등
다양한 종류의 글로 구성
하였습니다.

❸ 다양한 문제

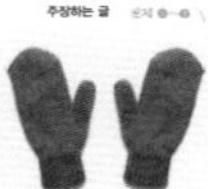

글의 중심 내용, 핵심어, 주제,
목적 등을 정확하게 이해하는지를 묻는
사실적 이해 문항과 이를 바탕으로
다른 상황에 적용, 추론할 수 있는지를
묻는 다양한 문제로 구성하여
효율적인 독해 훈련이
가능하도록 하였습니다.

❹ 핵심 요약 체크 / 한눈에 보는 약점 유형 분석

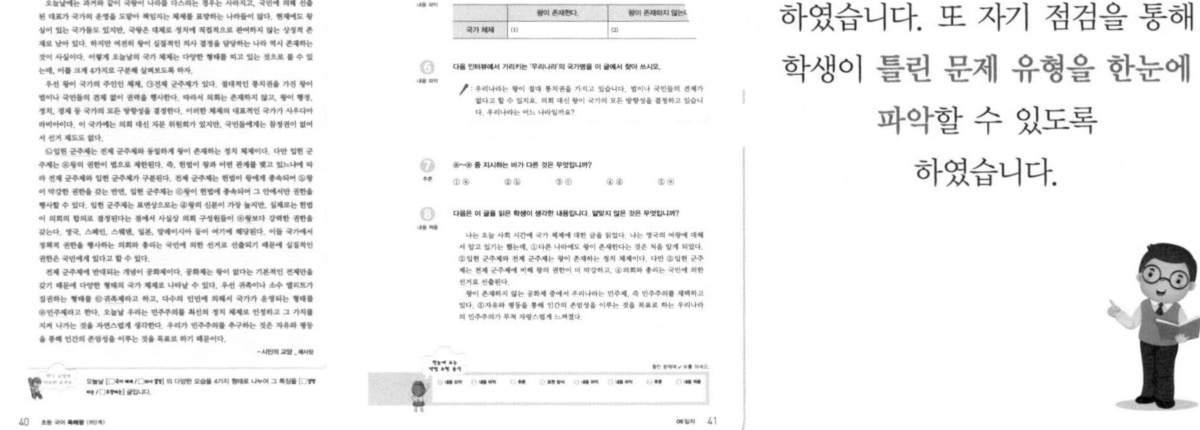

설명하는 글

오늘날에는 과거와 같이 국왕이 나라를 다스리는 경우는 사라지고, 국민에 의해 선출된 대표가 국가의 운영을 도맡아 책임지는 체제를 표방하는 나라들이 많다. 현재에도 왕실이 있는 국가들도 있지만, 국왕은 대체로 정치에 직접적으로 관여하지 않는 상징적 존재로 남아 있다. 하지만 여전히 왕이 실질적인 의사 결정을 담당하는 나라 역시 존재하는 것이 사실이다. 이렇게 오늘날의 국가 체제는 다양한 형태를 띠고 있는 것으로 볼 수 있는데, 이를 크게 4가지로 구분해 살펴보도록 하자.

우선 왕이 국가의 주인인 체제, ㉠전제 군주제가 있다. 절대적인 통치권을 가진 왕이 법이나 국민들의 견제 없이 권력을 행사한다. 따라서 의회는 존재하지 않고, 왕이 행정, 정치, 경제 등 국가의 모든 방향성을 결정한다. 이러한 체제의 대표적인 국가가 사우디아라비아이다. 이 국가에는 의회 대신 자문 위원회가 있지만, 국민들에게는 참정권이 없어서 선거 제도도 없다.

㉡입헌 군주제는 전제 군주제와 동일하게 왕이 존재하는 정치 체제이다. 다만 입헌 군주제는 ⓐ왕의 권한이 법으로 제한된다. 즉, 헌법이 왕과 어떤 관계를 맺고 있느냐에 따라 전제 군주제와 입헌 군주제가 구분된다. 전제 군주제는 헌법이 왕에게 종속되어 ⓑ왕이 막강한 권한을 갖는 반면, 입헌 군주제는 ⓒ왕이 헌법에 종속되어 그 안에서만 권한을 행사할 수 있다. 입헌 군주제는 표면상으로는 ⓓ왕의 신분이 가장 높지만, 실제로는 헌법이 의회의 합의로 결정된다는 점에서 사실상 의회 구성원들이 ⓔ왕보다 강력한 권한을 갖는다. 영국, 스페인, 스웨덴, 일본, 말레이시아 등이 여기에 해당된다. 이들 국가에서 정책적 권한을 행사하는 의회와 총리는 국민에 의한 선거로 선출되기 때문에 실질적인 권한은 국민에게 있다고 할 수 있다.

전제 군주제에 반대되는 개념이 공화제이다. 공화제는 왕이 없다는 기본적인 전제만을 갖기 때문에 다양한 형태의 국가 체제로 나타날 수 있다. 우선 귀족이나 소수 엘리트가 집권하는 형태를 ㉢귀족제라고 하고, 다수의 인민에 의해서 국가가 운영되는 형태를 ㉣민주제라고 한다. 오늘날 우리는 민주주의를 최선의 정치 체제로 인정하고 그 가치를 지켜 나가는 것을 자연스럽게 생각한다. 우리가 민주주의를 추구하는 것은 자유와 평등을 통해 인간의 존엄성을 이루는 것을 목표로 하기 때문이다.

-시민의 교양 _채사장

오늘날 [□국가 체제 / □의사 결정] 의 다양한 모습을 4가지 형태로 나누어 그 특징을 [□설명하는 / □주장하는] 글입니다.

40 초등 국어 독해왕 (6단계)

5 (내용 파악) ㉠~㉣을 다음의 기준에 따라 분류하시오.

	왕이 존재한다.	왕이 존재하지 않는다.
국가 체제	(1)	(2)

6 (내용 파악) 다음 인터뷰에서 가리키는 '우리나라'의 국가명을 이 글에서 찾아 쓰시오.

: 우리나라는 왕이 절대 통치권을 가지고 있습니다. 법이나 국민들의 견제가 없다고 할 수 있지요. 의회 대신 왕이 국가의 모든 방향성을 결정하고 있습니다. 우리나라는 어느 나라일까요?

7 (추론) ⓐ~ⓔ 중 지시하는 바가 다른 것은 무엇입니까?

① ⓐ ② ⓑ ③ ⓒ ④ ⓓ ⑤ ⓔ

8 (내용 적용) 다음은 이 글을 읽은 학생이 생각한 내용입니다. 알맞지 않은 것은 무엇입니까?

나는 오늘 사회 시간에 국가 체제에 대한 글을 읽었다. 나는 영국의 여왕에 대해서 알고 있기는 했는데, ①다른 나라에도 왕이 존재한다는 것은 처음 알게 되었다. ②입헌 군주제와 전제 군주제는 왕이 존재하는 정치 체제이다. 다만 ③입헌 군주제는 전제 군주제에 비해 왕의 권한이 더 막강하고, ④의회와 총리는 국민에 의한 선거로 선출된다.

왕이 존재하지 않는 공화제 중에서 우리나라는 민주제, 즉 민주주의를 채택하고 있다. ⑤자유와 평등을 통해 인간의 존엄성을 이루는 것을 목표로 하는 우리나라의 민주주의가 무척 자랑스럽게 느껴졌다.

한눈에 보는 약점 유형 분석 — 틀린 문제에 ✓ 표를 하세요.

내용 요약 / 내용 파악 / 추론 / 표현 방식 / 내용 파악 / 내용 파악 / 추론 / 내용 적용

06일차 41

글의 핵심 정보와 글의 목적 등을 파악하여 체크하도록 하였습니다. 또 자기 점검을 통해 학생이 틀린 문제 유형을 한눈에 파악할 수 있도록 하였습니다.

❺ 어휘 학습 및 테스트

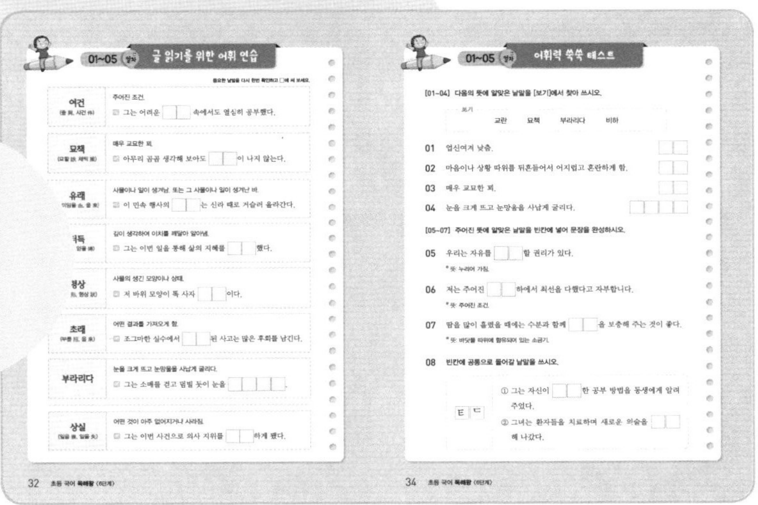

01~05 일차 글 읽기를 위한 어휘 연습

중요한 낱말을 다시 한번 확인하고 □에 써 보세요.

여건	주어진 조건. 예 그는 어려운 □□ 속에서도 열심히 공부했다.
묘책	매우 교묘한 꾀. 예 아무리 곰곰 생각해 보아도 □□이 나지 않는다.
유래	사물이나 일이 생겨남. 또는 그 사물이나 일이 생겨난 바. 예 이 민속 행사의 □□는 신라 때로 거슬러 올라간다.
터득	깊이 생각하여 이치를 깨달아 알아냄. 예 그는 이번 일을 통해 삶의 지혜를 □□했다.
형상	사물의 생긴 모양이나 상태. 예 저 바위 모양이 똑 사자 □□이다.
초래	어떤 결과를 가져오게 함. 예 조그마한 실수에서 □□된 사고는 많은 후회를 남긴다.
부라리다	눈을 크게 뜨고 눈망울을 사납게 굴리다. 예 그는 소매를 걷고 덤빌 듯이 눈을 □□□□.
상실	어떤 것이 아주 없어지거나 사라짐. 예 그는 이번 사건으로 의사 지위를 □□하게 됐다.

32 초등 국어 독해왕 (6단계)

01~05 일차 어휘력 쑥쑥 테스트

[01~04] 다음의 뜻에 알맞은 낱말을 [보기]에서 찾아 쓰시오.

보기: 교란 묘책 부라리다 비하

01 업신여겨 낮춤. □□

02 마음이나 상황 따위를 뒤흔들어서 어지럽고 혼란하게 함. □□

03 매우 교묘한 꾀. □□

04 눈을 크게 뜨고 눈망울을 사납게 굴리다. □□□□

[05~07] 주어진 뜻에 알맞은 낱말을 빈칸에 넣어 문장을 완성하시오.

05 우리는 자유를 □□할 권리가 있다.
* 뜻: 누리어 가짐.

06 저는 주어진 □□하에서 최선을 다했다고 자부합니다.
* 뜻: 주어진 조건.

07 땀을 많이 흘렸을 때에는 수분과 함께 □□을 보충해 주는 것이 좋다.
* 뜻: 바닷물 따위에 함유되어 있는 소금기.

08 빈칸에 공통으로 들어갈 낱말을 쓰시오.

ㅌ ㄷ

① 그는 자신이 □□한 공부 방법을 동생에게 알려 주었다.

② 그녀는 환자들을 치료하며 새로운 의술을 □□해 나갔다.

34 초등 국어 독해왕 (6단계)

5일 동안 공부한 지문 중에서 주요 어휘들을 골라 다시 써 보고 간단한 문제로 반복 학습을 할 수 있도록 하였습니다. 어휘력은 국어 능력의 주요 지표 중 하나입니다.

❻ 정답 및 해설

모든 문제는 해설을 통해 자세하고 친절하게 설명하였습니다. 스스로 공부하는 **학생에게는** **자기 주도 학습의 길잡이**가 되고 **학부모님과 선생님께는** **학습 지도 자료**로 활용될 수 있도록 하였습니다.

차례 및 학습 계획

하루의 학습량을 초등학생이 집중력을 유지할 수 있는
약 20~30분 분량, 2개 지문으로 구성하였습니다.

학부모 및 선생님을 위한
초등국어 독해왕의 공부 지도법

"자기 주도 학습을 실천하도록 돕는 것이 중요합니다!!!"

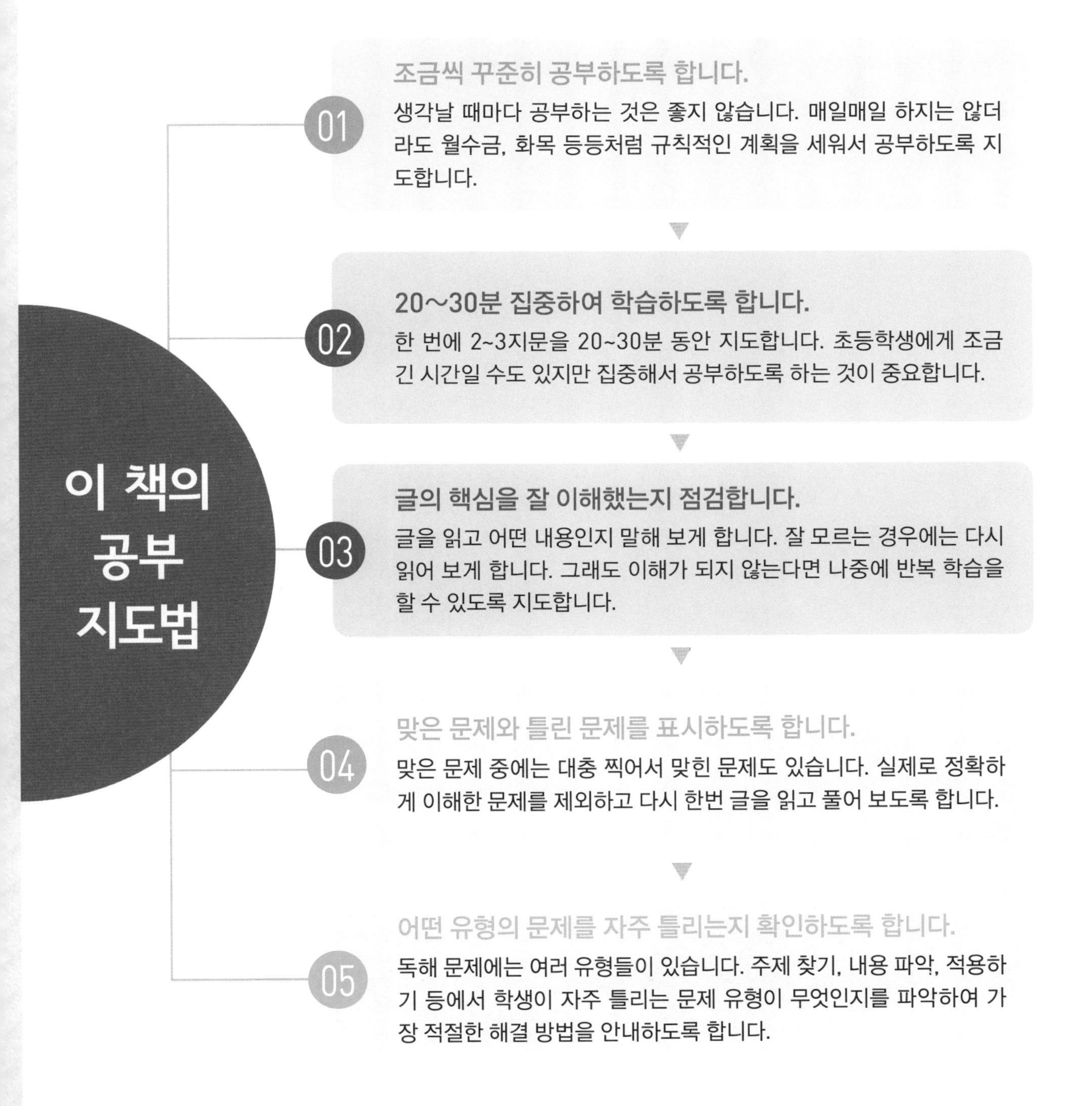

01~05 일차

♣공부한 날: 월 일 ♣맞은 개수: /8문항

강연 문제 ❶~❹

여러분은 세뱃돈을 받은 기억이 있나요? 세뱃돈을 받자마자 한꺼번에 다 써 버려서 나중에 후회했던 경험이 있는 친구들이 있을 거예요. 그런 친구들은 아마도 저축을 해 본 경험이 없거나, 그 중요성을 모르는 친구들일 거예요. 저축은 가지고 있는 돈 중 일부를 쓰지 않고 모아 두는 것을 말해요. 저축을 하면 여러 가지 좋은 점들이 있어요.

첫째, 모아 둔 돈을 급할 때 쓸 수 있어요. 가족 중 누군가가 아파서 갑자기 수술을 받아야 하거나 집안에 큰일이 생겨 적은 돈이라도 보태야 할 때가 있을 수 있어요. 그때 저축해 놓은 돈이 있다면 도움이 될 수 있어요. 이렇게 예상치 못한 일이 생겨서 급하게 돈이 필요할 때를 대비하기 위해서 저축은 꼭 필요해요. 둘째, 미래에 하고 싶은 것을 할 수 있어요. 저축을 통해 큰돈을 마련하면 사고 싶은 것을 사거나 하고 싶은 일을 할 수 있어요. 갖고 싶었던 책을 살 수도 있고 놀이공원에 갈 수도 있어요. 셋째, 저축은 나라 경제에 도움이 돼요. 은행에 돈을 맡기면 은행에서는 그 돈을 필요한 사람이나 기업에게 빌려줘요. 기업은 그 돈으로 공장도 짓고 새로운 상품도 만들어 낸답니다. 기업 활동이 활발해지면 일자리가 늘어나고, 노동자들의 소득도 늘어나니 경제가 더욱 발전하게 되겠지요.

큰돈이 아니어도 좋아요. 이제 조금씩 저축을 해 보기로 해요. '[㉠]'이라는 속담이 있어요. 이 속담은 아주 작은 티끌이라도 쌓이고 쌓이면 산만큼 거대해지는 것처럼, 아무리 적은 것이라도 자꾸 모으면 큰 것을 이룰 수 있다는 뜻이에요. 이 속담처럼 적은 돈이라도 차근차근 꾸준히 모아 나가다 보면 절약하는 습관을 가질 수 있는 동시에 더 큰 꿈을 펼칠 수 있는 경제적 여건도 스스로 마련할 수 있을 거예요.

[□소비 / □저축]의 장점을 제시하며 적은 돈이라도 꾸준히 모으는 습관을 가질 것을 강조하는 [□강연 / □연극]입니다.

1 서술 방식

이 글에 대한 설명으로 알맞지 않은 것은 무엇입니까?

① 속담을 활용하여 주제를 강조하고 있다.
② 대상 간의 공통점과 차이점을 밝히고 있다.
③ 주제와 관련한 용어의 개념을 설명하고 있다.
④ 경험을 떠올려 보도록 하여 관심을 집중시키고 있다.
⑤ 주제를 실천함으로써 얻을 수 있는 효과를 나열하고 있다.

2 내용 요약

다음은 저축이 경제에 도움이 되는 과정을 정리한 것입니다. ⓐ~ⓓ에 알맞은 말을 쓰시오.

> 사람들이 저축을 함. → 은행에서 기업에 돈을 [ⓐ]. → 기업은 [ⓑ]을 짓거나 [ⓒ]을 생산함. → 일자리와 노동자들의 [ⓓ]이 증가함. → 경제가 발전함.

ⓐ: ________, ⓑ: ________, ⓒ: ________, ⓓ: ________

3 내용 파악

이 글에서 주장을 뒷받침하기 위해 제시한 근거로 알맞지 않은 것은 무엇입니까?

① 절약하는 습관을 가질 수 있어요.
② 노동자들의 소비를 늘릴 수 있어요.
③ 모아 둔 돈을 급할 때 쓸 수 있어요.
④ 미래에 하고 싶은 것을 할 수 있어요.
⑤ 꿈을 펼칠 수 있는 경제적 여건을 마련할 수 있어요.

4 속담

㉠에 들어갈 속담으로 알맞은 것은 무엇입니까?

① 갈수록 태산.
② 작아도 후추알.
③ 티끌 모아 태산.
④ 티끌 속의 구슬.
⑤ 돌개바람에 먼지 날리듯.

혹시 이런 말을 들어 봤나요? "내 동생은 깍두기로 끼워 줘!" 예전에는 편을 나눠 놀이를 할 때 짝이 없이 남은 아이를 '깍두기'로 표현했습니다. 이때 깍두기들은 형 또는 누나를 따라 온 동생이거나 함께 놀 아이들보다 약하거나 재주가 없어 평소 무리에 들지 못하는 아이였습니다. 깍두기는 놀이를 할 때 양쪽 편에 번갈아 들어갈 수 있게 했는데, 때에 따라서는 제일 잘하는 아이가 깍두기가 되기도 했습니다.

'깍두기'는 깍두기를 만들려고 무를 썰다 보면 끄트머리가 각진 네모로 썰어지지 않고 삐뚜름한 모양으로 썰리는 데서 유래했습니다. 깍두기가 대부분 네모 반듯 하지만 끝이 둥근 것도 깍두기로 인정하겠다는 뜻이 들어 있지요. 모양이 다르다고 버리지 않고 다 함께 버무려 깍두기로 만드는 것처럼 함께 놀기 어려운 아이가 있더라도 남겨 두지 않고 어떤 식으로든 함께하려는 태도가 '깍두기'에 담겨 있습니다.

놀이에 참가한 '깍두기'는 놀이에서의 행동에 대한 규칙은 따르지만 승패에 대한 규칙은 따르지 않습니다. 숨바꼭질을 할 때 깍두기는 술래를 피해서 숨어야 하는 규칙은 똑같이 적용을 받지만, 술래에게 잡혀도 술래가 되지 않는 식입니다. 이러한 깍두기는 놀이를 공정하게 만드는 도구인 동시에 모두가 한데 어울릴 수 있게 해 주는 묘책이었습니다. 깍두기가 있었기에 남자아이 놀이에 여자아이가 깍두기로 끼거나 어린아이도 함께 놀 수 있었기 때문입니다.

하지만 요즘에는 깍두기를 잘 찾아볼 수가 없습니다. 팀을 나눠야 할 때도 꼭 짝수만을 고집하거나 못하는 친구를 아예 빼 버리기 때문입니다. 함께 놀이하는 법을 터득하기보다는 놀이에서 이기거나 쉽게 놀이하는 방법을 선택하는 것이지요. '깍두기'에는 소외되는 이 없이 함께 놀이에 참여하게 하는 배려와 나눔의 마음이 담겨 있습니다. 단 한 명도 약하거나 어리거나 그 어떤 이유로도 놀이에 끼지 못하는 일은 없었던 것, '깍두기' 문화를 우리는 기억해야 할 것입니다.

놀이에서의 [[□깍두기 / □따돌림] 문화의 유래와 규칙에 대해 이야기하고, 그것에 담긴 소중한 의미에 대해 [[□설명하는 / □주장하는] 글입니다.

5 중심 내용

다음은 '깍두기' 문화에 대한 설명입니다. 빈칸에 알맞은 말을 쓰시오.

편을 나눌 때 마지막에 남은 한 명을 가리키는 '깍두기'에는 모두가 함께 놀이에 참여하게 하는 [ ] 와 [ ] 의 마음이 담겨 있습니다.

6 정보 확인

이 글에서 알 수 있는 내용으로 알맞지 않은 것은 무엇입니까?

① 깍두기의 의미
② 깍두기의 유래
③ 깍두기의 긍정적 기능
④ 깍두기와 왕따의 차이
⑤ 깍두기에게 적용되는 규칙

7 내용 파악

이 글의 '깍두기'에 대한 설명으로 맞으면 ○, 틀리면 ×표를 하시오.

(1) '깍두기'는 승패에 대한 규칙을 따르지 않는다. ( )
(2) '깍두기' 문화는 놀이를 공정하게 만드는 도구이다. ( )
(3) 놀이를 제일 잘 하는 아이는 '깍두기'가 될 수 없다. ( )

8 추론

이 글의 '깍두기' 문화에 대해 이해한 내용으로 알맞지 않은 것은 무엇입니까?

① 놀이에서 소외되는 친구가 없도록 하는 방법이 되기도 하겠군.
② 무리에 들지 못하는 친구가 함께 어울릴 수 있는 기회가 되겠군.
③ 성별에 관계없이 함께 놀이를 할 수 있는 기회가 되기도 하겠군.
④ 함께 놀이하는 방법을 놀이를 통해 자연스럽게 터득하기도 하겠군.
⑤ 쉽게 놀이를 하거나 놀이에서 이기고 싶은 마음이 반영된 것이겠군.

한눈에 보는 약점 유형 분석

틀린 문제에 ✔표를 하세요.

① 서술 방식	② 내용 요약	③ 내용 파악	④ 속담	⑤ 중심 내용	⑥ 정보 확인	⑦ 내용 파악	⑧ 추론

♣공부한 날: 월 일 ♣맞은 개수: /9문항

설명하는 글 문제 ❶~❺

이스터섬은 지구상에서 가장 고립된 지역 중 하나로, 외부에서 이 섬을 처음 찾은 사람은 1722년 네덜란드의 탐험가 야코브 로헤벤이었다. 1864년 영국의 쿡 선장이 이스터섬을 다시 찾았을 때, 그는 인간의 형상을 한 200여 개의 거대한 돌 조각이 바다를 향해 서 있는 것을 보았다. 그것은 '모아이(Moai)'라 불리는 석상이었다.

모아이가 처음 만들어진 시기는 대략 13세기에서 15세기 말 사이로, ㉠모아이의 조각은 그들의 생존이 달려 있는 아열대숲의 파괴로 이어졌다. 집과 배를 만들 때보다 훨씬 더 많은 목재들이 모아이를 옮기고 일으켜 세우기 위한 받침목과 지렛대로 사용되었고, 목재들을 묶기 위한 막대한 밧줄의 사용은 하우하우 나무의 멸종을 재촉했다.

그 결과 이스터섬은 숲과 곡물이 사라지고 배를 만들 나무들도 더 이상 찾을 수 없게 되었으며, 이에 따라 해산물의 수확도 불가능하게 되었다. 그 결과 이스터섬 주민들은 서로를 죽이고 잡아먹는 지경에 이르게 되었다. 한때, 주민들이 서로 힘을 모아 모아이라는 거대한 석상을 세웠던 사회는 스스로가 선택한 환경 파괴로 서로 잡아먹는 식인 사회로 변하고 만 것이다.

모아이의 건립이 이러한 결과를 초래하리라고는 이 섬에 거주하던 어느 누구도 예측하지 못했을 것이다. 파괴된 숲과 사라진 동식물을 복원하기에는 그 훼손의 정도가 매우 심했다. 결국 환경이 파괴되었으므로 그에 의존하던 문명도 영원히 사라졌다. 이 이야기는 이러한 환경 재앙이 오늘날 우리가 사는 지구촌에서도 어김없이 되풀이될 수 있다는 경고 메시지를 담고 있다.

–우리말 우리글 _ 전국초등국어교과모임

석상을 만들기 위해 [□**환경** / □**문화유산**]을 훼손한 결과, 식인 사회로 전락해 버린 이스터섬의 재앙에 대해 [□**설명하는** / □**주장하는**] 글입니다.

1 핵심어

영국의 '쿡' 선장이 이스터섬을 찾았을 때 본 것은 무엇입니까?

____

2 추론

㉠의 이유로 가장 알맞은 것은 무엇입니까?

① 석상을 보고 찾아온 외부인이 숲을 파괴했으므로
② 석상을 만드는 과정에서 발생한 쓰레기를 숲 주변에 버렸으므로
③ 석상을 만드는 일에 집중하느라고 숲을 제대로 돌보지 않았으므로
④ 석상을 운반하기 위해 필요한 많은 목재들을 숲에서 구해야 했으므로
⑤ 아열대숲 근처에 석상을 세우기 위해 주변 나무를 모두 베어야 했으므로

3 내용 파악

'석상'이 만들어진 이후 이스터섬에 생긴 변화로 알맞지 않은 것은 무엇입니까?

① 파괴된 숲이 조금씩 살아나기 시작했다.
② 주민들이 서로를 죽이고 잡아먹게 되었다.
③ 바다에 나가 해산물을 수확할 수가 없었다.
④ 배를 만들 나무들을 더 이상 찾을 수가 없었다.
⑤ 막대한 밧줄의 사용으로 하우하우 나무가 멸종했다.

4 중심 내용

다음은 '이스터섬'의 재앙에 대한 글쓴이의 입장을 설명한 것입니다. ⓐ, ⓑ에 알맞은 말을 쓰시오.

> 이스터섬의 이야기는 [ⓐ]이 우리가 사는 곳에서도 어김없이 되풀이될 수 있다는 [ⓑ]이다.

ⓐ: ______________, ⓑ: ______________

5 한자성어

다음은 이 글을 읽은 학생의 반응입니다. '다른 사람의 사소한 언행이나 실수라도 나에게는 커다란 교훈이나 도움이 될 수 있음.'을 뜻하는 한자성어에 ○표 하시오.

> 우리는 이스터섬의 이야기를 [타산지석(他山之石) / 진퇴양난(進退兩難)]으로 삼아 숲과 동식물 등의 자연환경을 소중히 여겨야겠어.

토끼하고 거북이가 서로 사이좋게 잘 놀고 있었어요. 그런데 어디선가 갑자기 사나운 늑대가 나타났습니다. 늑대는 토끼와 거북이에게 눈을 부라리면서 소리쳤대요.

"너희 둘이 달리기 시합을 해서 지는 녀석을 잡아먹겠다."

토끼와 거북이는 잔뜩 겁에 질려서 달리기 시작했답니다. 그런데 얼마나 달렸을까요? 갑자기 강물이 나왔어요. 앞서 달리던 토끼는 어쩔 줄 몰라 발만 동동 굴렀지요.

조금 있으니까 거북이가 왔어요. 거북이는 잠시도 주저하지 않고 토끼한테 다가와서 자기 등에 올라타라고 했지요. 그렇게 토끼하고 거북이는 함께 강을 건넜어요.

ⓐ거북이는 토끼를 등에 태우고 강을 건너느라 많이 지쳤어요. 그렇게 얼마를 갔을까요? 이번에는 가파른 언덕이 나타났어요. 거북이는 눈앞에 나타난 언덕을 보니까 지친 몸이 더욱 무겁게 느껴지고 다리도 무거워져 움직일 수가 없었어요.

그런데 언덕 밑을 보니 토끼가 기다리고 있었어요. 먼저 언덕을 올라갈 수도 있었을 텐데, 먼저 가지 않고 거북이를 기다린 거예요. 토끼는 거북이를 보자마자 들쳐 업고 달리기 시작했어요.

이렇게 해서 토끼하고 거북이는 결승선에 동시에 도착했어요. 늑대는 달리기 시합에서 지는 녀석을 잡아먹겠다며 군침을 흘리고 있었는데, 토끼와 거북이가 동시에 도착하는 것을 보고 할 말을 잃어 버렸어요. ㉠결국 늑대는 아무 말도 못 하고 슬그머니 꽁무니를 빼고 말았답니다.

– 지구를 구하는 경제 _ 강수돌

토끼와 거북이가 [□경주 / □운동]하는 이야기를 통해 어려운 문제가 닥치더라도 협력하면 이를 잘 극복할 수 있다는 교훈을 전달하는 [□우화 / □신화]입니다.

6 내용 파악

이 글에서 '토끼'와 '거북이'가 (1)과 (2)의 상황을 극복한 방법은 무엇인지 쓰시오.

(1) 거북이가 토끼를 ______________

(2) 토끼가 거북이를 ______________

7 추론

㉠의 이유로 가장 알맞은 것은 무엇입니까?

① 둘을 기다리는 사이 다른 먹이를 먹었기 때문에
② 둘의 달리기 실력이 생각했던 것보다 좋았기 때문에
③ 둘이 함께 강을 건너는 모습에 두려움을 느꼈기 때문에
④ 둘이 결승선에 도착하기를 기다렸지만 오지 않았기 때문에
⑤ 둘 중 지는 쪽을 잡아먹겠다고 했는데 둘이 동시에 결승선에 도착했기 때문에

8 글의 제목

다음 ㉮, ㉯에 들어갈 알맞은 말을 [보기]에서 찾아 쓰시오.

보기

경쟁, 질투, 협력, 용서

원래의 「토끼와 거북이」 이야기에서는 토끼와 거북이가 서로 [㉮]하지만, 이 이야기에서는 서로 [㉯]하여 어려움을 해결했기 때문에 「좀 다른, 토끼와 거북이 이야기」로 제목을 정하려고 한다.

9 속담

ⓐ의 상황을 표현한 속담으로 가장 알맞은 것은 무엇입니까?

① 등잔 밑이 어둡다.
② 엎친 데 덮친 격이다.
③ 백짓장도 맞들면 낫다.
④ 개똥도 약에 쓰려면 없다.
⑤ 비 온 뒤에 땅이 굳어진다.

한눈에 보는 약점 유형 분석

틀린 문제에 ✔표를 하세요.

① 핵심어	② 추론	③ 내용 파악	④ 중심 내용	⑤ 한자성어	⑥ 내용 파악	⑦ 추론	⑧ 글의 제목	⑨ 속담

♣공부한 날: 월 일 ♣맞은 개수: /9문항

설명하는 글 문제 ❶~❹

우리나라에는 여러 개의 정당이 있어요. 정당이란 정치적인 주장이 같은 사람들이 정권을 잡고 정치적 이상을 실현하기 위하여 조직한 단체를 의미해요. 이 가운데 대통령을 배출한 정당을 여당이라고 해요. 어느 때든 여당은 1개의 정당뿐이죠. 하지만 야당은 여당을 제외한 나머지 정당을 모두 일컫는 말이에요. 여당은 대통령과 함께 자신들이 생각한 방향으로 정치를 하기 위해 노력해요. 반면 야당은 정부와 여당의 정책을 감시하고, 다음 선거 때 대통령을 배출하기 위해 노력하지요.

아무래도 여당은 대통령과 서로 도우면서 나랏일에 더 많은 영향을 끼치기 때문에 각 정당은 여당이 되려고 합니다. 하지만 여당이라도 국회 의원 수가 야당보다 적다면 큰 힘을 발휘할 수 없어요. 정부의 정책에 힘을 실어 주기 어렵지요. 반면 야당이라도 국회 의원 수가 여당보다 많으면 자신들의 생각대로 나랏일을 추진할 수 있어요.

그래서 얼마나 많은 국회 의원이 소속되어 있는가는 정당의 힘을 판단하는 기준이 되지요. 특히 국회 의원 수가 20명이 안 되는 정당은 국회에서 자신들의 목소리를 내기 어려워요. 우리나라에는 '교섭 단체'라는 규정이 있기 때문이에요.

교섭 단체란 국회가 어떤 일을 하려고 할 때 그 방법 등에 관해 모여서 협의할 수 있는 단체를 일컫는 말이에요. 교섭 단체로 인정받으려면 20명 이상의 국회 의원이 모여야 해요. 그래서 각 정당은, 국회 의원 수를 최소한 20명 이상으로 유지하려고 애를 써요. 교섭 단체가 되면 정당의 뜻을 효과적으로 밝힐 수 있고, 나라의 보조금도 더 많이 받을 수 있거든요. 만약 국회 의원 수가 20명이 되지 않을 경우, 같은 정당 소속이 아니더라도 다른 교섭 단체에 속하지 않은 국회 의원들을 모아 교섭 단체를 만들기도 해요. 만약 교섭 단체의 소속 국회 의원이 탈퇴하여 그 수가 20명에 미치지 못하게 되면 교섭 단체로서의 지위를 상실하게 된답니다.

– 재미있는 선거와 정치 이야기 _ 조항록

여당과 야당의 [□역할 / □정책]과 그 차이점을 이야기하고, 각 정당이 교섭 단체의 지위를 얻기 위해 노력하는 이유에 대해 [□설명하는 / □주장하는] 글입니다.

1 핵심어

이 글에서 다음 설명에 해당하는 것을 찾아 쓰시오.

(1) 대통령을 배출한 정당이다. (　　　)

(2) 여당을 제외한 나머지 정당이다. (　　　)

(3) 국회가 어떤 일을 하려고 할 때 그 방법 등에 관해 모여서 협의할 수 있는 단체이다. (　　　)

2 정보 확인

이 글에서 확인할 수 없는 것은 무엇입니까?

① 여당의 수
② 국회 의원의 임기
③ 여당과 야당의 역할
④ 정당의 힘을 판단하는 기준
⑤ 교섭 단체로 인정받기 위한 기준

3 내용 파악

이 글의 내용으로 알맞지 않은 것은 무엇입니까?

① 야당은 정부와 여당의 정책을 감시한다.
② 정당의 힘은 소속되어 있는 국회 의원의 수에 의해 결정된다.
③ 여당은 대통령과 서로 도우면서 나랏일에 많은 영향을 끼친다.
④ 국회 의원 수가 야당보다 적은 여당은 큰 힘을 발휘할 수 없다.
⑤ 교섭 단체는 소속 국회 의원의 탈퇴 여부에 관계없이 그 지위가 유지된다.

4 내용 적용

[보기]의 상황에 대한 설명으로 알맞지 않은 것은 무엇입니까?

보기

국회 의원 1: 우리 A당은 국회 의원 수가 15명 밖에 안 되니 힘이 없어.
국회 의원 2: B당 소속 국회 의원 10명 중 7명이 우리 A당과 같이 교섭 단체를 만들자고 하네.

① A당이 대통령을 배출한다면 여당의 지위를 누릴 수 있다.
② A당은 국회에서 정당의 뜻을 밝히는 데 어려움을 겪을 수 있다.
③ A당이 교섭 단체가 되기 위해서는 최소 5명의 국회 의원이 더 필요하다.
④ A당은 교섭 단체로 인정받은 당에 비해 나라에서 받는 보조금이 더 적다.
⑤ A당의 국회 의원과 B당의 국회 의원은 소속된 정당이 달라 함께 교섭 단체를 구성하는 것이 불가능하다.

겨울이면 우리가 으레 사용하는 장갑, 바로 '벙어리장갑'입니다. 표준국어대사전에도 '엄지손가락만 따로 가르고 나머지 네 손가락은 함께 끼게 되어 있는 장갑.'이라는 뜻의 '벙어리장갑'이 실려 있습니다. 하지만 조금만 생각해 보면 이 말이 장애인을 낮잡아 이르는 말이라는 것을 알 수 있습니다. '벙어리'는 언어 장애인을 낮잡아 부르는 말이기 때문입니다.

그렇다면 왜 이런 모양의 장갑을 '벙어리장갑'이라 부르게 된 걸까요? '막히다'라는 뜻의 옛말인 '벙을다'에서 유래되었다는 설도 있지만, 옛 사람들이 언어 장애인은 혀와 성대가 ㉠붙어 있다고 생각했는데, 이 때문에 네 개의 손가락이 붙어 있는 장갑을 보고 '벙어리장갑'이라 부르기 시작했다는 설이 가장 유력합니다. 이렇게 그 어원에 대한 설은 여러 가지이지만, 사용 의도와 달리 '벙어리장갑'이라는 용어에 장애인에 대한 편견과 비하의 의미가 담긴 것은 마찬가지입니다.

이런 용어를 사용하는 것은 우리의 의도와 상관없이 누군가에게 큰 상처가 될 수 있습니다. 하지만 오래전부터 사용해 온 용어이기 때문에 오히려 '벙어리장갑'이라는 용어에서 귀여움을 느끼는 이도 있을 정도로 우리들은 문제의식을 느끼지 못하고 있습니다. 이러한 태도는 우리가 타인에 대한 편견과 차별에 무감각하다는 것을 의미할 수도 있습니다.

우리는 일상 속에서 무심코 지나치기 쉬운 이러한 문제를 인식하는 것에서부터 변화를 시작해야 합니다. 어떤 단체에서는 '벙어리장갑'을 '손모아장갑'으로 바꾸어 부르자는 운동을 진행 중입니다. 우리는 문제를 인식하고, '손모아장갑'으로 용어를 바꾸어 부르는 것처럼 행동을 변화시켜 나가야 합니다. 이는 단순히 올바른 표현을 사용하는 데에서 더 나아가 장애인에 대한 사회적 인식까지 개선시킬 수 있을 것입니다.

장애인에 대한 [□사랑과 배려 / □편견과 비하]의 의미가 담긴 표현을 올바른 표현으로 바꾸어야 한다는 내용을 [□광고하는 / □주장하는] 글입니다.

5 글의 제목

이 글의 제목으로 가장 알맞은 것은 무엇입니까?

① '벙어리장갑'을 찾는 사람들
② '벙어리장갑'의 사전적 의미
③ '벙어리장갑'이라는 용어의 유래
④ '벙어리장갑'을 '손모아장갑'으로
⑤ '벙어리장갑'이 전해 주는 따뜻한 이야기

6 내용 파악

'벙어리장갑'에 대한 설명으로 알맞지 않은 것은 무엇입니까?

① 네 손가락을 함께 끼게 되어 있는 장갑이다.
② 장애인에 대한 사회적 인식을 변화시킬 수 있는 용어이다.
③ 사용 의도와 달리 장애인에 대한 비하의 의미가 담겨 있다.
④ 오래 전부터 사용해 온 용어로서, 귀여움을 느끼는 사람도 있다.
⑤ 언어 장애인에 대한 옛 사람들의 생각이 반영되어 붙여진 이름이다.

7 글의 주제

글쓴이가 말하고자 하는 내용으로 가장 알맞은 것은 무엇입니까?

① '벙어리장갑'의 어원을 사람들이 알고 사용해야 한다.
② 타인에 대한 비하의 의도가 담긴 용어를 익혀야 한다.
③ '손모아장갑'이라는 용어를 표준국어대사전에 실어야 한다.
④ 장애인 비하 표현의 문제를 인식하고 행동을 변화시켜야 한다.
⑤ '벙어리장갑'을 '손모아장갑'으로 부르는 운동을 중단해야 한다.

8 내용 적용

글쓴이가 문제로 볼 만한 표현으로 알맞지 않은 것은 무엇입니까?

① **눈먼 돈:** 애쓰지 않고 공으로 얻은 돈.
② **눈뜬장님:** 무엇을 보고도 제대로 알지 못하는 사람.
③ **봉사 단청 구경:** 사물의 참된 모습을 깨닫지 못함을 이르는 말.
④ **꿀 먹은 벙어리:** 속에 있는 생각을 나타내지 못하는 사람을 이르는 말.
⑤ **방귀 뀐 놈이 성낸다.:** 잘못을 저지른 쪽에서 오히려 남에게 성냄을 비꼬는 말.

9 어휘

㉠과 가장 가까운 의미로 쓰인 것은 무엇입니까?

① 시비가 붙어 싸움이 났다.
② 앞집과 뒷집은 서로 딱 붙어 있다.
③ 대학에 붙어 친구들에게 자랑을 했다.
④ 불이 여기저기 옮겨 붙어 신고를 했다.
⑤ 어머니가 돌아오실 때까지 집에 붙어 있었다.

한눈에 보는 약점 유형 분석

틀린 문제에 ✔표를 하세요.

① 핵심어	② 정보 확인	③ 내용 파악	④ 내용 적용	⑤ 글의 제목	⑥ 내용 파악	⑦ 글의 주제	⑧ 내용 적용	⑨ 어휘

♣공부한 날: 월 일 ♣맞은 개수: /8문항

설명하는 글 문제 ❶~❹

오페라는 17, 18세기 서유럽에서 귀족들이 ㉠향유하던 예술이었다. 19세기에 산업 혁명의 영향으로 막대한 부를 ㉡축적한 시민들은 오페라와 같은 예술을 즐기는 데 돈을 아끼지 않았는데, 이러한 시민들이 즐기던 오페라가 미국의 대중음악과 결합하여 탄생한 것이 뮤지컬이다.

넓은 의미에서 오페라와 뮤지컬은 모두 연극의 범주에 속한다. 대본, 배우, 무대, 관객이라는 4가지 요소가 있어야만 연극이라 할 수 있는데, 뮤지컬과 오페라는 이 4가지 요소를 모두 갖추고 있다. 오페라는 대사까지도 노래로 불리는 만큼 음악이 중심이 되는 반면에 뮤지컬은 노래와 춤은 물론, 일상적 대화를 ㉢구사하는 대사 능력이 중심이 된다.

이 두 예술 장르를 구별하는 가장 쉬운 방법은 오페라는 마이크를 쓰지 않고 육성으로 노래를 부르고, 뮤지컬은 마이크를 쓴다는 점이다. 대부분의 뮤지컬 배우들은 머리카락 속이나 귀 뒤에 고성능의 마이크로폰을 달고 노래한다. 이것이 무선으로 전달되어 스피커를 통해 관객의 귀에 들어가게 된다. 이에 비해 오페라는 원칙적으로 마이크를 쓰지 않는다. 육성으로 노래를 불러야 하는 까닭에 오페라의 발성 방법은 뮤지컬과는 차이가 있다. 오페라에서는 음과 음 사이가 끊어지지 않도록 부드럽고 자연스럽게 노래하는 '벨칸토 창법'이라는 독특한 발성법을 사용한다.

이밖에도 오페라와 뮤지컬을 구별하는 방법은 몇 가지가 더 있다. 주로 사용하는 음악 장르가 무엇인지를 살펴보는 것이다. 오페라의 음악은 클래식이 주를 이룬다. 이에 반해 뮤지컬 음악은 보다 대중적이어서, 팝, 발라드, 랩, 레게, 재즈 등 대중음악을 자유롭게 작품 속에 사용한다. 극 중의 상황에 춤이 더해지는 형태에 있어서도 차이점이 드러난다. 오페라 가수들은 춤을 추지 않지만 뮤지컬 배우들은 춤을 춘다. 오페라에서 과격한 동작은 전문 발레단의 ㉣몫이다. 주역 가수들은 춤이라 할 만한 특별한 동작을 하지 않는다. 하지만 뮤지컬에서는 뮤지컬 배우들이 직접 춤까지 ㉤소화해야 한다. 따라서 배우들의 춤 실력 또한 매우 중요하다.

넓은 의미에서 [□연극 / □영화]의 범주에 속하는 오페라와 뮤지컬의 차이점을 [□설명하는 / □주장하는] 글입니다.

1 내용 파악

다음은 '오페라'와 '뮤지컬'을 연극의 범주로 보는 이유입니다. 빈칸에 알맞은 말을 쓰시오.

오페라와 뮤지컬은 대본, [ ][ ], 무대, [ ][ ]의 4가지 요소를 모두 갖추고 있어 연극의 범주에 속한다.

2 내용 파악

이 글에 대한 설명으로 알맞지 않은 것은 무엇입니까?

① 오페라는 17, 18세기 서유럽에서 귀족들이 향유하던 예술이다.
② 오페라에서는 주로 부드럽고 자연스럽게 노래하는 '벨칸토 창법'을 사용한다.
③ 뮤지컬은 오페라가 미국의 대중음악과 결합하여 탄생하였다.
④ 뮤지컬에서는 배우들이 고성능의 마이크로폰을 달고 노래한다.
⑤ 뮤지컬에서는 배우들이 과격한 춤을 직접 추지 않고 전문 발레단에게 맡긴다.

3 내용 적용

다음은 뮤지컬 배우의 인터뷰 내용입니다. ⓐ~ⓒ에 알맞은 말을 찾아 쓰시오.

기자: 뮤지컬 배우 ○○○ 씨, 뮤지컬 배우를 꿈꾸는 학생들에게 뮤지컬 배우가 되려면 어떤 능력을 갖추어야 하는지 알려 주세요.

배우: 네. 뮤지컬은 오페라와 다른 점이 있어요. 오페라는 대사까지도 [ⓐ]로 불러야 하는 데 반해 뮤지컬은 노래도 하고, [ⓑ]도 추고, 대사를 일상적 대화처럼 자연스럽게 구사해야 한답니다. 따라서 [ⓑ]도 배우고, 음악도 팝, 발라드, 랩, 레게, 재즈 등 [ⓒ]을 많이 들으면 도움이 됩니다.

ⓐ: ______________, ⓑ: ______________, ⓒ: ______________

4 어휘

㉠~㉤의 사전적 의미로 알맞지 않은 것은 무엇입니까?

① ㉠: 누리어 가짐.
② ㉡: 지식, 경험, 자금 따위를 모아서 쌓음.
③ ㉢: 사람 사이에서 뜻이 통하도록 말을 옮겨 줌.
④ ㉣: 여럿으로 나누어 가지는 각 부분.
⑤ ㉤: 주어진 일을 해결하거나 처리함을 비유적으로 이르는 말.

앵커: 최근 수면 장애를 겪는 사람들이 크게 늘고 있는데요. 특히 ㉠저녁에 마시는 커피 한 잔이나 ㉡잠들기 전에 스마트폰을 사용하는 것은 '숙면의 적'으로 알려졌습니다. 이 둘 가운데 어느 것이 수면에 더 방해가 되는 걸까요? ○○○ 기자가 취재했습니다.

기자: 잠을 청할 때 보통 15분 정도면 뇌에서 수면 유도 호르몬이 나와서 깊은 잠에 빠지게 됩니다. 잠들기 전 커피를 마시는 것과 스마트폰을 하는 것 중 어느 쪽이 더 수면을 방해하는지 비교해 봤습니다.

잠들기 3시간 전, 에스프레소 2잔 분량의 카페인을 먹었을 때, 잠자리에 눕고서 55분 만에 수면 유도 호르몬이 나왔습니다. 평소보다 40분이 더 걸린 셈입니다. 반면 스마트폰 등 밝은 불빛에 집중한 경우에는, 잠들기까지 1시간 40분이나 걸렸습니다. 스마트폰의 수면 방해 작용이 커피보다 2배나 강력하다는 것이 확인된 겁니다.

원인은 뇌를 직접 교란하는 스마트폰의 밝은 빛입니다. 카페인은 섭취 후 혈관을 따라 몸을 돌면서 일부는 배출되고 나서 뇌로 가지만, 인공 빛은 곧바로 시신경을 자극해서 우리 뇌를 밝은 대낮인 걸로 착각하게 하는 겁니다. 인공 빛 중 수면을 가장 방해하는 것은 에너지가 가장 강한 푸른색 계열의 빛입니다. 특히 눈에 바짝 대고 보는 스마트폰에서 블루라이트가 가장 많이 나온다는 측정 결과도 있습니다.

[수면 전문의]

"이런 습관을 장기화하면 뇌가 쉬지 못하기 때문에 공황 장애, 불안 장애, 우울증까지 야기될 수가 있겠죠."

기자: 전문의들은 잠들기 최소 3시간 전에는 스마트폰을 사용하는 시간이 20분을 넘지 않는 게 좋고, 꼭 써야 한다면 조명을 어둡게 조절하라고 당부했습니다. 이룸 뉴스 ○○○입니다.

스마트폰의 사용이 수면을 [□방해 / □유도]하는 요인임을 밝히고, 숙면을 위해서는 잠들기 전에 스마트폰의 사용을 자제해야 한다는 내용의 [□공익 광고 / □방송 보도]입니다.

5 서술 방식

이 글에 대한 설명으로 알맞은 내용을 [보기]에서 모두 고른 것은 무엇입니까?

보기

가. 전문가의 의견을 활용하여 내용의 신뢰성을 높이고 있다.
나. 문제를 유발하는 요인을 비교하여 그 심각성을 드러내고 있다.
다. 상대방이 제시한 정보를 이용하여 다음 내용을 예측하고 있다.
라. 자신의 경험을 사례로 들어 이야기를 생생하게 전달하고 있다.
마. 특정 방안의 장단점을 언급하고 단점을 보완할 수 있는 방법을 제시하고 있다.

① 가, 나 ② 가, 다 ③ 나, 다 ④ 가, 나, 라 ⑤ 나, 다, 마

6 중심 내용

이 글에서 전달하고자 하는 내용으로 가장 알맞은 것은 무엇입니까?

① 카페인의 위험성 ② 뇌를 교란하는 요인
③ 블루라이트의 문제점 ④ 충분한 휴식의 필요성
⑤ 스마트폰의 숙면 방해

7 내용 파악

㉠과 ㉡이 수면을 방해하는 정도를 알맞게 비교한 것은 무엇입니까?

① ㉠ 〈 ㉡ ② ㉠ 〉 ㉡ ③ ㉠ = ㉡

8 내용 파악

이 글의 내용으로 알맞은 것은 무엇입니까?

① 잠들기 최소 1시간 전에는 카페인을 섭취하지 않는 것이 좋다.
② 잠을 청할 때 보통 15분 정도면 뇌에서 수면 유도 호르몬이 나온다.
③ 인공 빛 중 에너지가 가장 강한 붉은색 계열의 빛이 수면을 방해한다.
④ 스마트폰의 사용과 카페인 섭취는 수면 유도 호르몬의 분비를 도와준다.
⑤ 인공 빛의 일부는 반사되어 흩어지고 일부만 뇌로 가서 수면을 방해한다.

한눈에 보는 약점 유형 분석

틀린 문제에 ✔표를 하세요.

1 내용 파악	2 내용 파악	3 내용 적용	4 어휘	5 서술 방식	6 중심 내용	7 내용 파악	8 내용 파악

♣공부한 날: 월 일 ♣맞은 개수: /9문항

전기문 문제 ❶~❹

강감찬은 유난히 키가 작고 얼굴에 곰보 자국까지 있었지만 재주가 뛰어나고 용맹스러웠다. 983년에 과거에 급제해 나라의 교육과 외교를 맡았으며, 능력이 뛰어나 높은 벼슬에까지 올랐다.

강감찬이 지금의 평양인 서경 시장으로 갔을 때, 거란의 장군 소배압이 10만 대군을 이끌고 고려에 쳐들어왔다. ㉠정면으로 맞서면 그들을 이기기 어렵다고 생각한 강감찬은 전투가 예상되는 곳의 지형과 거란군이 올 만한 길목을 살폈다. 강감찬은 장수들을 불러 쇠가죽을 엮도록 했고, 엮은 쇠가죽으로 강물을 막은 후 곳곳에 군사를 숨겨 두었다. 쇠가죽으로 강을 막았기 때문에 강물은 평소보다 훨씬 적은 양이 흘렀고, 거란군이 흥화진에 이르렀을 때는 강의 수심은 매우 얕아졌다. 거란군이 안심하고 강을 건너는 순간, 강감찬은 쇠가죽으로 막은 둑을 무너뜨렸다. 그러자 거란군은 순식간에 물길에 휩쓸려 떠내려갔다.

그러나 소배압은 살아남은 군사들을 정비해 개경 부근까지 밀고 내려왔다. 강감찬은 적군이 지나가는 길목에 숨어 있다가 총공격을 벌였고 남은 적군들은 귀주까지 달아났다. 한 놈도 남겨두지 말라는 강감찬의 명령에 귀주 벌판은 아수라장이 되었고, 결국 소배압은 10만 대군 가운데 2,000여 명만 데리고 달아났다. 이것이 우리나라의 '3대 대첩' 중 하나인 귀주 대첩이다.

겉보기에 강감찬은 매우 보잘 것이 없어 보였다. 의복도 검소했고 겉치장에 별로 신경을 쓰지 않았다. 수단과 방법을 가리지 않고 재산을 모으던 여느 관리들과 달리 자신의 토지마저 부하의 가족에게 나누어 줄 정도로 인심 또한 매우 후했다. 이렇게 [㉡] 하여 많은 백성들의 존경을 한 몸에 받은 강감찬은 벼슬자리에서 물러나 자연과 벗 삼아 책을 읽으면서 조용히 살다가 여생을 마쳤다.

– 한 권으로 끝내는 교과서 위인 _ 조영경

고려를 침략한 [□거란 / □여진]의 대군을 지략을 통해 물리친 강감찬 장군의 업적과 성품을 사실적으로 기록한 [□기사문 / □전기문]입니다.

내용 파악

'강감찬'에 대한 설명으로 알맞지 않은 것은 무엇입니까?

① 재주가 뛰어나고 용맹스러웠다.

② 검소하고 겉치장에 신경 쓰지 않았다.

③ 능력이 뛰어나 높은 벼슬에까지 올랐다.

④ 자신의 토지마저 부하의 가족들에게 나눠 주었다.

⑤ 여생을 마칠 때까지 벼슬자리에서 외교를 맡았다.

내용 파악

다음은 이 글에서 거란군이 이동한 경로를 정리한 것입니다. ⓐ, ⓑ에 알맞은 말을 쓰시오.

거란 → 흥화진 → [ⓐ] 부근 → [ⓑ] → 거란

ⓐ: ____________, ⓑ: ____________

3

추론

㉠의 이유로 가장 알맞은 것은 무엇입니까?

① 거란의 대군에 맞설 만한 병력이 없으므로

② 거란에게 이미 몇 번이나 패한 적이 있으므로

③ 거란군이 올 만한 길목을 예측할 수 없으므로

④ 거란의 장수 소배압의 용맹함을 잘 알고 있으므로

⑤ 거란과의 전투가 예상되는 곳의 지형에 익숙하지 못하므로

한자성어

㉡에 들어가기에 알맞은 한자성어는 무엇입니까?

① 결초보은(結草報恩)

② 근검절약(勤儉節約)

③ 백골난망(白骨難忘)

④ 살신성인(殺身成仁)

⑤ 청렴결백(淸廉潔白)

최근 어느 기관에서 어린이(만 10~11세, 초등학교 5학년 기준) 1만 명을 대상으로 체격과 체력의 변화를 알아보기 위한 검사를 실시하였다. 그 결과 수년 전에 비해 키는 3~5cm 커지고 몸무게도 3~5kg 늘어나서 체격은 좋아졌지만, 오히려 체력은 약해진 것으로 나타났다. 한마디로 요즘 아이들은 덩치만 큰 ㉠'속 빈 강정'이다.

이러한 신체적 불균형의 원인은 나쁜 식습관 때문인 것으로 나타났다. 매일 한 번 이상 과일과 채소를 섭취하는 우리나라 어린이는 10명 중 4명에 불과한 것으로 나타났다. 그리고 패스트푸드를 일주일에 1회 이상 섭취하는 어린이는 10명 중 5명, 라면과 탄산음료를 일주일에 1회 이상 섭취한다는 어린이도 10명 중 7명에 달했다. 패스트푸드의 주원료는 동물성 단백질, 지방, 정제된 설탕, 소금, 화학조미료이며, 패스트푸드에는 아이들의 성장과 대사에 필요한 비타민과 미네랄을 섭취할 수 있는 녹황색 채소와 과일은 거의 없기 때문에 어린이의 신체적 불균형을 초래한다.

그렇다면 체력을 키우기 위해서는 어떻게 해야 할까? 첫째, 모든 음식을 골고루 먹도록 해야 한다. 탄수화물은 50~60%, 단백질은 20~30% 비율로 섭취하는 것이 적절하며 비타민과 미네랄을 섭취할 수 있는 채소와 과일도 곁들여 먹는 것이 좋다. 둘째, 칼슘이 많이 함유된 음식을 먹어야 한다. 칼슘이 부족하면 근육이 수축하거나 경련이 일어날 수 있고, 아동의 경우 성장이 늦어질 수 있기 때문이다. 따라서 우유나 새우, 미역, 두부, 깻잎 등과 같이 칼슘이 많이 들어있는 식품을 섭취해야 한다. 셋째, 즉석식품을 피하도록 한다. 즉석식품은 1차 가공된 식품이라 위장이 정당한 활동을 하지 않아도 쉽게 흡수된다. 이런 음식에 길들여지면 육류같이 조금만 소화에 부담되는 음식이 들어와도 위는 자기 역할을 잘 못하게 된다. 넷째, 짜게 먹지 않도록 한다. 염분은 칼슘의 흡수를 방해한다. 따라서 되도록 짜게 먹지 않는 것이 좋고, 만약 먹어야 한다면 우유나 과일 등을 ㉡곁들여서 먹는 것이 좋다.

요즘 어린이들에게서 나타나는 신체적 [□결함 / □불균형]의 문제를 지적하고 이를 해결하기 위한 방법을 전달하는 [□광고문 / □기사문]입니다.

5 이 글에서 알 수 있는 요즘 어린이들의 '신체적 불균형'의 원인은 무엇입니까?

핵심어

____

6 정보 확인

이 글에서 '신체적 불균형'을 설명하기 위해 제시한 자료가 아닌 것은 무엇입니까?

① 어린이들의 키와 몸무게 변화 양상
② 어린이들의 평균 수면 시간 변화 양상
③ 매주 패스트푸드를 섭취하는 어린이 비율
④ 매일 과일과 채소를 섭취하는 어린이 비율
⑤ 매주 라면과 탄산음료를 섭취하는 어린이 비율

7 추론

㉠에서 '속'과 '강정'이 의미하는 바를 알맞게 연결하시오.

(1) 속 • • ㉠ 체격
(2) 강정 • • ㉡ 체력

8 내용 파악

이 글에 드러난 체력을 키우는 방안으로 알맞지 않은 것은 무엇입니까?

① 탄수화물, 단백질, 비타민과 미네랄 등을 골고루 섭취해야 한다.
② 위가 자기 역할을 하지 못하도록 하는 즉석식품을 피하도록 한다.
③ 육류와 같이 소화가 잘되고 성장을 돕는 음식을 자주 먹도록 한다.
④ 우유나 새우 등과 같은 칼슘이 많이 들어 있는 음식을 먹어야 한다.
⑤ 짜게 먹지 않도록 하되, 먹어야 한다면 우유나 과일 등과 곁들여 먹도록 한다.

9 어휘

㉡과 바꿔 쓰기에 가장 알맞은 것은 무엇입니까?

① 함께 ② 거들어 ③ 첨부하여
④ 아울러 ⑤ 더불어

한눈에 보는 약점 유형 분석

틀린 문제에 ✔표를 하세요.

① 내용 파악	② 내용 파악	③ 추론	④ 한자성어	⑤ 핵심어	⑥ 정보 확인	⑦ 추론	⑧ 내용 파악	⑨ 어휘

01~05 일차 글 읽기를 위한 어휘 연습

중요한 낱말을 다시 한번 확인하고 □에 써 보세요.

여건 (줄 與, 사건 件)	주어진 조건. 예 그는 어려운 □□ 속에서도 열심히 공부했다.
묘책 (묘할 妙, 꾀 策)	매우 교묘한 꾀. 예 곰곰히 생각해 보아도 □□이 떠오르지 않는다.
유래 (말미암을 由, 올 來)	사물이나 일이 생겨남. 또는 그 사물이나 일이 생겨난 바. 예 이 민속 행사의 □□는 신라 때로 거슬러 올라간다.
터득 (펼 攄, 얻을 得)	깊이 생각하여 이치를 깨달아 알아냄. 예 그는 이번 일을 통해 삶의 지혜를 □□했다.
형상 (모양 形, 형상 狀)	사물의 생긴 모양이나 상태. 예 저 바위 모양이 똑 사자 □□이다.
초래 (부를 招, 올 來)	어떤 결과를 가져오게 함. 예 한순간의 부주의가 재앙을 □□할 수 있다.
부라리다	눈을 크게 뜨고 눈망울을 사납게 굴리다. 예 그는 소매를 걷고 덤빌 듯이 눈을 □□□□.

상실 (잃을 喪, 잃을 失)	어떤 것이 아주 없어지거나 사라짐. 예 그는 이번 사건으로 의사 지위를 □□하게 됐다.

낮잡다	사람을 만만히 여기고 함부로 낮추어 대하다. 예 그는 □□□ 볼 만큼 만만한 사람이 아니다.
유력하다 (있을 有, 힘 力, ‒ ‒)	가능성이 많다. 예 민준이가 달리기 우승 후보로 □□□□.
비하 (낮을 卑, 아래 下)	업신여겨 낮춤. 예 지나친 □□는 스스로를 위해서도 좋은 일이 아니다.
유도 (꾈 誘, 이끌 導)	사람이나 물건을 목적한 장소나 방향으로 이끎. 예 마술사는 속임수를 쓰기 위해 관객의 시선을 다른 쪽으로 □□한다.
향유 (누릴 享, 있을 有)	누리어 가짐. 예 대중들이 예술을 □□할 수 있는 기회를 많이 제공해야 한다.
교란 (어지러울 攪, 어지러울 亂)	마음이나 상황 따위를 뒤흔들어서 어지럽고 혼란하게 함. 예 우리 팀은 작전을 바꿔 상대의 수비를 □□했다.
야기 (이끌 惹, 일어날 起)	일이나 사건 따위를 끌어 일으킴. 예 그는 오해를 □□하는 행동을 했다.
염분 (소금 鹽, 나눌 分)	바닷물 따위에 함유되어 있는 소금기. 예 □□이 높은 음식은 피하는 것이 좋다.

01~05 일차 어휘력 쑥쑥 테스트

[01~04] 다음의 뜻에 알맞은 낱말을 [보기]에서 찾아 쓰시오.

보기

교란　　묘책　　부라리다　　비하

01 업신여겨 낮춤.

02 마음이나 상황 따위를 뒤흔들어서 어지럽고 혼란하게 함.

03 매우 교묘한 꾀.

04 눈을 크게 뜨고 눈망울을 사납게 굴리다.

[05~07] 주어진 뜻에 알맞은 낱말을 빈칸에 넣어 문장을 완성하시오.

05 우리는 자유를 ☐☐할 권리가 있다.

*뜻: 누리어 가짐.

06 저는 주어진 ☐☐ 안에서 최선을 다했다고 자부합니다.

*뜻: 주어진 조건.

07 땀을 많이 흘렸을 때에는 수분과 함께 ☐☐을 보충해 주는 것이 좋다.

*뜻: 바닷물 따위에 함유되어 있는 소금기.

08 **빈칸에 공통으로 들어갈 낱말을 쓰시오.**

ㅌ ㄷ	① 그는 자신이 ☐☐한 공부 방법을 동생에게 알려 주었다. ② 그녀는 환자들을 치료하며 새로운 의술을 ☐☐해 나갔다.

01~05 일차 십자말 풀이

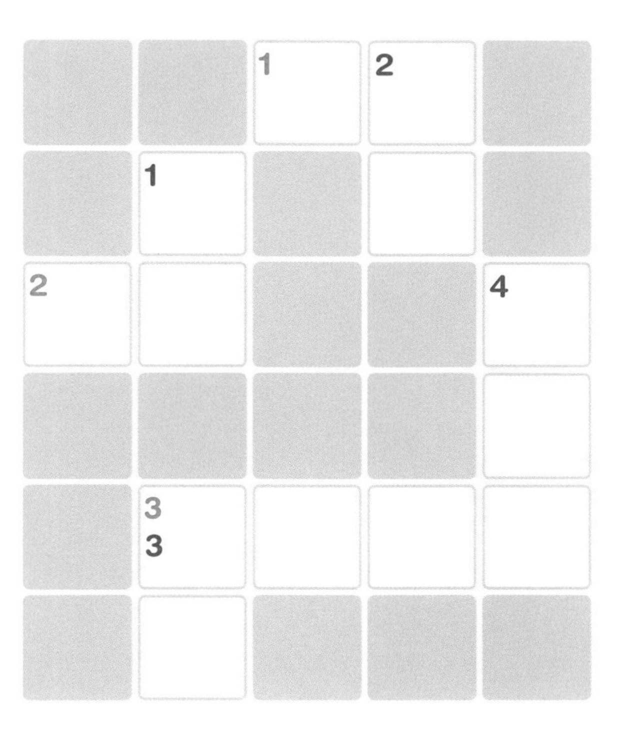

가로 열쇠

1. 사물의 생긴 모양이나 상태.
2. 사물이나 일이 생겨남. 또는 그 사물이나 일이 생겨난 바.
3. 가능성이 많다.

세로 열쇠

1. 어떤 결과를 가져오게 함.
2. 어떤 것이 아주 없어지거나 사라짐.
3. 사람이나 물건을 목적한 장소나 방향으로 이끎.
4. 사람을 만만히 여기고 함부로 낮추어 대하다.

06~10 일차

♣공부한 날: 월 일 ♣맞은 개수: / 8문항

수필 문제 ❶~❹

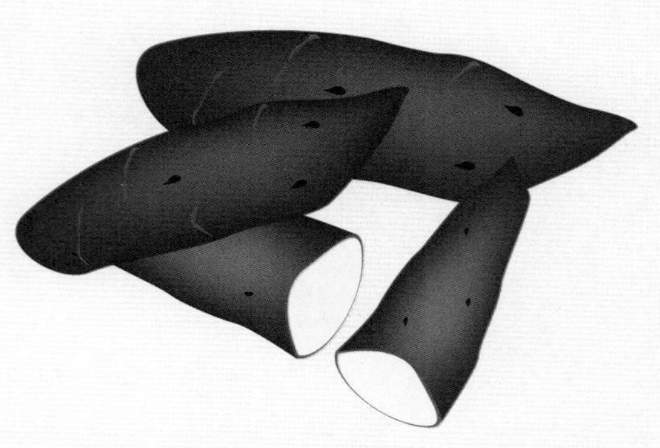

다음은 세 쌍의 부부 중에서 어느 시인 내외의 젊은 시절 이야기이다. 역시 이들도 가난한 부부였다.

어느 날 아침, 남편은 세수를 하고 들어와 아침상을 기다리고 있었다. 그 때, 시인의 아내가 쟁반에다 삶은 고구마 몇 개를 담아 들고 들어왔다.

"햇고구마가 하도 맛있다고 아랫집에서 그러기에 우리도 좀 사왔어요. 맛있나 보세요."

남편은 본래 고구마를 좋아하지도 않는데다가 식전에 그런 것을 먹는 게 부담스럽게 느껴졌지만, 아내를 대접하는 뜻에서 그중 제일 작은 놈을 하나 골라 먹었다. 그리고 쟁반 위에 함께 놓인 홍차를 들었다.

"하나면 정이 안 간대요. 한 개만 더 드셔요."

아내는 웃으면서 또 이렇게 권했다. 남편은 마지못해 또 한 개를 집었다. 어느새 밖에 나갈 시간이 가까워졌다.

"이제 나가 봐야겠소. 밥상을 들여요."

"지금 드시고 계시잖아요. 이 고구마가 오늘 우리 아침밥이어요."

"뭐요?"

남편은 비로소 집에 쌀이 떨어진 줄을 알고 무안하고 미안한 생각에 얼굴이 화끈했다.

"쌀이 없으면 없다고 왜 좀 미리 말을 못 하는 거요? 사내 봉변을 시켜도 유분수지."

뿌루퉁해서 한마디 쏘아붙이자, 아내가 대답했다.

"저의 작은 아버님이 장관이셔요. 어디를 가면 쌀 한 가마가 없겠어요? 하지만, 긴긴 인생에 이런 일도 있어야 늙어서 얘깃거리가 되잖아요."

잔잔한 미소를 지으면서 이렇게 말하는 아내 앞에 남편은 묵연할 수밖에 없었다. 그러면서도 가슴 속에서 형언 못할 ㉠행복감이 밀물처럼 밀려왔다.

– 가난한 날의 행복 _ 김소운

가난한 부부 이야기를 통해 부유함만이 [□행복 / □행운]을 가져다주는 것은 아니라는 깨달음을 주는 [□동시 / □수필]입니다.

1 내용 요약

다음은 이 글의 내용을 정리한 것입니다. ⓐ~ⓓ에 알맞은 말을 찾아 쓰시오.

남편	아내
• 식전에 고구마를 먹는 것이 [ⓐ]. • 아내를 [ⓑ] 뜻에서 고구마를 먹음.	• [ⓒ] 대신 고구마를 권함. • 가난도 늙어서 [ⓓ]가 될 수 있음.

ⓐ: ________, ⓑ: ________, ⓒ: ________, ⓓ: ________

2 내용 파악

이 글의 '가난한 부부'에 대해 이해한 내용으로 적절한 것은 무엇입니까?

① 남편은 자신이 싫어하는 고구마를 주는 아내가 야속했어.
② 남편은 식전에 고구마를 권하는 아내의 행동에 화가 났어.
③ 아내는 집안 사정에 관심이 없는 남편이 원망스러웠어.
④ 아내는 남편이 무안하지 않게 쌀이 떨어진 사실을 대수롭지 않게 여겼어.
⑤ 부부는 먼 훗날 이날의 경험을 기억하고 싶지 않다고 했어.

추론

이 글을 통해 글쓴이가 말하고자 하는 것은 무엇입니까?

① 가난 속에서도 행복을 찾을 수 있다.
② 가난을 극복할 때 행복을 찾을 수 있다.
③ 가난을 겪어야 진정한 행복을 알 수 있다.
④ 가난하다는 생각을 버려야 행복할 수 있다.
⑤ 가난을 인정하고 받아들이면 행복할 수 있다.

4 표현 방식

㉠에 사용된 비유적 표현 방법이 무엇인지 쓰고, 이와 같은 표현을 사용한 까닭으로 알맞은 것에 ○표 하시오.

비유적 표현	사용한 까닭
	(1) 글에 리듬감을 주기 위해 (2) 인물의 마음을 실감나게 표현하기 위해 (3) 중요한 구절을 암기하는 데 도움을 주기 위해

오늘날에는 과거와 같이 국왕이 나라를 다스리는 경우는 사라지고, 국민에 의해 선출된 대표가 국가의 운영을 도맡아 책임지는 체제를 표방하는 나라들이 많다. 현재에도 왕실이 있는 국가들도 있지만, 국왕은 대체로 정치에 직접적으로 관여하지 않는 상징적 존재로 남아 있다. 하지만 여전히 왕이 실질적인 의사 결정을 담당하는 나라 역시 존재하는 것이 사실이다. 이렇게 오늘날의 국가 체제는 다양한 형태를 띠고 있는 것으로 볼 수 있는데, 이를 크게 4가지로 구분해 살펴보도록 하자.

우선 왕이 국가의 주인인 체제, ㉠전제 군주제가 있다. 절대적인 통치권을 가진 왕이 법이나 국민들의 견제 없이 권력을 행사한다. 따라서 의회는 존재하지 않고, 왕이 행정, 정치, 경제 등 국가의 모든 방향성을 결정한다. 이러한 체제의 대표적인 국가가 사우디아라비아이다. 이 국가에는 의회 대신 자문 위원회가 있지만, 국민들에게는 참정권이 없어서 선거 제도도 없다.

㉡입헌 군주제는 전제 군주제와 동일하게 왕이 존재하는 정치 체제이다. 다만 입헌 군주제는 ⓐ왕의 권한이 법으로 제한된다. 즉, 헌법이 왕과 어떤 관계를 맺고 있느냐에 따라 전제 군주제와 입헌 군주제가 구분된다. 전제 군주제는 헌법이 왕에게 종속되어 ⓑ왕이 막강한 권한을 갖는 반면, 입헌 군주제는 ⓒ왕이 헌법에 종속되어 그 안에서만 권한을 행사할 수 있다. 입헌 군주제는 표면상으로는 ⓓ왕의 신분이 가장 높지만, 실제로는 헌법이 의회의 합의로 결정된다는 점에서 사실상 의회 구성원들이 ⓔ왕보다 강력한 권한을 갖는다. 영국, 스페인, 스웨덴, 일본, 말레이시아 등이 여기에 해당된다. 이들 국가에서 정책적 권한을 행사하는 의회와 총리는 국민에 의한 선거로 선출되기 때문에 실질적인 권한은 국민에게 있다고 할 수 있다.

전제 군주제에 반대되는 개념이 공화제이다. 공화제는 왕이 없다는 기본적인 전제만을 갖기 때문에 다양한 형태의 국가 체제로 나타날 수 있다. 우선 귀족이나 소수 엘리트가 집권하는 형태를 ㉢귀족제라고 하고, 다수의 인민에 의해서 국가가 운영되는 형태를 ㉣민주제라고 한다. 오늘날 우리는 민주주의를 최선의 정치 체제로 인정하고 그 가치를 지켜 나가는 것을 자연스럽게 생각한다. 우리가 민주주의를 추구하는 것은 자유와 평등을 통해 인간의 존엄성을 이루는 것을 목표로 하기 때문이다.

– 시민의 교양 _ 채사장

오늘날 [□국가 체제 / □의사 결정] 의 다양한 모습을 4가지 형태로 나누어 그 특징을 [□설명하는 / □주장하는] 글입니다.

5 ㉠~㉣을 다음의 기준에 따라 분류하시오.

내용 파악

	왕이 존재한다.	왕이 존재하지 않는다.
국가 체제	(1)	(2)

6 다음 인터뷰에서 가리키는 '우리나라'의 국가명을 이 글에서 찾아 쓰시오.

내용 파악

: 우리나라는 왕이 절대 통치권을 가지고 있습니다. 법이나 국민들의 견제가 없다고 할 수 있지요. 의회 대신 왕이 국가의 모든 방향성을 결정하고 있습니다. 우리나라는 어느 나라일까요?

____

7 ⓐ~ⓔ 중 지시하는 바가 다른 것은 무엇입니까?

추론

① ⓐ ② ⓑ ③ ⓒ ④ ⓓ ⑤ ⓔ

8 다음은 이 글을 읽은 학생이 생각한 내용입니다. 알맞지 않은 것은 무엇입니까?

내용 적용

나는 오늘 사회 시간에 국가 체제에 대한 글을 읽었다. 나는 영국의 여왕에 대해서 알고 있기는 했는데, ①다른 나라에도 왕이 존재한다는 것은 처음 알게 되었다. ②입헌 군주제와 전제 군주제는 왕이 존재하는 정치 체제이다. 다만 ③입헌 군주제는 전제 군주제에 비해 왕의 권한이 더 막강하고, ④의회와 총리는 국민에 의한 선거로 선출된다.

왕이 존재하지 않는 공화제 중에서 우리나라는 민주제, 즉 민주주의를 채택하고 있다. ⑤자유와 평등을 통해 인간의 존엄성을 이루는 것을 목표로 하는 우리나라의 민주주의가 무척 자랑스럽게 느껴졌다.

한눈에 보는 약점 유형 분석

틀린 문제에 ✔표를 하세요.

① 내용 요약	② 내용 파악	③ 추론	④ 표현 방식	⑤ 내용 파악	⑥ 내용 파악	⑦ 추론	⑧ 내용 적용

♣공부한 날: 월 일 ♣맞은 개수: /8문항

발표 문제 ❶~❹

이 시간에는 잠의 중요성에 대해 발표하겠습니다. 잠은 인체의 중요한 생명 현상입니다. 잠잘 때 우리 몸은 성장 호르몬을 생산하고, 꿈을 통해 정신적 갈등과 욕망을 해소하느라 무척 바쁩니다. 예전에는 잔다는 것을 단순히 뇌의 활동이 없는 수동적인 현상으로만 생각했습니다. [㉠] 최근의 연구 결과를 보고, 인간의 잠이 뇌를 쉬게 함으로써 마음과 정서를 편안하게 하고 질서 있는 몸을 만드는 과정이라는 것을 알게 되었습니다.

모든 동물은 낮과 밤의 일정한 리듬을 타면서 생명 활동을 합니다. 이 생체 리듬에 혼란이 생기면 정신적 · 신체적으로 균형이 무너져 병에 걸리고, 그 기간이 지속되면 생존 자체가 어려워집니다. 어떤 새들은 조명을 조작하여 낮과 밤을 반대로 하면 모두 1~2일 사이에 죽어 버리고, 개나 고양이도 잠들지 못하게 하면 쇠약해져 죽어 버린다는 사실이 실험을 통해 밝혀졌습니다.

정상적인 사람이라도 밤에 일정 시간 동안 잠을 자지 못하면, 다음 날 졸리고 일을 제대로 못하며 기분도 오락가락하게 됩니다. 잠을 충분히 잔 학생이 그렇지 않은 학생보다 학업 성취도가 높다는 연구 결과도 나와 있습니다. 그만큼 잠이 몸과 마음에 큰 영향을 미친다는 증거입니다.

사람이 120시간쯤 잠을 자지 못하면 환시, 피해망상, 방향 감각 상실 등과 같은 정신병적인 증상이 나타납니다. 이와 같은 증상은 어느 정도 잠을 자고 나면 곧 사라지고 정상적인 정신 상태를 되찾을 수 있습니다. 그만큼 잠은 빠르게 뇌를 회복시킬 수 있습니다. 결국 에너지 소모가 많은 뇌의 휴식을 위해 충분한 잠이 필요한 것이고, 충분히 자야만 건강한 하루를 보낼 수 있습니다.

잠의 [□기능 / □부작용]을 중심으로 여러 가지 연구 결과를 제시하며 잠의 중요성을 강조하는 [□토의 / □발표]입니다.

1 내용 파악

이 글의 내용으로 알맞지 않은 것은 무엇입니까?

① 생체 리듬에 혼란이 지속되면 죽음에 이를 수 있다.
② 잠을 자는 동안에 우리 몸에서는 성장 호르몬이 분비된다.
③ 잠을 충분히 잔 학생은 그렇지 않은 학생 보다 학업 성취도가 높다.
④ 잠을 자는 동안에 꿈을 꾸는 것은 정신적 갈등과 욕망이 쌓이는 과정이다.
⑤ 잠을 제대로 자지 못하면 환시, 방향 감각 상실 등의 증상이 나타날 수 있다.

2 글의 주제

이 글에서 강조하는 내용으로 가장 알맞은 것은 무엇입니까?

① 잠을 충분지 자지 못하는 친구들을 배려하자.
② 병에 걸리지 않으려면 생체 리듬을 잘 유지해야 한다.
③ 뇌가 충분한 휴식을 취할 수 있도록 명상하는 시간을 갖자.
④ 피해망상 등의 정신적 질환이 나타나면 전문가와 상담해야 한다.
⑤ 잠은 몸과 마음을 회복시키는 중요한 과정이므로 잠을 충분히 자야 한다.

접속어

㉠에 들어갈 말로 알맞은 것은 무엇입니까?

① 결국　　② 그리고　　③ 그래서
④ 그런데　　⑤ 따라서

4 내용 적용

이 글에 나타난 내용을 바르게 이해한 친구의 이름을 쓰시오.

주경: 사람이 5일 정도 잠을 못자면 정신병적인 증상이 나타나는데, 이것은 한번 증상이 발생하면 고치기 어렵기 때문에 평소 잠을 잘 잘 수 있도록 주의해야 해.
영진: 잠을 잘 때는 우리의 뇌가 활동하지 않기 때문에 우리의 몸과 마음에 아무런 영향을 주지 않아.
재정: 낮과 밤의 일정한 리듬을 타면서 생명 활동을 하는 우리는 충분히 자야만 뇌가 휴식하고 건강한 하루를 보낼 수 있어.

(가) 최근 쓰레기의 양이 빠르게 늘고 있어 큰 문제가 되고 있다. 늘어난 쓰레기 문제를 해결하기 위해서는 되도록 쓰레기를 만들지 않아야 하고, 만들어진 쓰레기는 환경이 오염되지 않도록 잘 처리해야 한다.

(나) 우리는 만들어진 쓰레기를 잘 처리하기 위해 재활용과 재사용을 실천해야 한다. 쓰레기 재활용과 재사용은 쓰레기를 줄일 수 있을 뿐만 아니라, 자원의 낭비를 막고 환경 오염을 줄이는 데에도 큰 효과가 있다.

(다) 재활용은 쓰고 버린 물건을 그대로 사용하는 것이 아니라 특별한 방법으로 손질하고 다른 방식으로 되살려 사용하는 것을 말한다. 분리 배출된 쓰레기 중 40%는 재활용할 수 있는데 플라스틱은 다시 플라스틱 제품으로, 폐지는 종이나 화장지로 만드는 것이 재활용의 예이다.

(라) 쓰레기를 재활용하면 경제적으로 많은 이득이 생긴다. 우리 생활에서 가장 많이 나오는 쓰레기는 고철과 캔이고, 그 다음이 폐지, 플라스틱, 유리병 순이다. 이것을 1%만 재활용해도 1년에 무려 639억 원의 이익이 생긴다. 따라서 쓰레기의 분리 배출을 잘해서 재활용하는 쓰레기의 비율을 높이도록 해야 할 것이다.

(마) 재사용은 쓰고 버린 물건을 손질하여 원래의 용도대로 다시 사용하는 것을 말한다. 상급 학교로 진학할 때 후배에게 가방이나 교복을 물려주거나 마음에 안 드는 물건을 필요한 다른 물건과 바꾸는 것이 좋은 예이다. 알뜰 장터에서는 필요한 물건을 서로 바꾸거나 약간의 돈을 받고 파는 경우도 있다.

(바) 재활용은 쓰고 버린 물건에 새로운 자원을 투입하여 손질을 해야 하는 반면, 재사용은 이러한 과정을 특별히 거치지 않으므로 쓰레기 처리 방법 중 가장 좋은 방법이라 할 수 있다. 따라서 재사용을 일상생활에서 실천해 나가야 한다.

– 재미있는 환경 이야기 _ 허정림

[□쓰레기 / □에너지]를 줄이기 위해 일상생활에서 재활용, 재사용을 실천해야 한다고 [□설명하는 / □주장하는] 글입니다.

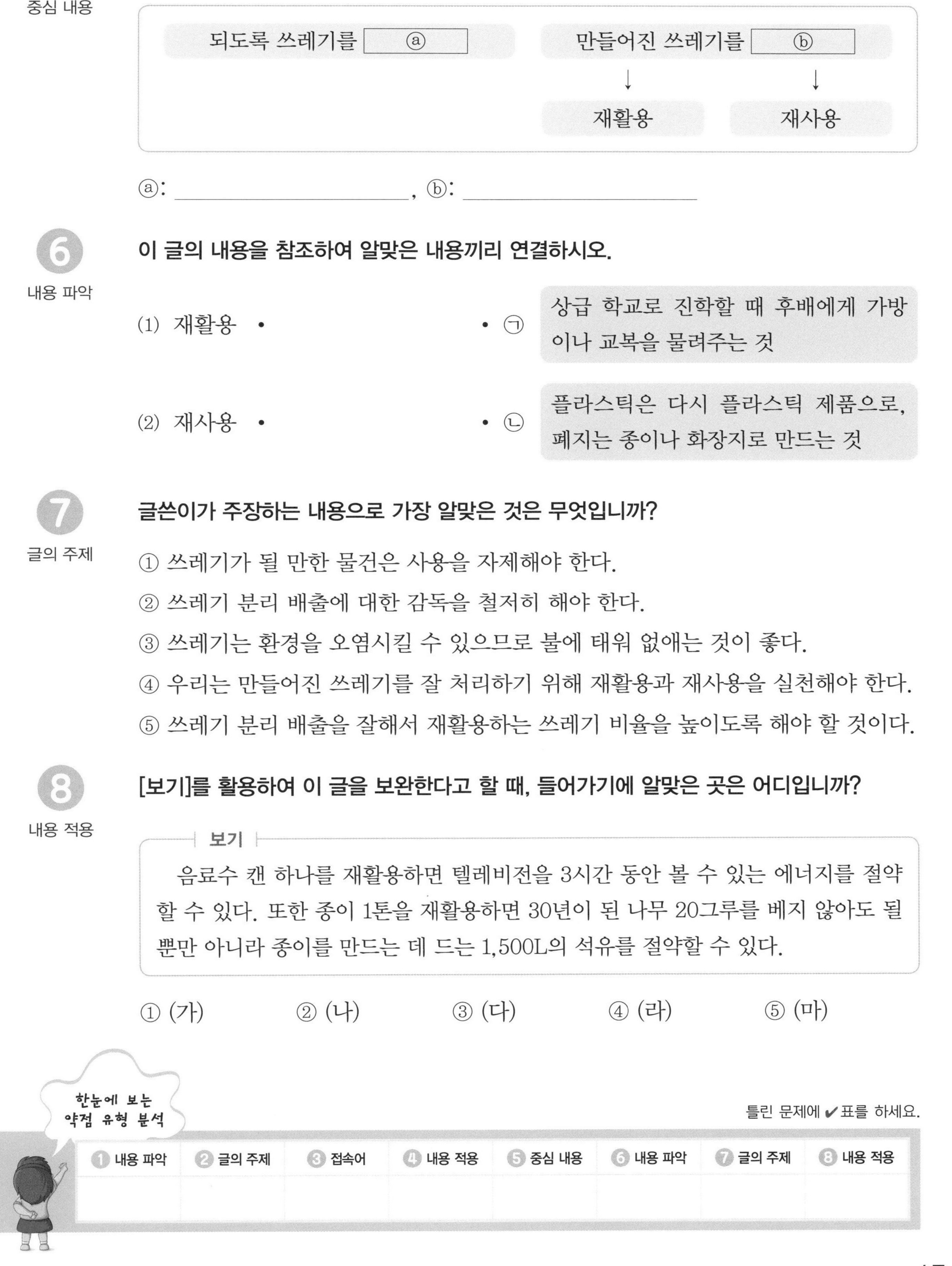

5 다음은 이 글의 중심 내용을 정리한 것입니다. ⓐ, ⓑ에 알맞은 말을 쓰시오.

중심 내용

되도록 쓰레기를 [ⓐ]

만들어진 쓰레기를 [ⓑ] → 재활용, 재사용

ⓐ: ________, ⓑ: ________

6 이 글의 내용을 참조하여 알맞은 내용끼리 연결하시오.

내용 파악

(1) 재활용 •   • ㉠ 상급 학교로 진학할 때 후배에게 가방이나 교복을 물려주는 것

(2) 재사용 •   • ㉡ 플라스틱은 다시 플라스틱 제품으로, 폐지는 종이나 화장지로 만드는 것

7 글쓴이가 주장하는 내용으로 가장 알맞은 것은 무엇입니까?

글의 주제

① 쓰레기가 될 만한 물건은 사용을 자제해야 한다.
② 쓰레기 분리 배출에 대한 감독을 철저히 해야 한다.
③ 쓰레기는 환경을 오염시킬 수 있으므로 불에 태워 없애는 것이 좋다.
④ 우리는 만들어진 쓰레기를 잘 처리하기 위해 재활용과 재사용을 실천해야 한다.
⑤ 쓰레기 분리 배출을 잘해서 재활용하는 쓰레기 비율을 높이도록 해야 할 것이다.

8 [보기]를 활용하여 이 글을 보완한다고 할 때, 들어가기에 알맞은 곳은 어디입니까?

내용 적용

보기

음료수 캔 하나를 재활용하면 텔레비전을 3시간 동안 볼 수 있는 에너지를 절약할 수 있다. 또한 종이 1톤을 재활용하면 30년이 된 나무 20그루를 베지 않아도 될 뿐만 아니라 종이를 만드는 데 드는 1,500L의 석유를 절약할 수 있다.

① (가) ② (나) ③ (다) ④ (라) ⑤ (마)

한눈에 보는 약점 유형 분석

틀린 문제에 ✔표를 하세요.

① 내용 파악	② 글의 주제	③ 접속어	④ 내용 적용	⑤ 중심 내용	⑥ 내용 파악	⑦ 글의 주제	⑧ 내용 적용

♣공부한 날: 월 일 ♣맞은 개수: /9문항

설명하는 글 문제 ❶~❺

우리의 낱말이나 속담에는 우리나라 민속 악기와 관련된 것들이 있습니다. 앞이마와 뒤통수가 유난히 튀어나온 머리를 가진 사람을 흔히 ㉠'짱구'라고 부르며 놀리곤 하지요? 만화 주인공으로도 자주 등장해서 우리들에게 친숙한 말이기도 하고요. 그런데 '짱구'라는 말은 어디에서 유래했을까요? '장구'라는 우리나라의 민속 악기 이름은 다 잘 알고 있을 것입니다. 장구는 오동나무로 된, 허리가 가늘고 잘록한 둥근 통의 양쪽에 소가죽이나 말가죽을 대서 만든 타악기입니다. 바로 이 장구의 생김새와 닮았다고 해서 '장구 머리'라는 말이 나왔는데, 나중에 발음이 강해지면서 '짱구 머리' 또는 줄여서 '짱구'라는 말로 부르게 됐습니다.

이 장구와 관련된 또 다른 낱말 중 ㉡'맞장구치다'라는 말이 있습니다. 여기서 맞장구는 풍물놀이를 할 때 둘이 마주 서서 장구를 치는 것을 말합니다. 이때 맞장구를 치는 두 사람은 당연히 서로 호흡이 맞아야 합니다. 그래서 '맞장구치다'라는 말이 실제로 둘이 마주 서서 장구를 치는 것뿐만 아니라, '남의 말에 동조하여 같은 말을 하거나 부추기거나 하다.'라는 뜻을 지니게 되었습니다.

다음으로 민속 악기 중에는 나발이라는 것이 있습니다. 나발은 쇠붙이로 만든 긴 대롱을 입으로 불어 소리를 내는 악기인데요, 이와 관련된 속담에 ㉢'원님 덕에 나발 분다.'라는 말이 있지요. 이것은 남의 덕으로 분에 넘치는 대접을 받음을 비유하여 이르는 말입니다. 옛날에 원님이 행차를 하면 앞에서 나발을 불어 사람들로 하여금 길을 비키게 하는 역할을 하는 사람이 있었습니다. 그렇게 나발을 부는 사람은 사실 보잘것없는 직책을 지녔지만, 나발을 불며 지나가면 그 앞에서 다들 길을 피하니 마치 자기가 원님이라도 된 듯한 기분을 느꼈을 테지요.

우리나라 민속 악기와 관련된 [□낱말 / □풍습]이나 속담에 대해 [□설명하는 / □주장하는] 글입니다.

1 중심 내용

다음은 이 글에 대한 설명입니다. 빈칸에 알맞은 말을 쓰시오.

□□□□와 관련된 낱말과 속담에 대해 설명하고 있습니다.

2 서술 방식

이 글에 대한 설명으로 가장 알맞은 것은 무엇입니까?

① 설명하는 대상의 장점과 단점을 비교하며 분석하고 있다.
② 설명하는 대상에 관한 자료의 출처를 밝혀 신뢰성을 높이고 있다.
③ 설명하는 대상에 대한 역사적 사건을 제시하여 흥미를 유발하고 있다.
④ 설명하는 대상이나 용어의 개념과 유래를 상세하게 설명하며 이해를 돕고 있다.
⑤ 설명하는 대상의 문제점을 지적하고 이를 보완할 수 있는 방안을 제시하고 있다.

3 추론

이 글에 대한 내용을 보충하기 위한 자료로 알맞지 않은 것은 무엇입니까?

① 악기 장구의 사진
② 나발 연주자의 인적 사항
③ 맞장구치는 풍물놀이 사진
④ 짱구 머리 모습을 보여 주는 사진
⑤ 앞에서 나발을 불고 원님이 행차하는 사진

4 내용 파악

이 글에서 알 수 있는 내용으로 알맞은 것은 무엇입니까?

① 예전에는 나발을 부는 사람의 직책이 제일 높았어.
② 풍물놀이에서 맞장구를 치려면 서로 호흡이 잘 맞아야 해.
③ '짱구'라는 말은 '장구'와 발음이 비슷한 것에서 유래되었어.
④ '맞장구치다'는 말은 주로 상대방보다 내가 튀어 보여야 하는 상황에서 사용해.
⑤ 내가 베푼 만큼 상대가 나에게 고마움을 표현할 때 '원님 덕에 나발 분다.'라고 해.

5 내용 적용

㉠~㉢ 중, [보기]의 밑줄 친 부분에 어울리는 표현은 무엇인지 쓰시오.

보기

유진: 나 이번에 미술 대회에서 은상 받았어.
가연: 정말? 너무 좋겠다. 축하해.
유진: 선물로 학용품 세트를 받았는데 똑같은 게 두 개 들어 있더라. 이거 너 하나 가져. 같이 나눠 쓰자.
가연: 정말? 친구를 잘 둬서 이런 것도 받네.

____

지난해 지리산 반달가슴곰(반달곰) 한 마리가 90km 떨어진 경북 김천 수도산으로 두 차례 탈출했다 붙잡혀왔다. 국립공원관리공단이 2015년 지리산에 방사한 반달곰 ㉠KM-53이었다. 2004년 시작된 반달곰 종 복원 프로젝트에 따라 한국(Korea)에서 태어난 수컷(Male) 중 53번째 지리산 곰이란 뜻으로 이런 이름을 붙였다. 이 곰이 5일 새벽 또다시 지리산을 탈출하다 통영대전 고속도로 함양 분기점에서 관광버스에 치였다.

현재 지리산에 살고 있는 반달곰은 56마리이고 지리산에서 수용 가능한 수는 최대 78마리라고 한다. 2027년엔 100마리를 넘어설 것으로 전망된다. KM-53처럼 끈질기고 모험심이 많다면 다른 곳을 찾아 떠나는 반달곰이 늘어날 수밖에 없다. 이런 상황에서 반달곰 이동을 위한 생태 통로가 더욱 중요해졌다. 생태 통로는 도로나 댐 등의 건설로 야생동물이 서식지를 잃는 것을 방지하기 위하여 야생 동물이 지나는 길을 인공적으로 만든 것이다. 이번 사고 구간은 4살짜리 반달곰 KM-53의 이동 경로 중 가장 위험하다고 지적받은 곳이다.

고라니, 너구리, 멧돼지, 오소리, 산토끼 등 야생 동물 2,500여 마리가 매년 고속도로에서 로드 킬을 당한다. 생태 통로는 야생 동물의 생존 수단이지만, 현실을 보면 야생 동물이 살아갈 수 있는 환경적인 여건은 갖춰지지 않은 채 통로만 있는 형국이다. ㉡쓰레기로 가득 찬 터널형 통로, 바닥을 시멘트 벽돌로 깔아 놓은 육교형 통로, 절벽에 가까운 절토(흙을 깎아 냄) 면에 막힌 육교형 통로가 적지 않다.

로드 킬을 당하는 야생 동물 외에도 관심이 필요한 야생 동물이 또 있다. 최근 멧돼지, 고라니 등의 도심 주택가 출몰이 부쩍 늘었다. 11일 밤에도 충북 청주 시내의 한 상가와 아파트 지하 주차장에 멧돼지 2마리가 나타나 사람들을 놀라게 했다. 요즘은 어미로부터 독립한 어린 멧돼지들이 서식지 경쟁에서 밀리다 보니 먹이를 찾아 도심으로 내려오는 경우가 많다. 전문가들은 멧돼지의 야생 먹거리를 배려하되, 개체 수를 적절히 관리해야 한다고 말한다. 야생 동물을 보호하는 데에 더욱 관심을 기울여야 할 때이다.

– ○○일보, ○월 ○일

국립공원관리공단이 지리산에 [□방사 / □매장]한 반달곰에 대한 정보 전달과 함께 야생 동물에 대한 관심을 높여야 한다고 말하는 [□기사문 / □편지글]입니다.

6 내용 파악

㉠에 대한 설명으로 알맞지 않은 것은 무엇입니까?

① 지리산을 탈출하다 고속도로에서 버스에 치였다.
② 국립공원관리공단이 2015년 지리산에 놓아준 반달곰이다.
③ 이전에 지리산에서 탈출하여 김천 수도산으로 간 적이 있었다.
④ 5일 새벽 발견된 것까지 치면 이 반달곰은 지금까지 세 번 탈출했다.
⑤ 종 복원 프로젝트에 따라 한국에서 태어난 암컷 중 53번째 지리산 곰이다.

7 추론

글쓴이가 ㉡을 통해 지적하고자 하는 문제로 가장 알맞은 것은 무엇입니까?

① 야생 동물들이 생태 통로를 찾기가 어렵다.
② 야생 동물들이 놀 수 있는 공간이 부족하다.
③ 야생 동물들이 생태 통로를 깨끗하게 이용하지 않는다.
④ 야생 동물들이 살아갈 수 있는 환경적인 여건이 부족하다.
⑤ 야생 동물들이 터널형 통로보다 육교형 터널을 더 선호한다.

8 글의 주제

이 글을 통해 글쓴이가 주장하고자 하는 것은 무엇입니까?

① 야생 동물을 보호할 수 있도록 많은 관심을 가져야 한다.
② 어미로부터 독립한 어린 멧돼지들을 입양하여 길러야 한다.
③ 반달곰 종복원 프로젝트에 따른 반달곰 방사를 중지해야 한다.
④ 고속도로에서 로드 킬을 당하는 야생 동물들의 무덤을 만들어야 한다.
⑤ 다른 곳을 찾아 떠나는 반달곰을 가둬 사육할 수 있는 환경을 조성해야 한다.

9 내용 적용

이 글의 보조 자료로 알맞은 것을 [보기]에서 모두 고른 것은 무엇입니까?

보기

㉮ 현재 지리산에 살고 있는 반달곰 56마리의 이름과 야생 먹거리를 정리한 문서
㉯ 청주 시내의 한 상가와 아파트 지하 주차장에 멧돼지가 나타난 CCTV 화면
㉰ 쓰레기로 가득 찬 터널형 통로와 바닥을 시멘트 벽돌로 깔아 놓은 육교형 통로의 사진

① ㉮　② ㉮, ㉯　③ ㉮, ㉰　④ ㉯, ㉰　⑤ ㉮, ㉯, ㉰

한눈에 보는 약점 유형 분석

틀린 문제에 ✔표를 하세요.

① 중심 내용	② 서술 방식	③ 추론	④ 내용 파악	⑤ 내용 적용	⑥ 내용 파악	⑦ 추론	⑧ 글의 주제	⑨ 내용 적용

♣공부한 날: 월 일 ♣맞은 개수: /8문항

주장하는 글 문제 ❶~❹

우리나라뿐만 아니라 세계 곳곳에서 벌어지고 있는 환경 개발이 우리의 삶을 위협하고 있다. 무분별한 개발로 우리 삶의 터전인 자연은 몸살을 앓게 되었고, 이제 인류의 생존까지 위협하는 상황에 이르렀다. 우리는 자연의 소리에 귀를 기울이고 자연을 보호해야 할 의무가 있다. 그렇다면 자연을 보호해야 하는 까닭은 무엇인가?

첫째, 자연은 한번 파괴되면 복원하기가 어렵다. 한 그루의 어린나무가 아름드리나무로 성장하는 데 약 30년에서 50년이 걸린다고 한다. 또한 우유 한 컵을 정화하려면 약 2만 배의 깨끗한 물이 필요하다고 한다. 이처럼 환경을 오염시키는 것은 순간이지만 오염된 환경을 되살리는 데는 수십, 수백 배의 시간과 노력이 필요하다.

둘째, 무리한 환경 개발은 생태계를 파괴한다. 생물은 서로 유기적인 생태계로 얽혀 있으며 주변 환경과 영향을 주고받으면서 살아간다. 환경 개발로 생태계가 파괴되면 결국 사람의 생활 환경이 악화된다. 무리한 환경 개발을 지속하면 기후 변화로 인한 자연 재해가 잦아지고 동식물이 멸종 위기에 처하는 등 지구 환경이 위협을 받게 될 것이 분명하다.

셋째, 자연은 우리 후손이 살아갈 삶의 터전이다. 당장의 편리와 이익만을 추구하다 보면 우리 후손이 물려받게 될 삶의 터전이 훼손된다. 환경을 고려하지 않은 개발로 물, 공기, 토양, 해양 등의 자연환경이 돌이키기 힘들 정도로 훼손되면 우리 후손은 그 훼손된 자연 속에서 살아가야 한다. 조상으로부터 금수강산을 물려받은 우리는 후손에게 아름다운 자연을 물려주어야 할 의무가 있다. 자연은 조상이 남긴 소중한 환경 유산이자 동시에 후손이 앞으로 살아갈 삶의 터전임을 잊어서는 안 된다.

자연은 어머니의 따뜻한 품이자 우리의 영원한 안식처이다. 더이상 무분별한 개발로 금수강산을 훼손해서는 안 된다. 환경 개발로 사라져 가는 동식물을 다시 이 땅으로 돌아오게 하여 더불어 살아가도록 해야 한다. 지나친 개발로 인한 지구 온난화와 이상 기후 현상이 더이상 심해지지 않도록 노력하는 일도 우리 모두에게 남겨진 과제이다. 이제 우리 모두 자연 보호를 실천에 옮겨야 한다.

–초등학교 국어 교과서

자연을 보호해야 하는 [□까닭 / □원인]을 근거로 제시하면서 자연 보호를 실천에 옮길 것을 [□광고하는 / □주장하는] 글입니다.

1 핵심어

이 글에서 문제 삼고 있는 것이 무엇인지 찾아 쓰시오.

____

2 글의 주제

글쓴이가 주장하는 내용으로 가장 알맞은 것은 무엇입니까?

① 파괴된 문화재를 복원하는 데 총력을 기울여야 한다.
② 무분별한 환경 개발을 중단하고 자연을 보호해야 한다.
③ 지구 온난화와 이상 기후 현상에 철저히 대비해야 한다.
④ 생존을 위협받는 사회적 약자의 목소리에 귀를 기울여야 한다.
⑤ 지속적으로 환경을 개발하여 후손들이 편리한 삶을 누릴 수 있도록 해야 한다.

3 내용 파악

다음은 글쓴이의 주장을 뒷받침하는 근거들입니다. ㉠~㉢에 알맞은 말을 쓰시오.

- 자연은 한번 파괴되면 [㉠]하기가 어렵다.
- 무리한 환경 개발은 [㉡]를 파괴한다.
- 자연은 우리 [㉢]이 살아갈 삶의 터전이다.

㉠: ____________, ㉡: ____________, ㉢: ____________

4 추론

[보기]를 통해 제시할 수 있는 주장으로 가장 알맞은 것은 무엇입니까?

보기

30년~50년 →

MILK

우유 한 컵의
2만 배의 물 →

① 동식물이 살 수 없는 곳은 사람도 살 수 없는 곳이 된다.
② 자연 개발로 생태계를 파괴하면 사람의 생활 환경이 악화된다.
③ 무리하게 환경을 개발하면 동식물이 멸종 위기에 처할 수 있다.
④ 환경을 오염시키는 것은 순간이지만 되살리는 데는 많은 시간과 노력이 든다.
⑤ 생물은 서로 유기적으로 얽혀 있고 주변 환경과 영향을 주고받으며 살아간다.

하루는 선생님께서 시간을 어떻게 관리해야 하는지에 대해 아주 구체적인 예를 들어 설명해 주셨습니다.

"자, 퀴즈를 하나 풀어 봅시다."

선생님께서 교탁 밑에서 커다란 항아리를 하나 꺼내 교탁 위에 올려놓으셨습니다. 그러시고 나서 ㉠주먹만 한 돌을 항아리 속에 하나씩 넣기 시작하셨습니다. 항아리에 돌이 가득 차자 선생님께서 물으셨습니다.

"이 항아리가 가득 찼습니까?"

우리들이 입을 모아 그렇다고 대답했습니다. 그러자 선생께서는 정말 그러냐고 되물으시더니, 다시 교탁 밑에서 ㉡조그만 자갈을 한 움큼 꺼내 들었습니다. 그러시고는 항아리에 집어넣고 항아리를 흔드셨습니다. 주먹만 한 돌 사이에 조그만 자갈이 가득 차자, 선생님께서는 다시 물으셨습니다.

"이 항아리가 가득 찼습니까?"

눈이 둥그레진 우리들은 '글쎄요.' 하고 대답하였고, 선생님께서는 다시 교탁 밑에서 모래주머니를 꺼내셨습니다. ㉢모래를 항아리에 넣어, 주먹만 한 돌과 자갈 사이의 빈틈을 가득 채우신 뒤에 다시 물으셨습니다.

"이 항아리가 가득 찼습니까?"

우리들은 아니라고 대답했고, 선생님께서는 다시 물 한 주전자를 항아리에 부으셨습니다. 그러시고 나서는 우리들에게 물으셨습니다.

"이 실험의 의미가 무엇이겠습니까?

한 학생이 즉각 손을 들어 대답했습니다.

"너무 바빠서 시간이 없더라도 정말 노력하면 그 사이에 새로운 일을 할 수 있다는 것입니다."

선생님께서는 고개를 저으시면서 말씀하셨습니다.

"그것이 요점이 아닙니다. 이 실험이 우리에게 주는 의미는 만약 큰 돌을 먼저 넣지 않는다면, 영원히 큰 돌을 넣지 못할 것이라는 것입니다. 즉 꼭 해야 하는 중요한 일들을 먼저 처리해야 한다는 것이지요."

선생님께서 [□놀이 / □퀴즈]를 통해 시간을 관리하는 방법을 알려 주는 내용의 [□수필 / □전기문]입니다.

5 글의 종류

이 글에 대한 설명으로 알맞은 것은 무엇입니까?

① 문제 상황에 대한 자신의 생각을 펼치고 있다.
② 구체적인 이야기를 통해 교훈을 전달하고 있다.
③ 낯선 대상에 대한 새로운 정보를 제공하고 있다.
④ 어떤 인물의 생애와 업적, 언행, 성품 등을 기록하고 있다.
⑤ 허구적인 이야기를 통해 인물 간의 갈등을 보여 주고 있다.

6 내용 파악

이 글의 [실험의 의미]로 가장 알맞은 것은 무엇입니까?

① 이 세상에는 주먹만 한 돌, 조그만 자갈, 모래가 늘 있다.
② 다른 곳에 있는 돌, 자갈, 모래도 소중히 여길 줄 알아야 한다.
③ 자갈과 모래 없이 주먹만 한 돌만으로는 항아리를 채울 수 없다.
④ 항아리를 채우기 위해서는 자갈과 모래를 적절히 이용해야 한다.
⑤ 큰 돌을 먼저 넣지 않으면 영원히 항아리에 큰 돌을 넣지 못한다.

7 추론

이 글의 주제를 생각할 때, ㉠과 ㉡, ㉢이 의미하는 것은 각각 무엇인지 쓰시오.

㉠: ____________ / ㉡, ㉢: ____________

8 내용 적용

이 글을 읽은 '세민'이 '정희'에게 해 줄 수 있는 조언으로 가장 알맞은 것은 무엇입니까?

> 정희: 숙제도 해야 하고 목욕도 해야 하고, 엄마 심부름도 해야 하는데 시간이 없어.
> 세민: 해야 할 일이 여러 가지일 때에는 ____________

① 가장 중요한 일을 먼저 하도록 해.
② 가장 어려운 일을 먼저 하도록 해.
③ 일단 마음가짐을 단단히 먹어야 해.
④ 다른 사람에게 부탁할 줄도 알아야 해.
⑤ 가장 시간이 많이 걸리는 일부터 하도록 해.

틀린 문제에 ✔표를 하세요.

① 핵심어	② 글의 주제	③ 내용 파악	④ 추론	⑤ 글의 종류	⑥ 내용 파악	⑦ 추론	⑧ 내용 적용

♣공부한 날: 월 일 ♣맞은 개수: /8문항

주장하는 글 문제 ❶~❹

여러분, 퍼스널 모빌리티(Personal Mobility), 즉 PM에 대해 들어 본 적이 있습니까? PM이란 전기를 충전해서 그 동력으로 움직이는 1인용 개인 이동 수단을 말합니다. 여러분들이 흔히 타는 킥보드 중에서도 전동 킥보드가 바로 퍼스널 모빌리티(Personal Mobility)입니다.

1인용 개인 이동 수단은 저렴하고 친환경적이어서 도시에서의 새로운 이동 수단으로 떠오르고 있습니다. 전문가들은 1인용 개인 이동 수단이 2020년에는 세계 시장의 3분의 1을 점유할 것이라고 전망하고 있습니다. 그런데 이런 장점을 지닌 1인용 개인 이동 수단의 이용자 수가 급증함에 따라 사고 발생 현황도 높아지고 있습니다. 1인용 개인 이동 수단의 판매량 및 이용자 수는 재작년에 비해 올해에는 80배나 증가했고, 이에 따라 교통사고 및 안전사고 역시 32.7%나 증가했습니다. 교통사고의 주요 원인은 운전 미숙(79.8%), 보행자 충돌(14.1%), 차량 충돌(4.1%) 등으로 나타났습니다. 그렇다면 왜 이렇게 교통사고 및 안전사고가 증가하는 것일까요?

1인용 개인 이동 수단에는 전동 킥보드 이외에도 전동 휠, 세그웨이(왕발통) 등이 포함됩니다. 그런데 이런 1인용 개인 이동 수단은 차량에 속합니다. 따라서 이것을 이용하려면 반드시 만 16세 이상이 소지할 수 있는 원동기 자전거 이상의 면허를 가져야 합니다. 즉 면허가 없는 어린이는 전동 킥보드나 전동 휠을 탈 수 없는 것이지요. 그런데도 유명 관광지에서는 불법으로 어린이들에게 전동 킥보드를 빌려주고 있는 실정입니다.

1인용 개인 이동 수단을 안전하게 이용하기 위해서는 운행하기 전 안전모와 무릎 보호대 같은 안전 장구를 꼭 착용해야 합니다. 그리고 1인용 개인 이동 수단을 운행할 때에는 좌우 도로를 꼭 살펴야 하며, 핸드폰을 사용해서는 절대 안 됩니다. 이제는 친환경 교통수단인 1인용 개인 이동 수단을 제대로 알고 안전하게 탑시다.

– 도로교통공단

친환경 교통수단으로 떠오르는 [□1인용 / □2인용] 개인 이동 수단에 대한 정보를 제공하고, 안전하게 이용하는 규칙에 대해 [□광고하는 / □주장하는] 글입니다.

1 내용 파악

이 글을 이해한 내용으로 알맞은 것은 무엇입니까?

① 1인용 개인 이동 수단을 도시에서 이용하기는 어렵다.
② 1인용 개인 이동 수단의 판매량과 이용자 수가 점점 줄어들고 있다.
③ 1인용 개인 이동 수단에는 전동 킥보드, 전동 휠, 세그웨이 등이 있다.
④ 1인용 개인 이동 수단은 안전사고가 거의 일어나지 않는다는 장점이 있다.
⑤ 1인용 개인 이동 수단은 충전 방식이 복잡하여 가격이 비싸다는 단점이 있다.

2 내용 파악

다음은 'PM의 교통사고의 유형'을 나타내는 그래프입니다. ㉮~㉰에 알맞은 말을 쓰시오.

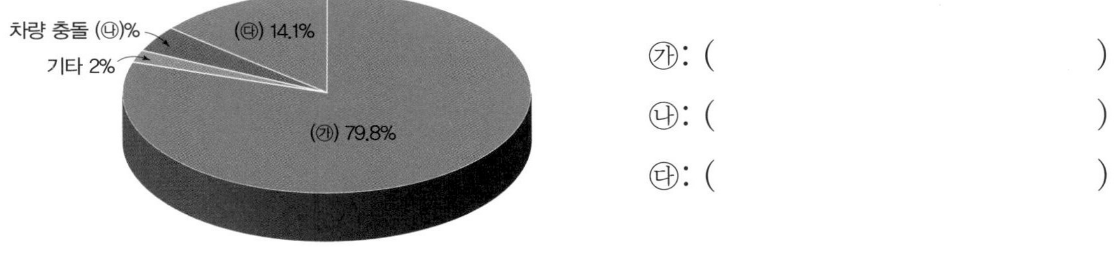

㉮: (   )
㉯: (   )
㉰: (   )

3 내용 파악

이 글에서 알 수 있는 PM을 이용할 때에 주의할 점으로 알맞지 않은 것은 무엇입니까?

① 운행 전 안전 장구를 착용해야 한다.
② 운행 시 좌우 도로를 꼭 살펴야 한다.
③ 운행 중 핸드폰을 사용해서는 안 된다.
④ 운행 시 다른 차량과의 충돌을 방지하기 위해 인도로 주행한다.
⑤ 만 16세 이상 원동기 자전거 이상의 면허 소지자만 운행해야 한다.

4 추론

이 글을 읽은 학생이 PM에 대해 보인 반응으로 알맞지 않은 것은 무엇입니까?

① 전동 스케이트보드, 전기 자전거 역시 PM의 한 종류로 볼 수 있겠군.
② 가까운 거리를 갈 때 PM을 이용하는 사람들은 해가 갈수록 늘어나겠군.
③ PM 이용자의 안전 장구 착용을 의무화하고 관리 · 감독할 필요가 있겠군.
④ 운전 미숙으로 인한 사고 발생률이 가장 높은 것으로 보아, 면허 소지자라도 충분히 익힌 뒤에 타는 것이 좋겠어.
⑤ 보행자와 충돌하는 사고가 발생하는 것은 PM을 이용하는 사람들에게 전적으로 책임이 있으니 보행자는 주의를 기울일 필요가 없겠군.

사회자: 요즘 '소확행'나 '갑분싸'와 같은 줄임말이나 이모티콘 등의 인터넷 언어가 학생들 사이에서 일상적으로 사용되고 있습니다. 그래서 오늘은 '인터넷 언어를 사용해도 된다.'라는 논제로 토론을 진행하겠습니다. 먼저 찬성 측 말씀해 주세요.

동준: 저는 인터넷 언어 사용에 찬성합니다. 인터넷은 속도가 중요하기 때문에 될 수 있으면 뜻만 통할 수 있게 간단히 나타내려는 경향에서 인터넷 언어가 등장했어요. 이는 우리나라만의 현상이 아니고 전 세계적인 현상이에요. 따라서 인터넷 언어는 인터넷이라는 기술의 발달에 따른 국어의 당연한 변화로 이해할 수 있어요.

연서: 인터넷 언어 중 이모티콘은 컴퓨터 자판의 여러 문자, 기호, 숫자를 이용하여 감정이나 의사를 얼굴 모양으로 만든 것이에요. 이는 글자보다 영상에 익숙한 어린 친구들을 중심으로 급속히 퍼져 나가 이제는 휴대 전화로 문자를 주고받을 때도 많이 사용되고 있어요. 이런 이모티콘의 경우 서로 언어가 다른 사람들 간이나 글자를 모르는 이들 간에도 의사소통이 가능하다는 장점이 있어요. 따라서 인터넷 언어를 사용하는 데에 찬성합니다.

영옥: 저는 인터넷 언어를 사용하는 것이 우리 언어생활에 부정적인 영향을 끼친다고 생각합니다. 물론 저도 친구들과 인터넷 언어를 주고받아요. 그런데 저도 알 수 없는 문자가 오기도 해서 당황스러울 때가 있어요. 이렇게 가다간 서로 의사소통이 안 될 수도 있다는 생각이 들어요.

정수: 저도 인터넷 언어를 사용하는 것에 반대합니다. 왜냐하면 첫째, 표준어나 맞춤법에 혼란을 가져올 수 있어요. 실제로 학교에서 글쓰기를 할 때에도 이모티콘이나 맞춤법이 틀린 어휘를 아무렇지도 않게 쓰기도 해요. 둘째, 인터넷 언어는 소리 나는 대로 쓴다든지, 긴말을 줄인다든지 하여 인터넷에 익숙하지 않은 사람, 특히 나이 드신 분들은 이해하기 어려워요. 셋째, 인터넷 언어로 은어나 비속어 또는 욕을 많이 써요. 그래서 일상생활에서도 은어나 비속어 심지어 욕을 늘 하는 친구들도 있어요.

'인터넷 언어를 사용해도 된다.'라는 [□논제 / □소재]로 찬성과 반대의 입장으로 나뉘어 서로의 입장을 주장하는 [□토론 / □인터뷰]입니다.

5 글의 종류

이 글에 대한 설명으로 적절한 것은 무엇입니까?

① 자신이 가진 정보를 다른 사람들에게 소개하고 있다.
② 인상적이고 구체적인 경험을 생생하게 기록하고 있다.
③ 비유적 표현을 통해 자신의 정서를 생동감 있게 표현하고 있다.
④ 새롭게 가본 장소에 대해 본 것, 들은 것, 느낀 것을 기록하고 있다.
⑤ 논제에 대해 적절한 근거를 제시하여 각자의 주장을 내세우고 있다.

6 내용 파악

다음의 토론 주제에 대해 찬성과 반대의 의견을 가진 친구들이 누구인지 이름을 쓰시오.

논제	인터넷 언어를 사용해도 된다.	
(1) 찬성: ________, ________		(2) 반대: ________, ________

7 내용 적용

이 글에서 [보기]를 자신의 주장을 보완하는 데 활용할 만한 사람은 누구입니까?

보기

인터넷 언어에는 신속하고 간단하게 의사를 전달하는 언어의 경제성을 추구하는 특성이 반영되어 있습니다. 따라서 인터넷 언어는 짧은 시간 내에 자신이 하고 싶은 말을 최대한 줄여 뜻만 통할 수 있게 간단히 나타낼 수 있습니다.

____

8 내용 파악

다음은 토론에 참여한 친구들이 자신의 주장을 뒷받침하기 위해 제시한 근거입니다. 알맞지 않은 것은 무엇입니까?

동준: 인터넷 언어는 인터넷 기술의 발달에 따른 국어의 당연한 변화이다. ········ ①
연서: 인터넷 언어 중 이모티콘은 서로 언어가 다른 사람들이나 글자를 모르는 이들 간의 의사소통을 가능하게 한다. ········ ②
영옥: 인터넷에 익숙하지 않은 사람들이나 나이가 드신 분들이 이해하는 데에 어려움이 있다. ········ ③
정수: 인터넷 언어를 사용하다 보면 표준어나 맞춤법에 혼란을 가져올 수 있다. ··· ④

한눈에 보는 약점 유형 분석

틀린 문제에 ✔표를 하세요.

① 내용 파악	② 내용 파악	③ 내용 파악	④ 추론	⑤ 글의 종류	⑥ 내용 파악	⑦ 내용 적용	⑧ 내용 파악

06~10 일차 글 읽기를 위한 어휘 연습

중요한 낱말을 다시 한번 확인하고 □에 써 보세요.

내외 (안 內, 밖 外)	부부. 예 늙은 □□는 진심으로 그가 마음에 들었다.
무안 (없을 無, 얼굴 顔)	수줍거나 창피하여 볼 낯이 없음. 예 그는 □□할 정도로 나를 빤히 쳐다보았다.
봉변 (만날 逢, 변할 變)	뜻밖의 변이나 망신스러운 일을 당함. 또는 그 변. 예 공연히 남의 싸움에 잘못 끼어 □□만 당했다.
참정권 (간여할 參, 정사 政, 권리 權)	국민이 국정에 직접 또는 간접으로 참여하는 권리. 예 우리나라는 국민의 □□□이 보장된다.
종속 (좇을 從, 엮을 屬)	자주성이 없이 주가 되는 것에 딸려 붙음. 예 친구 사이는 대등한 관계이지 □□ 관계가 아니다.
쇠약 (쇠할 衰, 약할 弱)	힘이 쇠하고 약함. 예 그는 □□한 몸 때문에 외출도 삼가야 했다.
소모 (사라질 消, 줄 耗)	써서 없앰. 예 집안일에 하루가 □□되었다.
투입 (던질 投, 들 入)	사람이나 물자, 자본 따위를 필요한 곳에 넣음. 예 그는 새 사업에 그의 전 재산을 □□하였다.

동조 (한가지 同, 고를 調)	남의 주장에 자기의 의견을 일치시키거나 보조를 맞춤. 예 고개를 끄덕여 그에게 □□하는 태도를 보였다.
형국 (모양 形, 판 局)	어떤 일이 벌어진 형편이나 국면. 예 그 동네는 산에서 내려오는 계곡물에 둥그렇게 휘감겨 있는 □□이었다.
출몰 (날 出, 가라앉을 沒)	어떤 현상이나 대상이 나타났다 사라졌다 함. 예 이곳은 멧돼지의 □□이 잦다.
복원 (돌아올 復, 근원 原)	원래대로 회복함. 예 훼손된 문화재의 □□이 시급하다.
점유 (차지할 占, 있을 有)	물건이나 영역, 지위 따위를 차지함. 예 우리 음료수 시장이 수입 음료수에 상당 부분 □□되었다.
소지 (바 所, 가질 持)	물건을 지니고 있는 일. 또는 그런 물건. 예 신용 카드는 현금 □□에 따른 불편을 덜어 준다.
안식처 (편안할 安, 숨쉴 息, 살 處)	편히 쉬는 곳. 예 아늑하고 고요한 뒷산 산책로는 나의 □□□이다.
은어 (숨길 隱, 말씀 語)	어떤 계층이나 부류의 사람들이 다른 사람들이 알아듣지 못하도록 자기네 구성원들끼리만 빈번하게 사용하는 말. 예 요즈음 청소년들의 □□는 나이 든 세대가 이해하기 어렵다.

[01~03] 주어진 뜻에 알맞은 낱말을 빈칸에 넣어 문장을 완성하시오.

01 허물 모르는 게 ☐☐.

*들어갈 낱말의 뜻: 부부.

*속담의 뜻: 부부 사이에는 숨기는 것이 없어 피차 허물이 없다는 말.

02 내민 손이 ☐☐하다.

*들어갈 낱말의 뜻: 수줍거나 창피하여 볼 낯이 없음.

*속담의 뜻: 무엇을 얻으려고 손을 내밀었다가 얻지 못한 경우나, 반대로 무엇을 받으라고 주는데도 상대편이 이를 받지 아니하여 난처함을 이르는 말.

03 얼뜬 ☐☐이다.

*들어갈 낱말의 뜻: 뜻밖의 변이나 망신스러운 일을 당함. 또는 그 변.

*속담의 뜻: 공연한 일에 걸려들어 창피스러운 꼴을 톡톡히 당함을 비유적으로 이르는 말.

[04~07] 주어진 뜻에 맞는 낱말을 빈칸에 넣어 문장을 완성하시오.

04 가정은 인생의 ☐☐☐이다.

*뜻: 편히 쉬는 곳.

05 제작사는 이 영화에 30억 원의 제작비를 ☐☐했다.

*뜻: 사람이나 물자, 자본 따위를 필요한 곳에 넣음.

06 마을 사람들은 이장의 의견에 ☐☐를 했다.

*뜻: 남의 주장에 자기의 의견을 일치시키거나 보조를 맞춤.

07 지진으로 파괴된 건물들을 ☐☐하려면 몇 달은 걸릴 것이다.

*뜻: 원래대로 회복함.

[08~11] 주어진 낱말의 뜻을 바르게 연결하시오.

08 종속 •　　• ㉠ 자주성이 없이 주가 되는 것에 딸려 붙음.

09 소모 •　　• ㉡ 어떤 현상이나 대상이 나타났다 사라졌다 함.

10 쇠약 •　　• ㉢ 힘이 쇠하고 약함.

11 출몰 •　　• ㉣ 써서 없앰.

[12~15] [보기]에서 글자 카드를 꺼내 다음의 뜻에 알맞은 낱말을 쓰시오.

12 물건을 지니고 있는 일. 또는 그런 물건.

13 어떤 일이 벌어진 형편이나 국면.

14 물건이나 영역, 지위 따위를 차지함.

15 어떤 계층이나 부류의 사람들이 다른 사람들이 알아듣지 못하도록 자기네 구성원들끼리만 빈번하게 사용하는 말.

11~15 일차

♣공부한 날: 월 일 ♣맞은 개수: /8문항

기사문 문제 ❶~❹

인공 지능과 로봇의 시대. 최근 들어 로봇이 주문을 받고 결제까지 해 주는 식당들이 많이 늘어나고 있습니다. 로봇은 계산을 실수하지 않고 지치지도 않으니 단순한 노동에 로봇을 사용하는 경우가 많아지고 있는 것입니다. 그런데 음식의 맛을 좌우할 수 있는 요리사가 로봇이라면 어떻게 될까요? 과연 로봇이 만든 음식은 인간이 만든 요리의 맛을 따라갈 수 있을까요?

최근 미국의 언론에 따르면 캘리포니아주 샌프란시스코에 로봇이 햄버거를 만드는 가게가 새로 생겼다고 합니다. 이 로봇은 사람의 도움 없이 주문부터 재료 손질, 고기 패티 굽기 등 모든 요리 과정을 혼자서 담당한다고 합니다. 옛날에도 햄버거 패티를 굽는 로봇은 있었지만, 전체 요리를 혼자 해내는 로봇은 이번이 처음입니다. 알렉스 바르다 코스타스 최고 경영자에 따르면 이 로봇은 컴퓨터 20대와 센서 350개를 바탕으로 작동한다고 합니다.

그렇다면 이 로봇은 어떤 과정을 거쳐 햄버거를 만들까요? 우선 주문이 접수되면 빵은 투명한 관을 통해 조리대로 들어가고 전동 칼이 빵을 반으로 가릅니다. 그러면 빵의 윗부분은 잠시 멈춰있고 빵의 아랫부분은 또 다른 조리대로 보내집니다. 로봇은 빵 아랫부분에 버터를 바르고 소스를 뿌립니다. 소스가 뿌려진 빵 아랫부분은 컨베이어 벨트처럼 움직이는 조리대로 보내지고, 피클, 양파, 토마토 등의 재료들이 차례로 쌓입니다. 그리고 마지막으로 남아있던 빵 윗부분이 놓이면서 햄버거가 완성됩니다.

이렇게 만든 햄버거는 로봇이 만들다 보니 계량이 정확해 맛도 아주 일정하고 빠르게 만들 수 있다는 장점이 있습니다. 또한 혼자서 주문부터 제작까지 모든 공정을 처리하기 때문에 노동력에 쓰이는 비용도 절약할 수 있어 다른 수제 햄버거에 비해 저렴하게 판매될 예정입니다.

– 로봇이 만드는 햄버거 먹어봐요 _ 심소희

햄버거를 만드는 로봇의 등장과 로봇이 햄버거를 만드는 과정, 그 [□장점 / □단점] 등을 소개하는 [□기사문 / □기행문]입니다.

1 내용 파악

다음은 이 글의 '햄버거를 만드는 로봇'에 대한 정보입니다. ⓐ, ⓑ에 알맞은 말을 쓰시오.

- 근무 지역: 미국 캘리포니아주 ____ⓐ____
- 하는 일: 햄버거를 만드는 요리사
- 작동 원리: ____ⓑ____와 센서 350개를 바탕으로 작동함.

ⓐ: ____________, ⓑ: ____________

일의 순서

다음은 로봇이 햄버거를 만드는 작업 과정입니다. 그 순서로 알맞은 것은 무엇입니까?

(가) 빵 윗부분을 덮는다.
(나) 전동 칼로 빵을 반으로 가른다.
(다) 피클, 양파, 토마토 등의 재료를 얹는다.
(라) 빵이 투명한 관을 통해 조리대로 들어간다.
(마) 빵 아랫부분에 버터를 바르고 소스를 뿌린다.

① (가)–(나)–(다)–(라)–(마)
② (나)–(라)–(가)–(다)–(마)
③ (나)–(가)–(라)–(다)–(마)
④ (라)–(나)–(마)–(다)–(가)
⑤ (마)–(나)–(라)–(가)–(다)

3 내용 파악

이 글의 '햄버거를 만드는 로봇'을 활용함으로써 얻을 수 있는 장점은 무엇입니까?(정답 2개)

① 계량이 정확해 맛이 일정한 햄버거를 빠르게 만드는 것
② 고객의 요구에 따라 1 : 1 맞춤형 햄버거를 제공하는 것
③ 다양한 재료와 소스를 사용하여 여러 종류의 햄버거를 만드는 것
④ 노동력에 쓰이는 비용을 절약하여 햄버거를 값싼 가격에 제공하는 것
⑤ 자주 오는 손님들의 입맛을 기억하여 각 손님이 좋아하는 햄버거를 만드는 것

4 추론

글쓴이가 로봇을 바라보는 입장과 <u>다른</u> 태도의 기사 제목은 무엇입니까?

① 환자 진단하고 치료법 제시하는 인공 지능
② AI 무기, 인류의 안전 위협, 재앙 일으킬 것
③ 주인 알아보고 비서 역할까지… '애완 로봇' 인기
④ 스마트팜 속 과학 기술 "사물 인터넷으로 농업 살려요."
⑤ 이런 드론도 다 있네. "올림픽 안전부터 미세 먼지까지."

선생님께서 보여 주신 여러 가지 작품 중에서도 이 작품은 제목이 인상 깊었다. 삼등 열차라고 하면 왠지 지정된 자리도 없고 시설도 형편없는 열차가 연상된다. 아무래도 이런 열차에는 서서 가는 사람들이나 바닥에 신문지를 깔고 지친 몸을 아무 곳에나 기댄 채 앉아 있는 사람들이 많을 것이다. 이런 모습은 우리 사회 어디에서도 쉽게 볼 수 있는 사람들의 삶을 고스란히 담고 있는 것 같아서 이 작품으로 보고서를 쓰게 되었다.

▲ 오노레 도미에의 「삼등 열차」

「삼등 열차」는 파리의 서민적인 생활을 부각하고 사회의 부조리와 위선적인 인간상을 그려 내는 사실주의적 그림이다. 열차에 탄 사람들을 그려 내고 있는데 그들은 같은 열차에 타고 있지만 모두 자신의 일만 생각하는 데 몰두해 있어서 타인에게는 무관심한 표정들이다. 도미에의 그림의 특징은 날카로운 성격 묘사와 명암 대조를 교묘히 융합시킨 것이다. 즉 그림에 나타난 인물들의 모습은 날카로우나, 빛이나 선은 부드럽게 표현한 것이다.

그림의 색감이나 사람들의 표정이 어두워서 일상에 지친 그들의 고단함이 느껴졌고, 그림을 보는 나도 감정 이입이 되었다. 그림의 배경에는 무기력해 보이는 사람들이 가득 그려져 있다. 내 생각에 열차 안의 풍경은 고된 하루 일과를 마치고 집으로 돌아가는 사람들이 서로 간의 대화나 웃음도 없이 그저 달리는 기차에 지친 몸을 싣고 있는 것 같다. 그런데 특이한 것은 그림의 중심에 있는 할머니가 지그시 눈을 감고 있다는 것이다. 아마도 가족이 행복하기를 기도하고 있는 것은 아닐까? 이렇게 생각한다면 이 그림은 쓸쓸하고 어두운 것이 아니라, 힘들고 지친 가운데서도 가족을 생각하고 돌아갈 집을 생각하는 가슴 한 편이 따뜻해지는 그림이 아닐까 하는 생각이 들었다.

오노레 도미에의 [□「일등 열차」 / □「삼등 열차」]라는 작품을 보고 느낀 점을 기록한 [□기사문 / □감상 보고서]입니다.

5 정보 확인

이 글을 통해 확인할 수 <u>없는</u> 것은 무엇입니까?

① 감상 대상　② 작품의 표현상 특징　③ 작품을 선정한 이유
④ 작품에 대한 소감　⑤ 작품을 전시했던 장소들

6 글쓴이가 「삼등 열차」를 보고 느낀 점으로 가장 알맞은 것은 무엇입니까?

내용 파악

① 따뜻하고 포근한 분위기의 가족의 모습이 보기 좋았다.
② 삼등 열차를 타 본 적이 없어서 열차의 모습이 궁금했다.
③ 인물들의 표정이 모두 제각각이라 그들의 사연이 궁금했다.
④ 눈을 감고 있는 할머니의 모습에서 나의 할머니가 떠올랐다.
⑤ 우리 사회 어디에서나 볼 수 있는 사람들의 삶을 고스란히 담고 있는 것 같았다.

7 글쓴이가 「삼등 열차」에서 파악한 특징으로 알맞지 않은 것은 무엇입니까?

내용 파악

① 파리의 서민적인 생활을 부각시키고 있다.
② 인물들은 모두 타인에게는 무관심한 표정을 짓고 있다.
③ 날카로운 성격 묘사와 명암 대조를 교묘히 융합시켰다.
④ 인물들의 모습은 부드럽게, 빛이나 선은 날카롭게 표현했다.
⑤ 사회의 부조리와 위선적인 인간상을 사실적으로 그려 내었다.

8 다음은 글쓴이가 「삼등 열차」를 감상하고 쓴 일기입니다. ⓐ, ⓑ에 알맞은 말을 쓰시오.

내용 적용

> 20○○년, ○월, ○○일
>
> 「삼등 열차」라는 작품을 보고 있으니 그림의 색감이나 사람들의 표정이 [ⓐ], 일상에 지친 그들의 고단함이 느껴졌다. 마치 나의 요즘 생활을 보는 것 같았다. 그렇지만 눈을 감고 기도하는 듯한 [ⓑ]의 모습에서 힘든 일상이지만 가족의 행복을 바라고 있다는 느낌이 들었다. 나도 힘들고 지친 가운데서도 가족을 생각하며 힘을 얻어야겠다.

ⓐ: ______________, ⓑ: ______________

틀린 문제에 ✔표를 하세요.

① 내용 파악	② 일의 순서	③ 내용 파악	④ 추론	⑤ 정보 확인	⑥ 내용 파악	⑦ 내용 파악	⑧ 내용 적용

♣공부한 날: 월 일 ♣맞은 개수: /8문항

광고문 문제 ❶~❺

영화나 드라마, 게임 등 가상의 세상에 존재하는 좀비.
지금 우리 곁에도 있다는 사실 알고 계신가요?
'스몸비'는 스마트폰과 좀비를 합성해서 만든 말로,
스마트폰을 보며 걸어 다니는 사람들을 일컫는 말입니다.

최근 3년 동안의 교통사고 분석 결과
보행 중 주의 분산으로 인한 사고의 61.7%가 휴대 전화 사용이 원인.

휴대 전화를 보며 길을 걷게 되면
주변 상황에 대한 인지 능력이 떨어지고
위기 상황이 발생했을 때 대처가 늦거나 불가능합니다.

여러분은 이런 좀비가 되시겠습니까?
좀비가 되지 않으려면
걸어 다닐 땐 휴대 전화에서 눈을 ㉠떼십시오.

스마트폰을 보며 걸어 다니는 사람을 [□기계 / □좀비]에 비유하며, 걸어 다닐 때는 휴대 전화에서 눈을 떼라는 내용을 담은 [□기사문 / □광고문]입니다.

1 내용 파악

다음은 이 글에서 문제로 삼고 있는 상황을 적은 것입니다. 빈칸에 알맞은 말을 쓰시오.

걸어 다니며 □□□□를 보는 상황

2 추론

이 글에서 '최근 3년 동안의 교통사고 분석 결과'를 통해 말하고자 하는 것은 무엇입니까?

① 최근 들어 교통사고 발생률이 증가하고 있다.
② 보행 중 휴대 전화 사용은 사고를 유발할 수 있다.
③ 보행자들이 자동차 사고의 위험에 노출되어 있다.
④ 길을 다닐 때에는 주의를 분산시키는 요소가 많다.
⑤ 걸어 다니며 휴대 전화를 보는 사람들이 늘고 있다.

3 내용 파악

이 글에서 휴대 전화를 보며 길을 걷는 것이 위험하다고 한 이유는 무엇입니까?(정답 2개)

① 위기 상황에 대한 대처가 불가능해서
② 주변 상황에 대한 인지 능력이 떨어져서
③ 주변 사람들에 대해 무관심해질 수 있어서
④ 다른 사람들에게 존재감이 없어질 수 있어서
⑤ 차와 부딪히는 사고에서 책임을 면할 수 없어서

4 내용 적용

이 글에 그림 자료를 추가한다고 할 때, 가장 알맞은 것은 무엇입니까?

① 옆 사람과 환하게 웃으며 대화를 나누는 그림
② 자전거를 탄 사람과 차량이 부딪힌 사고 그림
③ 물에 빠진 사람을 구조하고 있는 119 대원의 그림
④ 휴대 전화를 보며 가던 사람이 차와 부딪히는 그림
⑤ 휴대 전화를 한 손에 들고 이어폰을 낀 채 서 있는 그림

5 어휘

㉠의 의미로 가장 알맞은 것은 무엇입니까?

① 함께 있던 것을 홀로 남기다.
② 어떤 것에서 마음이 돌아서다.
③ 전체에서 한 부분을 덜어 내다.
④ 눈여겨 지켜보던 것을 그만두다.
⑤ 붙어 있거나 잇닿은 것을 떨어지게 하다.

우리가 집에서 먹다 남은 약 중에서 유효 기간이 지났거나 변질, 부패 등으로 사용할 수 없는 의약품을 폐의약품이라 한다. 다들 한 번쯤은 병원에서 처방받은 약을 다 먹지 않은 채 쓰레기통에 버린 경험이 있을 것이다. 그런데 약은 먹는 방법만큼이나 버리는 방법도 정말 중요하다.

처음에는 대부분의 사람들이 무심코 의약품을 하수구에 버리거나 쓰레기봉투에 버렸는데, 환경부에서 조사한 결과 토양이나 하천에서 약 성분들이 다량 검출되었다. 그 후 2010년 7월부터 가정에서 폐의약품을 약국이나 보건소로 가져가면 이를 해당 지방 자치 단체가 수거, 소각하는 사업이 전국적으로 시행되었다.

그렇다면 약을 쓰레기통에 버리는 것은 왜 문제가 될까? 약은 화학 물질이기 때문에 경우에 따라서는 독성 물질로 변할 수 있다. 그래서 먹고 남은 약을 싱크대를 통해 하수도로 배출하거나 생활 쓰레기로 쓰레기봉투에 담아 버릴 경우 의약 물질에서 나온 항생 물질 등이 하천 및 토양에 들어가 환경 문제를 일으킬 수 있다. 결국 무심결에 버린 약은 생태계 교란, 식수 오염 등의 문제를 일으켜 오히려 우리 몸을 병들게 할 수 있다.

따라서 가정에서는 폐의약품을 처리하는 방법을 제대로 알고 실천해야 한다. 폐의약품은 약들의 포장지는 제거하고, 내용물만 골라서 한곳에 모아 폐의약품 수거함이 비치되어 있는 근처의 약국, 보건소에 방문해서 버려야 한다. 이때 조제약은 약 포장지 상태로 그대로 배출하고, 알약은 PTP 포장지나 플라스틱 통은 분리하고 캡슐이나 알약만 따로 비닐에 모아 밀폐해서 배출해야 한다. 물약은 한 병에 다 모아서 새지 않도록 밀봉하여 배출하고 안약, 연고 등은 종이 박스만 분리하고 그대로 배출해야 한다.

가정 내에서 먹지 않아서 폐기해야 하는 약의 경우, 반드시 그냥 버리지 말고 폐의약품 수거함에 넣어야 한다는 것을 기억해야 한다. 환경을 위해, 우리의 건강을 위해 폐의약품은 반드시 분리하여 배출하도록 하자.

폐의약품의 위험성을 근거로 제시하면서 폐의약품을 제대로 [□분리 / □분해]배출해야 한다는 것을 강조하는 [□설명하는 / □주장하는] 글입니다.

6 중심 내용

이 글에서 주제를 나타내는 문장을 찾아 쓰시오.

7 다음은 폐의약품 처리 방법의 개선 과정을 정리한 것입니다. ⓐ~ⓒ에 알맞은 말을 쓰시오.

내용 요약

문제 행동	대부분의 사람들이 무심코 의약품을 하수구나 [ⓐ]에 버렸다.
문제 확인	환경부에서 조사한 결과 [ⓑ]이나 하천에서 약 성분들이 다량 검출되었다.
개선 방안 마련	2010년 7월부터 가정에서 폐의약품을 [ⓒ]이나 보건소로 가져가면 이를 해당 지방 자치 단체가 수거, 소각하는 사업이 전국적으로 시행되었다.

ⓐ: ____________, ⓑ: ____________, ⓒ: ____________

8 다음 폐의약품을 처리하는 방법을 바르게 연결하시오.

내용 적용

(1) 

•

(2) •

(3) •

(4)  •

• (가) 약 포장지 상태로 그대로 배출한다.

• (나) 종이 박스만 분리하고 그대로 배출한다.

• (다) 한 병에 다 모아서 새지 않도록 밀봉하여 배출한다.

• (라) PTP 포장지나 플라스틱 통은 분리하고, 내용물만 따로 비닐에 모아 밀폐해서 배출한다.

한눈에 보는 약점 유형 분석

틀린 문제에 ✔표를 하세요.

❶ 내용 파악	❷ 추론	❸ 내용 파악	❹ 내용 적용	❺ 어휘	❻ 중심 내용	❼ 내용 요약	❽ 내용 적용

♣공부한 날: 월 일 ♣맞은 개수: /8문항

인터뷰 문제 ❶~❹

A: 오늘은 '푸드스타일리스트'를 만나봅니다. 푸드스타일리스트가 어떤 일을 하는지, 푸드스타일리스트가 되기 위해서는 어떤 준비가 필요한지 알아볼까요? 안녕하세요?

B: 안녕하세요? 저는 푸드스타일리스트 김은아입니다. 저는 방송, 광고에 등장할 음식을 만들고 그 음식이 맛깔스럽게 보이도록 꾸미는 일을 합니다.

A: 광고 속 음식이 맛있게 보이는 이유가 있나요?

B: 저희는 방송, 광고 속 음식이 맛있어 보이도록 특별한 연출을 해요. 예를 들어 떡볶이 같은 붉은색 음식은 검은색 그릇에 담아요. 검은색이 붉은색을 눈에 확 띄게 만들고 맛있어 보이게 하기 때문이지요. 멋진 분위기를 위해 그릇이나 테이블 세팅 등 음식 주변의 것들도 함께 연출합니다.

A: 푸드스타일리스트가 연출하는 음식은 다 진짜인가요?

B: 가짜 음식도 있답니다. 달걀흰자와 설탕, 식초를 넣어 녹지 않는 가짜 아이스크림을 만들기도 해요. 아이스크림은 녹기 쉬워 촬영이 어렵거든요. 또 글리세린을 이용해 시원한 음료 표면에 탐스럽게 맺힌 물방울들을 연출하지요. 진짜 물방울은 자꾸 아래로 흘러내려 예쁜 모습을 찍기 어렵기 때문이에요.

A: 푸드스타일리스트가 되려면 어떻게 준비해야 하나요?

B: 대학에서 푸드스타일리스트학이나 식품 영양학, 호텔 조리학 등을 전공하면 유리합니다. 아직 국내에는 푸드스타일리스트와 연관된 국가 공인 시험은 없습니다. 대신 한식 · 양식 조리 자격증을 따거나 꽃 장식을 다루는 플로리스트, 색을 다루는 컬러리스트 등의 자격시험을 보면 도움이 되지요. 디자인 감각을 키우기 위해 미술, 영화, 사진 등에 폭넓게 관심을 가지고 공부하는 것이 좋아요. '(㉠)'라는 말이 있지요. 음식의 맛은 물론이고 디자인도 굉장히 중요합니다. 오감으로 즐기는 음식을 만드는 푸드스타일리스트를 꿈꿔 보세요.

–어린이 동아

푸드스타일리스트가 하는 일과 푸드스타일리스트가 되기 위한 [□방법 / □비용] 등에 대한 질문과 답변을 기록한 [□토의 / □인터뷰]입니다.

중심 내용

다음은 푸드스타일리스트가 하는 일을 설명한 것입니다. 빈칸에 알맞은 말을 쓰시오.

> 푸드스타일리스트는 방송, 광고에 등장할 음식을 만들고, 그 음식이 맛깔스럽게 보이도록 [　　　] 일을 합니다.

내용 파악

이 글에서 푸드스타일리스트가 하는 일로 알맞지 않은 것은 무엇입니까?

① 멋진 분위기를 위해 테이블 세팅을 연출합니다.
② 촬영이 어려운 음식은 가짜로 제작하기도 합니다.
③ 음식을 맛있어 보이게 하는 그릇에 담아 연출합니다.
④ 시원한 음료 표면에 탐스럽게 맺힌 물방울들을 연출합니다.
⑤ 손님들을 대상으로 음식 맛의 만족도를 조사하고 평가합니다.

내용 적용

다음 물음에 대한 답변으로 알맞지 않은 것은 무엇입니까?

> 저는 푸드스타일리스트가 되고 싶은데, 어떻게 준비해야 할까요?

① 한식 · 양식 조리 자격증을 따세요.
② 플로리스트에게 꽃 장식을 다루는 법을 배우세요.
③ 색을 다루는 컬러리스트 자격시험을 보도록 하세요.
④ 미술, 영화, 사진 등을 공부하며 디자인 감각을 키우세요.
⑤ 그릇 만드는 법을 배워서 음식에 어울리는 그릇을 직접 만들어 보세요.

속담

㉠에 들어갈 속담으로 알맞은 것은 무엇입니까?

① 작은 고추가 맵다.
② 달면 삼키고 쓰면 뱉는다.
③ 보기 좋은 떡이 먹기도 좋다.
④ 우는 아이에게 떡 하나 더 준다.
⑤ 고기는 씹어야 맛이요, 말은 해야 맛이다.

이 세상에 거울이 ㉠없다면 가장 불편한 사람은 누구일까요? 아마 거울을 통해 수시로 외모를 체크해야 하는 이들이 아닐까요? 하지만 누구든 거울이 없다면 불편한 일이 한두 가지가 아닐 것입니다. 식사 후에 이 사이에 낀 고춧가루를 그냥 둔 채 하루를 보낼지도 모를 일이지요.

그러면 이러한 거울들은 어떤 원리로 똑같은 내 모습을 볼 수 있게 하는 걸까요? 사람은 빛의 반사에 의해 사물을 볼 수 있습니다. 즉, 빛이 사물에 반사되어 튕겨 나오고, 이 반사된 빛이 우리 눈에 들어와서 우리는 사물을 보게 되는 것입니다. 거울에 우리의 모습이 비치는 현상도 바로 빛의 반사 원리에 의해 이루어집니다. ㉡그리고 거울에 우리의 모습이 비치는 이유를 알기 위해서는, 먼저 빛의 반사가 무엇인지부터 알아야 합니다.

㉢그렇다면 빛의 반사란 무엇일까요? 빛의 반사란 빛이 진행하다 어떤 면에 부딪혀 튕겨 되돌아오는 현상을 말합니다. 우리는 이런 빛의 반사 현상을 그림자를 통해서도 추측해 낼 수 있습니다. 햇빛이 비치는 곳을 걸어갈 때 함께 따라다니는 친구가 있는데, 바로 그림자입니다. 그런데 이 그림자는 반드시 빛의 반대쪽에만 생긴답니다. 도대체 그 이유가 무엇일까요? 이것은 진행하던 빛이 우리 몸에 부딪혀 통과하지 못하기 때문에 생기는 현상이라고 할 수 있습니다.

㉣그러면 이때 우리 몸에 부딪힌 빛은 어떻게 될까요? 일부는 흡수되기도 하지만 일부는 반사됩니다. 여기서 반사되는 빛은 아주 중요한 역할을 합니다. 이것은 우리가 물체를 볼 수 있는 이유와 직접적인 관련이 있기 때문입니다. 만약 빛의 반사가 없다면 우리는 사물을 볼 수 없습니다. 물체가 빛을 모두 흡수해 ㉤버리면, 그 물체를 비춘 빛이 우리 눈에 들어올 수 없기 때문이지요. 따라서 우리가 물체를 보는 과정은 빛이 물체에 반사되고, 그 반사된 빛이 우리 눈에 들어올 때 비로소 이루어집니다. 아름다운 풍경이 우리 눈 앞에 펼쳐져 있습니까? '빛'이 닿아 비로소 나타나는 아름다운 풍경임을 기억하세요.

–상위 5%로 가는 물리 교실 2 _ 신학수 외

빛의 [□굴절 / □반사]에 의해 우리가 사물을 볼 수 있는 원리에 대해 [□설명하는 / □주장하는] 글입니다.

5 내용 요약

다음은 '물체를 보는 과정'에 대해 설명한 것입니다. ㉮, ㉯에 알맞은 말을 쓰시오.

[㉮]하던 빛이 물체에 부딪힌다.	→	물체에 부딪힌 빛은 [㉯]된다.	→	빛이 우리 눈에 들어온다.

㉮: ______________, ㉯: ______________

6 정보 확인

이 글을 읽고 알 수 있는 내용이 아닌 것은 무엇입니까?

① 물체를 보는 과정
② 반사되는 빛의 역할
③ 빛이 흡수되는 이유
④ 그림자가 생기는 원리
⑤ 거울에 사물의 모습이 비치는 원리

7 추론

다음 두 사람이 나누는 대화를 읽고 빈칸에 공통으로 들어갈 말을 쓰시오.

은진: 보라야, 너 거울 있니? 내가 오늘 거울을 안 가지고 왔네.
보라: 응, 거울 여기 있어. 그런데 넌 정말 거울 보는 것을 좋아하는구나.
은진: 맞아. 그래서 난 거울이 없을 때는 주변 물건 중에서 내 얼굴을 비출 만한 것이 있으면 그걸 거울 대신 사용해.
보라: 그렇다면 은진이 넌, 거울로 너 자신을 비춰볼 수 있도록 도와주는 [ ]이 특히 고맙겠네. 반사된 [ ]이 우리 눈에 들어와야 거울에 비친 우리 모습을 볼 수 있으니까.

____

8 접속어

㉠~㉤ 중 이어 주는 말이 잘못 쓰인 것을 찾아 바르게 고쳐 쓴 것은 무엇입니까?

① ㉠: 없다면 → 없고
② ㉡: 그리고 → 따라서
③ ㉢: 그렇다면 → 왜냐하면
④ ㉣: 그러면 → 그러나
⑤ ㉤: 버리면 → 버렸으나

한눈에 보는 약점 유형 분석

틀린 문제에 ✔표를 하세요.

① 중심 내용	② 내용 파악	③ 내용 적용	④ 속담	⑤ 내용 요약	⑥ 정보 확인	⑦ 추론	⑧ 접속어

♣공부한 날: [ ] 월 [ ] 일 ♣맞은 개수: [ ] / 8문항

설명하는 글 문제 ❶~❹

암행어사는 조선 시대에 임금의 명령을 받아 비밀리에 지방을 돌아다니며 수령의 잘못을 밝히고 민심을 살피던 관리이다. '암행'이란 비밀리에 돌아다닌다는 뜻이고, '어사'란 임금의 명령을 수행하는 관리를 가리킨다.

암행어사를 임명할 때에는 왕이 적임자를 선택하도록 명령하고, 이에 따라 영의정, 좌의정, 우의정이 그 적임자를 복수로 추천하면 왕이 그들 중에서 임명하였다. 암행어사는 임무가 완수될 때까지 누구에게도 공개될 수 없었으므로 왕은 항상 강직하며 정의감이 투철한 인물을 선정하고자 고민하였는데, 대체로 자신을 보좌하던 측근 중에서 젊은 관리들을 선정했다. 젊은 관리들을 암행어사로 파견한 것은 첫째, 암행어사는 청렴한 사람이어야 하기 때문이었다. 관료로서 오래 물을 먹은 사람들은 지방관의 비리를 적발해도 이런저런 ㉠끈이 닿아 있는 경우가 많으므로 엄밀한 관리, 감독이 어려웠다. 둘째, 암행어사는 혼자서 몇 달 동안 걸어서 수천 또는 수만 리를 여행해야 하므로 나이가 많은 관료들은 체력적으로 임무를 제대로 수행할 수 없기 때문이었다.

암행어사로 결정되면 왕은 봉서, 사목, 마패 등을 직접 수여하여 임명했다. 국왕이 보내는 임명장인 봉서에는 암행어사 임명 사실과 감찰할 대상 지역, 문제 등이 기록되어 있었다. 봉서가 내려지면 암행어사는 집에도 들르지 못하고 즉시 출발해야 했는데, 부모나 왕이 사망한 경우에도 임무를 마치기 전에는 돌아올 수 없었다. 사목은 암행어사의 직무를 규정한 책인데, 그의 임무와 암행 조건 등을 기재해 두었다. 마패는 암행어사의 가장 중요한 증표이다. 마패는 지름이 10㎝ 정도의 구리쇠로 만든 둥근 패로 한쪽 면에는 말을 새겼다. 당시에는 교통 기관으로 역이라 불리는 관청을 두고 말을 관리했는데, 어사는 소지한 마패에 조각된 수량만큼의 말을 사용할 수 있었다. 또한 암행어사에게 지급된 마패는 어사가 도장 대신으로 사용했고, 어사출두 때는 역졸이 손에 들고 '암행어사 출두'라고 외쳤다.

암행어사의 [□임명 / □축출] 방법과 암행어사로 임명할 때 주는 것들에 대해 [□설명하는 / □주장하는] 글입니다.

1 정보 확인

이 글에서 확인할 수 없는 내용은 무엇입니까?

① 암행어사의 뜻
② 암행어사의 역할
③ 암행어사의 임명 과정
④ 암행어사가 갖추어야 할 조건
⑤ 암행어사를 맡았던 인물에 관한 정보

2 추론

다음은 '암행어사'의 업무 일지를 기록한 것입니다. ⓐ~ⓒ에 알맞은 말을 쓰시오.

[암행어사의 업무 일지]
1. 금일 임금님께 임명장인 [ⓐ]를 받았다. 성문 밖으로 나가서 펼쳐 보고 감찰할 지역과 그곳의 문제점 등을 파악하였다.
2. [ⓑ]을 읽고 암행어사의 임무와 암행 조건을 재차 숙지한 뒤, 감찰할 지역을 향해 출발했다.
3. 목적지까지는 꽤 멀기 때문에 100리마다 역에 들러 [ⓒ]를 보여 주고 말을 빌려 갈아타고 갈 예정이다.

ⓐ: ________, ⓑ: ________, ⓒ: ________

3 내용 파악

이 글의 '암행어사'에 대한 설명으로 알맞지 않은 것은 무엇입니까?

① 암행어사는 영의정, 좌의정, 우의정이 임명했다.
② 항상 강직하며 정의감이 투철한 인물을 선정하고자 하였다.
③ 비밀리에 지방 수령의 잘못을 밝히고 민심을 살피던 관리였다.
④ 암행어사는 임무가 완수될 때까지 누구에게도 공개되지 않았다.
⑤ 대체로 임금을 보좌하던 측근 중에서 젊은 관리들로 선정되었다.

4 어휘

㉠과 같은 의미로 사용된 문장은 무엇입니까?

① 엄마는 엉킨 끈을 풀고 계셨다.
② 그가 아내와의 끈을 만들어 주었다.
③ 그녀는 속세와의 끈을 끊고 산속으로 들어가 버렸다.
④ 그녀는 달리기 시합이 시작되기 전에 운동화 끈을 졸라매었다.
⑤ 그는 그 회사에 끈이 있어 다른 사람들보다 수월하게 입사할 수 있었다.

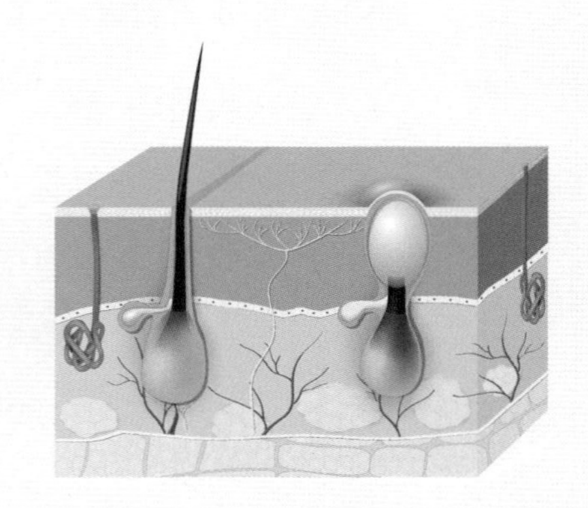

아기의 피부를 본 적 있나요? 뽀얗고 보드랍지요? 누구나 아기 때에는 그런 좋은 피부를 가졌을 거예요.

그러나 사춘기가 되면 얼굴에 ㉠불청객이 찾아옵니다. 바로 여드름입니다. 호르몬의 분비가 왕성해지면서 나타나는 현상이지요. 호르몬의 자극에 의해 피지선이 성숙되어 피지 분비량이 많아지는데, 이 피지가 밖으로 나가지 못하고 모공이나 피지선에 쌓이면 여드름이 되는 거예요. 여드름은 10대에 많이 나타나지만 성인이 되어서 나타나는 경우도 있어요.

여드름은 주로 볼과 이마에 볼록볼록 솟아오르는데, 얼굴뿐만 아니라 목, 가슴, 등, 엉덩이, 어깨에도 생겨요. 몸에 나는 여드름은 스트레스나 수면 부족이 원인일 수 있어요. 그리고 여드름은 유전적으로 생기기도 한답니다.

여드름은 번들거리는 얼굴 피부를 가진 사람들에게 잘 생깁니다. 이런 사람들은 평소 씻는 것부터 신경을 써야 합니다. 여드름을 예방하는 데는 청결이 아주 중요하기 때문입니다. 아침에 한 번, 저녁에 한 번씩 미지근한 물로 여러 번 헹구어야 합니다.

일단 여드름이 났다면 과도한 피부 화장은 하지 않는 것이 좋습니다. 그리고 머리카락이 여드름에 닿지 않게 뒤로 빗어 넘겨야 합니다. 또한 가공식품은 가급적 먹지 않는 것이 좋습니다. 초콜릿이나 커피 등의 자극적인 음식, 당분이 많은 과자류는 여드름에 좋지 않습니다. 이런 가공식품 대신에 우유와 과일, 채소와 친해져야 합니다. 그리고 스트레스를 피하고 잠을 충분히 자야 합니다.

여드름을 함부로 짜다가는 흉터를 남기기도 합니다. 깨끗한 휴지나 솜을 이용해서 짜되, 여드름 부위에 손톱이 닿지 않도록 주의해야 합니다. 다 짠 후 소독도 잊지 말아야 하겠지요.

[□여드름 / □점]이 생기는 원인과 여드름을 방지하기 위한 방법 등을 [□설명하는 / □주장하는] 글입니다.

5 추론

이 글이 가장 도움이 될 만한 사람은 누구입니까?

① 여드름이 난 사람　② 피부가 건조한 사람
③ 스트레스가 많은 사람　④ 세수를 자주 하는 사람
⑤ 운동을 하지 않는 사람

6 추론

이 글을 읽은 학생의 반응으로 알맞은 것은 무엇입니까?(정답 2개)

① 여드름은 얼굴에만 나는군.
② 여드름은 스트레스와 관련이 없군.
③ 청결과 여드름은 깊은 관계가 있군.
④ 여드름을 짠 후에는 소독을 하는 것이 좋군.
⑤ 여드름이 나면 즉시 손톱으로 눌러 짜야 하는군.

7 내용 적용

여드름이 난 친구에게 초콜릿과 커피를 피하라고 이야기할 때 그 근거로 알맞은 것은 무엇입니까?

① 기름진 음식은 여드름 피부에 좋지 않다.
② 자극적인 음식은 여드름 피부에 좋지 않다.
③ 염분이 많은 음식은 여드름 피부에 좋지 않다.
④ 과도한 유제품 섭취는 여드름 피부에 좋지 않다.
⑤ 섬유질이 부족해 변비가 생기면 여드름 피부에 좋지 않다.

8 추론

이 글에서 여드름을 ㉠과 같이 표현한 이유로 가장 적절한 것은 무엇입니까?

① 여드름은 잠을 자는 도중에 잘 생기므로
② 여드름은 번들거리는 피부에 잘 생기므로
③ 여드름을 함부로 짜다가는 흉터가 남으므로
④ 여드름이 생기는 것을 원하는 사람은 없으므로
⑤ 여드름은 한 번 나기 시작하면 계속해서 번지므로

한눈에 보는 약점 유형 분석

틀린 문제에 ✔표를 하세요.

❶ 정보 확인	❷ 추론	❸ 내용 파악	❹ 어휘	❺ 추론	❻ 추론	❼ 내용 적용	❽ 추론

주장하는 글 문제 ❶~❹

지난해 소방서 상황실에 접수된 119 신고 전화를 분석한 결과, 2통 중 1통은 '장난 전화'인 것으로 나타났습니다. 한 소방관은 "불을 끄는 것보다 화재 신고 장난 전화를 막는 것이 더 힘들다."라고 하면서 소방관들을 가장 피곤하게 하는 것이 바로 장난 전화라고 말했습니다. 방학인 1월과 8월에는 평소보다 2배 이상 많은 장난 전화가 걸려 온다고 합니다. 보도 기사에 의하면, 최근 3년간 허위 신고를 받고 투입된 경찰은 3만 명이 넘었고, 허위 신고로 처벌한 건수도 해마다 증가하여 지난해는 4,192건에 달했다고 합니다. 정말 심각한 문제라고 할 수 있습니다.

119에 장난 전화를 하지 말아야 하는 이유는 여러 가지가 있습니다. 첫째, 119에 허위로 장난 전화를 하다가는 처벌을 받을 수 있습니다. 119에는 신고 자동화 시스템이 갖춰져 있기 때문에 버튼 하나만 누르면 컴퓨터 모니터에 신고를 한 전화번호와 주소가 나타납니다. 따라서 소방서에 '불이 났다'고 장난 전화를 하면 100만 원 이하의 벌금형에 처할 수 있도록 ㉠규정한 '소방법'에 의해 처벌을 받습니다.

둘째, 119에 장난으로 신고를 하면 소방차들이 한 번 출동할 때마다 아까운 세금이 날아가 버립니다. 화재 신고가 들어오면 소방서에서는 지휘차 1대, 펌프차 4대, 탱크차 4대, 사다리차 1대, 구조차 2대, 구급차 1대 등 차량 13대와 대원 50여 명이 출동합니다. 기름값 등을 감안하면 한 번에 20~30만 원씩 경비가 들어가는 것이므로, 허위 신고를 하면 해마다 수십억 원을 길바닥에 버리는 셈입니다.

셋째, 실제로 긴급 상황이 발생했을 때 장난 전화로 인해 출동을 못하는 ㉡심각한 문제가 발생할 수 있습니다. 만약 자신의 집이 불타고 있는데, 장난 전화로 소방차가 출동하지 못한다고 생각해 보면 그 심각성을 쉽게 이해할 수 있을 겁니다.

장난 전화로 허탕을 치고 있는 동안에도 ㉢위급한 상황에서 도움이 필요한 사람이 발을 구르며 구조의 손길을 기다리고 있을 수 있습니다. 이런 점을 생각해서 더더욱 장난 전화를 하지 말아야 합니다.

[□세금 낭비 / □장난 전화]가 심각한 문제임을 제시하면서 장난 전화를 하지 말아야 한다고 [□설명하는 / □주장하는] 글입니다.

1 내용 파악

글쓴이가 문제 삼고 있는 것은 무엇입니까?

① 119의 출동 인력이 부족한 것
② 119의 상황실이 불친절한 것
③ 119의 출동 시간이 지연되는 것
④ 119에 허위로 신고 전화를 하는 것
⑤ 119의 신고 자동화 시스템이 원활하지 않은 것

2 내용 파악

이 글에 대한 설명으로 맞으면 ○표, 틀리면 ×표 하시오.

(1) 화재는 1월과 8월에 가장 많이 일어난다. (   )
(2) 소방관들은 장난 전화 때문에 무척 힘들어한다. (   )
(3) 119 신고 전화 중 절반 정도가 장난 전화임이 밝혀졌다. (   )
(4) 장난 전화로 소방차들이 한 번 출동할 때마다 세금이 낭비된다. (   )
(5) 소방서에 장난 전화를 하면 150만 원의 벌금형에 처해질 수 있다. (   )

3 추론

글쓴이가 119에 장난 전화를 하지 말아야 한다고 주장하는 가장 큰 이유는 무엇입니까?

① 순간적인 재미는 오래갈 수가 없다.
② 출동 때마다 아까운 세금이 낭비된다.
③ 벌금형에 처해져서 큰돈을 손해 보게 된다.
④ 위급한 상황에 있는 사람이 도움을 못 받는다.
⑤ 컴퓨터 모니터에 신고한 사람의 주소가 나타난다.

4 어휘

㉠~㉢의 뜻을 바르게 연결하시오.

(1) ㉠ • • ⓐ 규칙으로 정한.
(2) ㉡ • • ⓑ 상황이 위태롭고 급박한.
(3) ㉢ • • ⓒ 상태나 정도가 매우 혹독하거나 중대한.

1759년 어느 날 조셉 멀린(Joseph Merlin)이라는 벨기에 청년은 며칠 후 열릴 무도회를 준비하고 있었습니다. 그는 어떻게 하면 무도회에 가장 멋진 모습으로 등장할 수 있을까 궁리했습니다. 그러다가 그는 스케이트를 타고 얼음판을 미끄러지듯이, 부드럽고 빠르게 무도회장에 등장하면 무척 멋있을 것이라고 생각했습니다. 그는 아이스 스케이트의 금속 날 대신에 각각의 신발에 2개의 바퀴를 한 줄로 나란히 단 바퀴 스케이트를 만들었습니다. ㉠멀린은 바퀴 스케이트가 사람들이 이미 오래전부터 이용하던 아이스 스케이트를 대신할 수 있을 것이라고 믿었습니다.

그는 바퀴 스케이트를 타고 바이올린을 켜면서 무도회장에 입장하였습니다. 그런데 멀린은 무도회장에 있던 모든 사람들을 정말 깜짝 놀라게 하고 말았습니다. 그는 바퀴 스케이트를 멈추는 방법을 몰라 맞은편 벽에 걸려 있던 거울에 바로 부딪혀 버렸던 것입니다.

멀린의 바퀴 스케이트 덕분에 1863년, 미국인 레너 플림턴은 신발 한 짝에 바퀴가 4개 달린 롤러스케이트를 고안해 냈습니다. 두 쌍의 바퀴가 나란히 달린 롤러스케이트는 방향을 바꾸는 것과 멈추는 것이 쉬웠기 때문에 선풍적인 인기를 끌었습니다.

또 롤러스케이트는 아이스 스케이트와는 달리 얼음판이 필요하지 않아서 단시일에 전 유럽에 전파될 수 있었고, 새로운 것을 좋아하는 미국인 사이에는 더욱 유행하여 그 인기가 유럽을 능가하였습니다. 이렇게 롤러스케이트는 짧은 시간 내에 전 세계로 퍼져 나가, 남녀노소 모두 즐기는 ⓐ대중적인 스포츠가 되었습니다.

오늘날과 같은 [□롤러스케이트 / □아이스 스케이트]가 등장하게 된 과정을 [□설명하는 / □주장하는] 글입니다.

5 글의 제목

이 글의 제목으로 가장 알맞은 것은 무엇입니까?

① 발명의 중요성
② 스케이트를 타는 법
③ 바이올린을 켜는 법
④ 롤러스케이트의 유래
⑤ 아이스 스케이트가 생긴 까닭

일의 순서

다음은 '롤러스케이트'의 발달 과정을 나타낸 것입니다. 빈칸에 알맞은 말을 쓰시오.

	➡	바퀴 스케이트	➡	

내용 파악

이 글의 내용으로 알맞지 않은 것은 무엇입니까?

① 바퀴 스케이트는 멈추기가 쉽지 않았다.
② 롤러스케이트는 대중들에게 선풍적인 인기를 끌었다.
③ 롤러스케이트는 신발 한 짝에 바퀴가 네 개씩 달려 있다.
④ 맨 처음 바퀴 스케이트를 생각해 낸 사람은 미국인이었다.
⑤ 바퀴 스케이트는 멋지게 무도회에 등장하기 위해 만들어졌다.

8 추론

㉠의 이유로 가장 알맞은 것은 무엇입니까?

① 좀더 멋있게 스케이트를 탈 수 있으므로
② 스케이트의 가격이 더 저렴해질 수 있으므로
③ 자유자재로 방향을 바꾸거나 멈출 수 있으므로
④ 굳이 얼음 위가 아니더라도 스케이트를 즐길 수 있으므로
⑤ 제작하는 방법이 쉬워져 스케이트를 대량으로 생산할 수 있으므로

9 어휘

[보기]의 ㉮~㉰ 중에서 ⓐ의 쓰임이 어색한 문장을 고르시오.

보기

㉮ 연예인이 되어 대중적인 인기를 얻는 것이 많은 10대들의 꿈이다.
㉯ 승마와 같은 대중적인 운동은 아직 소수의 사람들만이 즐기고 있다.
㉰ 최근 들어 스키는 많은 사람들이 즐기는 대중적인 스포츠로 자리 잡아 가고 있다.

____

한눈에 보는 약점 유형 분석

틀린 문제에 ✔표를 하세요.

1 내용 파악	2 내용 파악	3 추론	4 어휘	5 글의 제목	6 일의 순서	7 내용 파악	8 추론	9 어휘

11~15 일차 글 읽기를 위한 어휘 연습

중요한 낱말을 다시 한번 확인하고 □에 써 보세요.

공정 (장인 工, 단위 程)	한 제품이 완성되기까지 거쳐야 하는 하나하나의 작업 단계. 예 모든 □□을 자동화하면 불량률을 낮출 수 있다.
부조리 (아닌가 不, 가지 條, 다스릴 理)	이치에 맞지 아니하거나 도리에 어긋남. 또는 그런 일. 예 사회의 모든 □□□를 없애 버려야 한다.
융합 (화할 融, 합할 合)	다른 종류의 것이 녹아서 서로 구별이 없게 하나로 합하여지거나 그렇게 만듦. 또는 그런 일. 예 수소가 산소와 일정 비율로 □□하면 물이 된다.
보행 (걸을 步, 갈 行)	걸어 다님. 예 공사로 □□에 불편을 드려 죄송합니다.
변질 (변할 變, 바탕 質)	성질이 달라지거나 물질의 질이 변함. 또는 그런 성질이나 물질. 예 식료품의 □□을 막기 위해서는 냉동 보관이 필요하다.
소각 (사를 燒, 물리칠 却)	불에 태워 없애 버림. 예 우리 동네에 쓰레기 □□ 시설이 마련되었다.
교란 (어지러울 攪, 어지러울 亂)	마음이나 상황 따위를 뒤흔들어서 어지럽고 혼란하게 함. 예 경찰은 질서를 □□하는 행위를 처벌하기로 했다.
폐기 (폐할 廢, 버릴 棄)	못 쓰게 된 것을 버림. 예 그 문서는 보관 기한이 다 되어서 □□하기로 했다.

원리 (근원 原, 이치 理)	사물의 근본이 되는 이치. 예 에디슨은 전기의 □□를 발견하여 생활에 적용했다.
암행 (어두울 暗, 갈 行)	어떤 목적을 위하여 자기의 정체를 숨기고 돌아다님. 예 그는 각 부처를 □□하면서 업무 상황을 살펴보았다.
강직 (굳셀 剛, 곧을 直)	마음이 꼿꼿하고 곧음. 예 매사에 곧고 □□한 그는 남에게 굽실거리기를 싫어했다.
투철 (통할 透, 통할 徹)	속속들이 뚜렷하고 철저하다. 예 그는 □□한 사명감을 가지고 있다.
감찰 (볼 監, 살필 察)	단체의 규율과 구성원의 행동을 감독하여 살핌. 예 검찰은 그 일에 대하여 자체 □□을 실시하였다.
분비 (나눌 分, 샘물 흐르는 모양 泌)	샘세포의 작용에 의하여 만든 액즙을 배출관으로 보내는 일. 예 위산이 과다 □□되어 속이 쓰리다.
감안 (헤아릴 勘, 책상 案)	여러 사정을 참고하여 생각함. 예 그가 바쁜 것을 □□하여 일정을 짰다.
능가 (능가할 凌, 멍에 駕)	능력이나 수준 따위가 비교 대상을 훨씬 넘어섬. 예 우리나라 축구팀이 기술에서 상대 팀을 □□하였다.

11~15 일차 어휘력 쑥쑥 테스트

[01~04] 다음의 뜻에 알맞은 낱말을 [보기]에서 찾아 쓰시오.

보기

감안 강직 변질 폐기

01 마음이 꼿꼿하고 곧음. □□

02 못 쓰게 된 것을 버림. □□

03 여러 사정을 참고하여 생각함. □□

04 성질이 달라지거나 물질의 질이 변함. □□

[05~08] 주어진 뜻에 알맞은 낱말을 빈칸에 넣어 문장을 완성하시오.

05 감사반이 공공 기관에 □□하고 다닌다.

*뜻: 어떤 목적을 위하여 자기의 정체를 숨기고 돌아다님.

06 우리는 □□□한 현실을 극복하기 위해 노력해야 한다.

*뜻: 이치에 맞지 아니하거나 도리에 어긋남.

07 감사원은 공직자의 비리를 철저히 □□하겠다고 발표했다.

*뜻: 단체의 규율과 구성원의 행동을 감독하여 살핌.

08 할머니는 연세가 많으시지만 아직까지 □□에는 지장이 없으시다.

*뜻: 걸어 다님.

[09~12] 다음 밑줄 친 낱말의 뜻을 [보기]에서 찾아 쓰시오.

보기

㉠ 불에 태워 없애 버림.
㉡ 능력이나 수준 따위가 비교 대상을 훨씬 넘어섬.
㉢ 샘세포의 작용에 의하여 만든 액즙을 배출관으로 보내는 일.
㉣ 한 제품이 완성되기까지 거쳐야 하는 하나하나의 작업 단계.

09 잠을 자는 동안에는 성장 호르몬이 <u>분비</u>된다. (　　)

10 범인은 증거가 될 만한 것들은 모조리 <u>소각</u>해 버렸다. (　　)

11 사람들은 그를 가리켜 스승을 <u>능가</u>하는 제자라고 칭송하였다. (　　)

12 나무를 자르고 난 다음 <u>공정</u>은 크기에 맞게 구멍을 뚫는 것이다. (　　)

[13~15] 빈칸에 공통으로 들어갈 낱말 쓰시오.

13

ㅌ ㅊ	① 그는 □□한 신념을 가진 사람이다. ② 우리는 □□한 역사 의식을 지녀야 한다.

14

ㄱ ㄹ	① 우리 군은 적의 통신망을 □□하였다. ② 우리 팀은 후반전에서는 작전을 바꿔 상대의 수비를 □□했다.

15

ㅇ ㅎ	① 물은 수소와 산소의 □□으로 만들어진다. ② 올림픽은 스포츠와 문화가 □□된 행사이다.

16~20 일차

♣ 공부한 날: [ ] 월 [ ] 일 ♣ 맞은 개수: [ ] / 8문항

토론 문제 ❶~❹

사회자: 최근 반려동물을 기르는 인구가 1천만 명에 이르렀지만, 이와 함께 매년 버려지는 반려동물의 숫자도 늘고 있습니다. 현행 동물 보호법상 버려진 동물이 10일 안에 주인을 찾지 못하면 다른 곳에 입양되지 않는 한 안락사를 당할 수밖에 없습니다. 오늘은 '유기 동물, 안락사를 시켜야 한다.'는 논제로 토론을 진행하겠습니다. 먼저 찬성 측 말씀해 주세요.

영민: 안락사는 유기 동물 문제를 해결할 현실적인 방안입니다. 해마다 10만 마리 이상의 반려동물이 버려지고 있는 것이 현실입니다. 그러나 유기 동물의 입양률은 20%에 못 미치고, 동물 보호소에서도 매년 발생하는 유기 동물을 구조하여 수용하는 데 한계가 있습니다. 사료 값을 감당하기 어렵고, 그 많은 동물을 관리할 인력과 장소도 부족하기 때문입니다. 더군다나 많은 동물을 한곳에 수용하면 전염병에 걸릴 수 있습니다.

민정: 유기 동물이 야생화되면 지역 주민을 위협하거나 가축을 공격하는 등의 문제가 발생할 수 있습니다. 이 문제를 해결하기 위해 유기 동물의 수를 조절해야 하고, 어쩔 수 없이 안락사라는 수단을 사용해야 합니다.

사회자: 네, 잘 들었습니다. 이번에는 반대 측 말씀해 주세요.

윤서: 현실적이라는 이유로 안락사가 정당화될 수는 없습니다. 생명을 살리고 죽이는 것을 비용과 편리 등 현실적인 이유로 결정하는 것은 양심에 어긋난다고 생각합니다. 유기 동물이 급증하는 것이 문제라면 급증하지 않게 하는 방법을 찾는 것이 우선입니다.

서정: 유기 동물을 안락사 시킬 것이 아니라 유기 동물이 늘어나는 것을 막기 위한 법을 만들고 사회적 환경을 조성해야 합니다. 동물을 키우는 데에는 개인과 사회의 책임이 따를 수밖에 없습니다. 따라서 유기 동물을 줄일 수 있는 보다 근본적인 제도 마련이 필요합니다. 동물 등록제의 식별 정보를 내장형 마이크로칩으로 바꾸고, 동물을 버리면 동물 학대로 강력히 처벌하는 등의 제도를 마련해야 합니다.

유기 동물을 [□**훈련** / □**안락사**]시키는 것에 대해 찬성과 반대의 의견을 나누는 [□**토론** / □**토의**]입니다.

1 내용 파악

이 토론에서 알 수 있는 내용으로 알맞은 것은 무엇입니까?

① 매년 버려지는 반려동물의 숫자가 줄고 있다.
② 유기 동물의 입양률이 20%를 넘어 서고 있다.
③ 버려진 동물이 14일 안에 주인을 찾지 못하면 안락사를 당할 수밖에 없다.
④ 동물 보호소에서도 매년 발생하는 유기 동물을 구조하여 수용하는 데 한계가 있다.
⑤ 유기 동물이 야생화될 경우에는 야생 환경에 잘 적응하여 살아가므로 크게 신경 쓸 일이 없다.

2 토론 형식

이 토론에서 '사회자'의 역할로 알맞은 것은 무엇입니까?

① 토론의 논제를 제시한다.
② 토론자가 말한 내용을 정리한다.
③ 토론 내용을 평가하여 승패를 판정한다.
④ 토론자의 말이 길어지면 발언권을 제한한다.
⑤ 토론자의 주장 중 더 선호하는 쪽에 동의하는 의사를 밝힌다.

3 추론

다음은 신문 기사의 표제와 부제입니다. 이를 근거로 사용할 만한 사람은 누구인지 쓰시오.

공포심을 조성하는 유기 동물의 '위협'
지역 주민들 바깥 출입 꺼려…
떠돌이 개에 물린 가축 수 증가
먹이를 찾아 농장 주변을 어슬렁거리는 유기 동물들

____

4 추론

(1)~(4)가 각각 찬성 측과 반대 측 중 어느 입장의 근거인지 구분하여 ○표 하시오.

논제: '유기 동물, 안락사를 시켜야 한다.'	
(1) 많은 유기 동물을 관리할 인력과 장소가 부족하다.	찬성, 반대
(2) 야생화로 인해 지역 주민을 해치는 유기 동물의 수를 조절해야 한다.	찬성, 반대
(3) 생명을 살리고 죽이는 것을 현실적인 이유로 결정하는 것은 양심에 어긋난다.	찬성, 반대
(4) 유기 동물이 늘어나는 것이 근본적인 문제이므로 이를 막기 위한 법을 만들고 사회적 환경을 조성해야 한다.	찬성, 반대

민화란 백성들이 그린 그림이라는 뜻이다. 따라서 선사 시대의 바위 그림이나 고구려 고분 벽화, 도자기에 그린 그림 등도 크게 보면 민화에 속한다. 하지만 보통 민화라고 하면 조선 후기에 일반 백성들이 그린 그림을 가리킨다. 이러한 민화는 주로 집안 벽이나 다락문, 대문간, 병풍 등에 붙여 집안을 장식하는 데 사용했다.

민화는 주로 그림에 소질은 있지만 전문적인 그림 공부를 하지 못한 평민이나 천민들이 그렸다. 이들은 종이와 붓, 먹, 물감 등을 봇짐에 넣고 전국 방방곡곡을 돌아다니며 의뢰받은 그림을 다 그릴 때까지 며칠 또는 몇 달씩 머물렀다. 민화는 그림을 그리는 관청인 도화서의 화원들이 그린 그림이나 양반들이 그린 문인화와 비교하면 예술성이 떨어지지만 서민들의 생활과 문화를 잘 보여 준다.

이러한 민화는 일반적으로 화조(花鳥), 산수(山水), 민속(民俗), 교화(敎化)를 담은 그림으로 나누어진다. 민화 중에서도 가장 수효가 많았던 것은 화조도인데, 대개 꽃과 암수 한 쌍의 새를 함께 그려 집안의 풍요와 부부 화합을 염원했다. 자연을 그린 산수도는 양반들이 그린 그림과 달리 중국의 화법을 따르지 않았다. 민속화는 무속적인 내용을 비롯해 사냥꾼의 사냥 장면, 농사짓는 장면 등 일상생활의 풍속 등을 그렸다. 교화적인 내용이 담긴 민화는 유가 및 도가의 사상에 따라 권선징악의 윤리관, 삼강오륜과 충효를 강조한 그림이다.

민화는 비슷한 대상물을 일정한 형식으로 그린 것이 많다. 예를 들어 '까치 호랑이'는 민화에 자주 나오는 동물 그림인데, 대부분의 민화에서 그 모양새가 비슷하다. 하지만 문인화와는 달리 그림의 구성이 파격적이고, 대상물을 익살스럽게 표현하거나 특징을 과장하여 그리는 것이 특징이다. 또한 화려한 색깔을 사용하고, 그린 사람이 누구인지 알 수 없는 점도 민화가 가진 특징이다.

한때 민화는 예술성이 떨어진다는 이유로 낮은 평가를 받았지만, 요즘에는 그 자체가 우리의 삶을 대변해 주는 예술품이라는 점에서 민화의 내용에 담긴 의미와 제작 기법 등이 미술적 가치를 인정받고 있다.

[□**민화** / □**문인화**]의 개념, 민화를 그린 화공, 민화의 소재, 민화의 특징 등을 [□**설명하는** / □**주장하는**] 글입니다.

5 내용 파악

'민화'는 주로 어떤 용도로 사용되었는지 빈칸에 알맞은 말을 쓰시오.

민화는 주로 [ ][ ]을 장식하는 데 사용되었다.

6 정보 확인

이 글에서 알 수 없는 내용은 무엇입니까?

① 민화의 개념 ② 민화의 종류 ③ 민화의 특징
④ 민화의 가치 ⑤ 민화의 유래

7 내용 요약

다음은 '민화'와 '문인화'를 비교한 것입니다. ⓐ, ⓑ에 들어갈 알맞은 말을 쓰시오.

구분	민화	문인화
작자층	평민이나 천민	ⓐ: ______
예술성	ⓑ: ______.	높음.

8 추론

이 글을 읽고 [보기]를 접한 학생의 반응으로 알맞은 것은 무엇입니까?

보기

이 「송하호작도」는 우리의 민화로서, '호작도'란 이름은 까치와 호랑이가 함께 등장한다는 점 때문에 붙은 것이다. 예로부터 까치는 기쁜 소식을 전해 주는 길조로 여겨졌는데, 여기서 까치는 인간의 복과 재앙을 결정하는 신의 사자로, 호랑이는 신의 역할을 대신하는 동물로 그려지고 있다.

① 이 작품은 일상생활의 풍속을 그린 그림이군.
② 이 작품은 중국의 화법을 따라 그린 그림이군.
③ 이 작품은 대상물을 익살스럽게 표현한 그림이군.
④ 이 작품은 권선징악의 윤리관을 담고 있는 그림이군.
⑤ 이 작품은 부부 화합에 대한 염원을 담고 있는 그림이군.

한눈에 보는 약점 유형 분석

틀린 문제에 ✔표를 하세요.

① 내용 파악	② 토론 형식	③ 추론	④ 추론	⑤ 내용 파악	⑥ 정보 확인	⑦ 내용 요약	⑧ 추론

설명하는 글 문제 ❶~❹

옛날에는 봄이 시작되는 때를 한 해의 시작으로 여겼습니다. 1560년대 프랑스인들은 3월 25일부터 4월 1일까지 춘분제를 열고 축제 마지막 날에는 선물을 주고받으며 새해를 맞았다고 합니다. 그래서 460년 전까지만 해도 프랑스의 새해 첫 날은 4월 1일이었지요.

그런데 당시 프랑스 왕이었던 샤를 9세(Charles IX, 1550~1574)가 1564년에 달력 계산법을 율리우스력에서 그레고리력으로 바꾸면서 신년이 1월 1일로 바뀌게 되었습니다. 그 뒤 새해 첫날이 1월 1일로 바뀌었는데도 어떤 사람들은 그것을 깜빡 잊은 채 여전히 4월 1일에 선물을 주고받거나 파티를 열었답니다. 장난치는 것을 좋아하는 사람들은 이런 사람들에게 장난삼아 선물을 보내거나 있지도 않은 파티에 초대해 놀렸지요.

이처럼 ㉠쉽게 놀림을 당한 사람들을 '4월의 물고기'라고 불렀습니다. 왜냐하면 4월에 갓 부화한 물고기들이 쉽게 잡히는 것처럼 아무것도 모른 채 쉽게 '낚였기' 때문입니다. 새해 날짜가 바뀐 것을 기억 못하는 사람들에게 장난을 쳐서 놀려 주었던 [ⓐ]은 계속 되었는데, 이것이 만우절의 [ⓐ]이 되어 지금까지 전해오는 것이랍니다.

우리나라 궁중에서도 지금의 만우절과 비슷한 날이 있었다고 해요. 바로 첫눈 내리는 날이에요. 첫눈이 내리는 날만큼은 궁궐 사람들이 임금님에게 가벼운 거짓말을 해도 용서되었다고 합니다. 우리 조상들은 첫눈이 많이 오면 이듬해에 풍년이 든다고 생각했어요. 그런 까닭에 첫눈 내리는 날에는 가벼운 거짓말을 해도 눈감아 준 것이죠.

4월 1일, 가벼운 장난이나 그럴듯한 거짓말로 남을 속이기도 하고 헛걸음을 시키기도 하는 만우절이지만, 그 유래를 알고 나면 유쾌한 웃음과 배려가 함께 공존하는 날임을 알 수 있답니다.

4월 1일, [□만우절 / □새해 첫 날]이 생기게 된 유래를 [□설명하는 / □주장하는] 글입니다.

1 중심 내용

이 글에서 설명하고자 하는 내용은 무엇입니까?

① 4월의 물고기
② 만우절의 유래
③ 1월 1일의 의미
④ 달력 계산법의 차이
⑤ 프랑스의 새해 풍습

2 내용 파악

[보기]에서 이 글의 내용으로 알맞은 것끼리 골라 묶은 것은 무엇입니까?

보기

가. 1560년대 프랑스인들은 4월 1일 하루 동안 춘분제를 열었다.
나. 1564년 이후, 프랑스의 새해 첫 날은 4월 1일에서 1월 1일로 바뀌었다.
다. 법도가 엄격한 우리나라 궁중에서는 만우절과 같은 날은 찾아볼 수 없었다.
라. 만우절은 바뀐 새해 날짜를 기억 못하는 사람을 놀려 주는 것에서 시작되었다.

① 가, 나 ② 가, 다 ③ 나, 다
④ 나, 라 ⑤ 다, 라

3 추론

㉠의 이유로 가장 알맞은 것은 무엇입니까?

① 만우절에는 4월에 잡힌 물고기를 먹었기 때문에
② 프랑스 사람들은 4월에 물고기를 즐겨 먹었기 때문에
③ 1년 중 4월에 잡은 물고기가 제일 맛이 없었기 때문에
④ 4월에 물고기가 쉽게 잡히듯이 놀림에 쉽게 넘어갔기 때문에
⑤ 4월에 물고기가 잘 잡혀 그 해에 풍년이 들기를 기원했기 때문에

4 어휘

ⓐ에 들어갈 말로, '예로부터 되풀이되어 온 특정 집단의 행동 방식, 풍속과 습관을 아울러 이르는 말.'의 뜻을 가진 낱말을 쓰시오.

요즘 공동 주택에 사는 사람들은 층간 소음 문제로 갈등을 겪는 경우가 많다. 층간 소음이란 입주자 또는 사용자의 활동으로 인해 발생하는 소음이나 음향 기기를 사용하면서 발생하는 소음으로, 다른 입주자 또는 사용자에게 피해를 주는 소음을 말한다.

층간 소음은 아이들의 발걸음, 망치질 소리, 가구를 끄는 소리, 악기 소리, 문을 열고 닫는 소리, 그리고 TV나 청소기, 세탁기 등의 가전제품 소리 등이 원인인 것으로 조사되었다. 특히 아이들이 뛰거나 걷는 소리 때문에 생기는 소음은 전체의 70%를 차지할 정도로 비율이 높게 나타났다.

층간 소음을 줄이기 위해서는 우선 아래층, 위층에 사는 사람들이 서로 이해하고 배려할 수 있어야 한다. 가장 높은 층수에 살지 않는 한 현실적으로 층간 소음을 완벽히 없애는 것은 불가능하다. 다만 층간 소음을 줄이기 위해 최대한 노력하고 서로를 배려해야 하는 것이다.

아이들에게 슬리퍼를 신게 하거나 바닥에 매트를 깔아두는 것도 좋은 방법이다. 아이들이 뛰거나 걷는 소리로 인해 소음이 발생하지 않도록 주의하게 하고 그에 맞는 집안 환경을 만들어 줄 필요가 있다. 그리고 아이들에게 아래층 사람이 소음으로 고통 받을 수 있다고 알려 주는 것도 중요하다.

환경부에서는 층간 소음을 예방하고 분쟁을 합리적으로 조정하기 위해 '층간 소음 이웃사이센터'를 개설하여 운영하고 있다. 이 센터에서는 층간 소음 피해 유형을 분석해 해결 방안에 대한 상담 서비스를 제공한다. 또한, 전문가가 현장을 방문해 층간 소음을 측정하여 원인을 진단하고, 위층, 아래층, 관리 사무소 등 이해관계자들에 대한 면담을 실시하여 해결 방안을 찾도록 도와주기도 한다. 만약 층간 소음으로 인한 갈등이 잘 해결되지 않는다면 이 센터를 통해 조정하는 것도 하나의 방법이다.

우리 집은 누군가에게는 아랫집이고, 또 다른 누군가에게는 윗집이 된다. '당신들이 문제야!'라고 말하기보다는 이웃을 이해하고 배려하며 동시에 지나친 층간 소음이 발생하지 않도록 서로가 노력해야 한다.

층간 소음의 [□**대책** / □**원인**]을 분석하고 그 해결 방안을 제시함으로써 층간 소음을 줄이기 위해 노력하자고 [□**설명하는** / □**주장하는**] 글입니다.

5 공동 주택에서 다른 입주자 또는 사용자에게 피해를 주는 소음을 무엇이라고 합니까?

핵심어

____

6 이 글에 대한 설명으로 알맞은 것은 무엇입니까?

서술 방식

① 대상에 대한 개념을 정의하고 그 종류를 나열하고 있다.
② 대상 간의 관계를 설명하고 그 특징에 대해 기술하고 있다.
③ 문제의 진단 방법에 따른 결과의 차이점을 소개하고 있다.
④ 문제에 대한 원인을 밝히고 그 해결 방안을 제시하고 있다.
⑤ 문제를 해결하기 위해 도입된 정책의 한계를 지적하고 있다.

7 이 글을 바탕으로 '층간 소음'을 줄이기 위한 생활 수칙을 만든다고 할 때, 그 내용으로 알맞지 않은 것은 무엇입니까?

내용 적용

① 가구는 들어서 옮기도록 합니다.
② 아이들이 슬리퍼를 신고 생활할 수 있도록 합니다.
③ 문이 한 번에 잘 닫힐 수 있도록 있는 힘껏 닫습니다.
④ 피아노는 늦은 저녁 이후에는 연주하지 않도록 합니다.
⑤ 망치질을 꼭 해야 한다면 밤이 아닌 낮에 하도록 합니다.

8 다음 중 '층간 소음 이웃사이센터'에 대해 바르게 이해한 사람은 누구입니까?

추론

도윤: '층간 소음 이웃사이센터'에서는 전문가를 보내 층간 소음을 측정해 주기도 해.
주원: '층간 소음 이웃사이센터'에서는 층간 소음 문제로 인한 법정 소송을 맡아서 해 주고 있어.
효주: '층간 소음 이웃사이센터'에서는 당사자끼리 층간 소음 문제를 해결하기 어려우니, 갈등이 발생하면 반드시 신고부터 하도록 권고하고 있어.

____

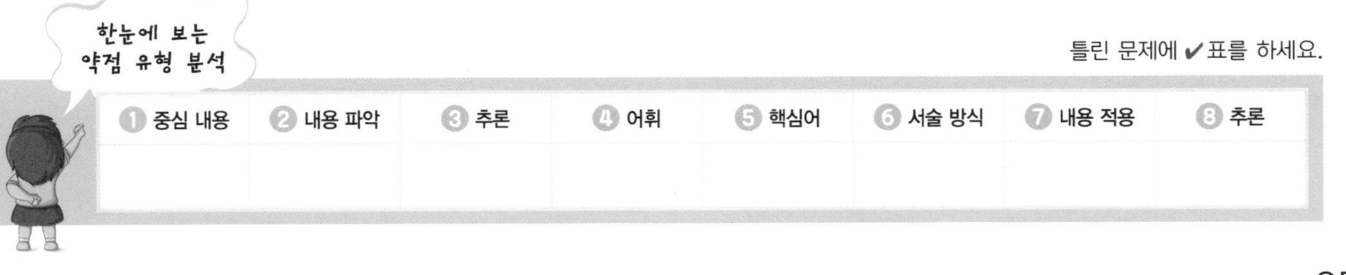

틀린 문제에 ✔표를 하세요.

① 중심 내용	② 내용 파악	③ 추론	④ 어휘	⑤ 핵심어	⑥ 서술 방식	⑦ 내용 적용	⑧ 추론

♣공부한 날: 월 일 ♣맞은 개수: /8문항

설명하는 글 문제 ❶~❹

숯은 건조한 나무를 가마에 빈틈없이 채워 넣고 가마 입구를 막아 산소를 차단한 후 가마에 불을 지펴 오랫동안 태워서 만든 검은 덩어리이다. 재료로 보통 단단한 나무가 사용되는데, 우리나라에서는 참나무류를 주로 사용하여 참숯을 얻는다.

숯은 몸에 좋은 물질로 알려져 있다. ㉠숯은 수분, 습기, 냄새를 빨아들이는 효능이 있다. 그래서 숯을 사용하여 인체의 유익한 성분은 남겨 두고 유해한 바이러스, 박테리아, 독소 등을 집중적으로 빨아들일 수 있다. 이 같은 원리를 바탕으로 우리 선조들은 장을 담글 때 장독에 숯을 넣어 불순물을 제거하도록 했다.

또한 ㉡숯은 음이온을 발산하여 뇌파의 안정을 도와주며 혈액 순환을 돕고 숙면을 취하도록 해 준다. 따라서 불면증으로 고통받는 사람들은 종종 숙면을 위해 숯 침대, 숯 베개 등의 제품을 사용하기도 한다.

숯은 ㉢방부 효과도 뛰어나 미생물, 곰팡이의 발생을 억제하여 부패하는 것을 막아 준다. 우리나라의 뛰어난 목판 인쇄술을 보여 주는 팔만대장경은 '해인사'의 '장경판전'에 보관되어 있다. 만들어진 지 1천 년이 지난 팔만대장경이 썩지 않고 원래의 모습을 유지할 수 있었던 것은 장경판전 아래에 숯을 묻은 조상들의 지혜 덕분이었다. 중국에서는 고대 귀족 여성의 무덤에 숯을 5톤이나 묻었는데, 발굴 당시 시신의 보존 상태가 매우 뛰어나 세계를 놀라게 한 적이 있다. 일본도 100년 전 무덤에서 미라가 발견되었는데, 시신이 숯에 덮여 부패하지 않고 잘 보존되었다고 한다.

이런 숯의 이로운 점 덕분인지, 최근 시중에는 숯을 이용한 제품들이 쏟아져 나오고 있다. 숯 베개, 숯 바닥재, 숯을 이용한 화장품과 비누, 숯 성분이 들어간 속옷에 이르기까지 다양한 방면에서 숯이 활용되고 있다. 이처럼 숯은 선조들의 지혜가 담겨져 있는 우리의 소중한 자원으로 인정받고 있다.

숯을 만드는 과정, 숯의 [□효능 / □부작용], 이를 활용한 다양한 제품들을 구체적인 사례를 들어가며 [□설명하는 / □주장하는] 글입니다.

1 내용 파악

다음은 '숯'이 만들어지는 과정입니다. ⓐ~ⓒ에 알맞은 말을 쓰시오.

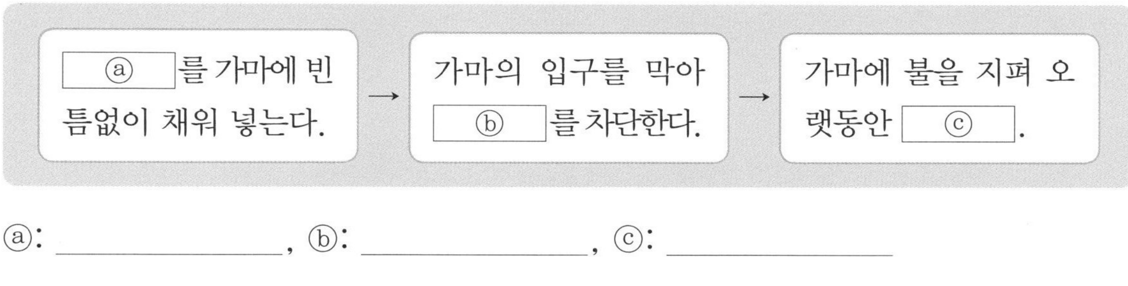

ⓐ: ________, ⓑ: ________, ⓒ: ________

2 중심 내용

이 글의 중심 내용으로 가장 알맞은 것은 무엇입니까?

① 조상의 무덤
② 숯의 효능과 활용
③ 숯가마의 좋은 점
④ 선조들의 생활 방식
⑤ 팔만대장경의 보존 기술

3 내용 파악

이 글의 내용으로 알맞지 않는 것은 무엇입니까?

① 숯은 수분과 습기, 냄새를 빨아들인다.
② 숯은 음이온을 발산하여 뇌파의 안정을 도와준다.
③ 일본의 100년 전 무덤에서 발견된 시신은 숯에 덮여 있었다.
④ 팔만대장경은 표면에 숯을 칠하여 오랫동안 보관할 수 있었다.
⑤ 최근 우리 생활 주변에서 숯을 이용한 제품들을 쉽게 찾아볼 수 있다.

4 추론

㉠~㉢중에서 다음 사례와 관련이 있는 것을 골라 쓰시오.

구체적 사례	숯의 성질
(1) 장독에 넣는 숯	
(2) 침구류에 사용하는 숯	
(3) 중국 고대 귀족 여성의 무덤에서 발견된 숯	

만화는 이야기 따위를 간결하고 익살스럽게 그린 그림이다. 만화는 글과 그림을 다양한 양상으로 결합시켜 일정한 이야기를 전달한다. 예를 들면 글 없이 그림으로 제시되는 경우도 있지만, 글만 제시되는 경우나 글과 그림이 함께 제시되는 경우도 있다. 그러나 대부분은 글이나 그림이 결합되어 서로를 보완하는 역할을 한다.

만화가 보여 주는 삶의 모습은 문학의 세계와 닮아 있다. 문학이 우리 삶의 모습을 언어적으로 표현한 것이라는 관점에서는 만화도 문학의 일부로 볼 수 있는 것이다. 만화는 그림과 더불어 언어가 중요한 표현 방법을 이루고 있으며, 그 주된 목적은 삶의 모습을 구현하기 위한 것이기 때문이다. 따라서 만화를 통해 경험하는 이야기는 전통적인 문학 작품을 통해 경험하는 이야기와 다르지 않다. 다만 이야기의 표현 방식이 언어적인 것에 한정된 것이 아니라 이미지나 영상으로까지 확대되었을 뿐이다.

만화에는 '임꺽정'처럼 5년 동안 신문에 매일 연재된 장편 만화도 있지만, 그림 한 장면으로 완성되는 간단한 만화도 있다. 이런 만화를 '한 컷 만화' 또는 '카툰'이라고 한다. 한 컷 만화는 흔히 신문에서 볼 수 있는데, 세상에 이런저런 일들을 무엇에 빗대어 재미있고 재치 있게 깨우치고 비판한다는 뜻으로 '만평'이라고 부르기도 한다. 한 컷 만화는 그림 한 장뿐이므로 그리기 쉬울 것 같지만 오히려 그렇지 않다. 한 컷 만화는 전하려는 내용을 한 장면 안에 간단하고도 확실하게 표현해야 하므로 생각하는 것보다 그리기가 어렵다.

한 컷 만화보다 조금 긴 것으로는 '네 컷 만화' 또는 '4단 만화'라고 부르는 것이 있다. 이야기를 전달하는 데에 최소한으로 필요한 요소를 흔히 '기-승-전-결'이라고 한다. 이것은 이야기를 꺼내서, 풀어내고, 핵심을 말한 뒤, 결말을 짓는 것을 말한다. 사실 아무리 긴 소설이나 영화, 드라마도 크게 나누어 보면 이 네 개의 순서로 이루어져 있다. 네 컷 만화는 이렇게 이야기에 필요한 최소한의 요소만 가지고 만드는 것이다.

[□**문학** / □**어학**]의 일부로 볼 수 있는 만화의 특징과 만화의 종류 등을 [□**설명하는** / □**주장하는**] 글입니다.

5 내용 요약

다음은 만화와 문학의 공통점과 차이점을 정리한 것입니다. ⓐ, ⓑ에 알맞은 말을 쓰시오.

구분		만화	문학
공통점	목적	____ⓐ____ 을 구현하기 위함.	
차이점	표현 방식	언어+____ⓑ____	언어

6 내용 적용

[보기]와 같은 만화의 특징으로 알맞지 않은 것은 무엇입니까?

보기

① 흔히 신문에서 볼 수 있다.
② '만평'이라고 부르기도 한다.
③ '한 컷 만화' 또는 '카툰'에 속한다.
④ 전하려는 내용을 자세하게 표현해야 한다.
⑤ 세상일들을 뭔가에 빗대어 재치 있게 깨우치고 비판한다.

7 내용 파악

'기-승-전-결'의 의미에 맞는 내용을 찾아 연결하시오.

(1) 기 • • ㉠ 결말을 짓다.
(2) 승 • • ㉡ 핵심을 말하다.
(2) 전 • • ㉢ 이야기를 꺼내다.
(4) 결 • • ㉣ 이야기를 풀어내다.

8 내용 파악

'기-승-전-결'로 구성된 장르의 예를 세 가지 찾아 쓰시오.

____

한눈에 보는 약점 유형 분석

틀린 문제에 ✔표를 하세요.

① 내용 파악	② 중심 내용	③ 내용 파악	④ 추론	⑤ 내용 요약	⑥ 내용 적용	⑦ 내용 파악	⑧ 내용 파악

♣공부한 날: 월 일 ♣맞은 개수: /8문항

주장하는 글 문제 ❶~❹

우리는 경사스러운 일을 축하하거나 명절에 마음을 표시할 때, 또 인간관계를 돈독하게 하고자 할 때 선물을 주고받는 경우가 많다. 한 통계에 의하면, 조사 대상이 된 100군데의 가정에서 평균 한 가정당 196개의 물건을 쓰지 않은 채 보관 · 방치하고 있는 것으로 나타났다. 그런데 사용하지 않는 생활용품 가운데 선물, 사은품 등으로 받은 물건이 각 가정당 60개로, 전체의 31%를 차지했다.

선물은 받는 순간에는 기쁘지만 일단 자기의 물건이 되고 나면 오히려 [ⓐ]이 되어 버릴 때가 많다. 문제는 그러한 물건들은 준 사람의 성의가 담겨 있어 함부로 처분하지도 못한다는 것이다. 사용하지 않는 생활용품 가운데 선물로 받은 물건으로는 특히 향수, 넥타이핀, 만년필, 수건, 스카프 등의 비율이 높은 것으로 조사되었다. 대부분의 사람들이 쉽게 선물로 떠올리는 품목들이 실제로는 가장 사용하지 않는 물건인 것이다. 또한 각종 사은품도 실제로는 필요하지 않은 것이 많아 자원을 낭비하고 쓰레기를 늘리는 원인이 되고 있다.

선물의 가치는 주고받는 기쁨과 ㉠그 물건에 담긴 정성에 있다. 다시 말해 ㉡물건 자체의 가격이나 쓰임새보다는 그에 담긴 의미가 더 중요하다는 말이다. 과연 우리가 받은 선물 가운데 평생 잊지 못하는 것, 그래서 언제까지나 소중하게 간직하고 싶은 것은 얼마나 되는지 헤아려 보자. 또한 내가 누군가에게 준 선물 가운데 그 사람에게 그런 ㉢추억으로 남을 만한 것은 얼마나 되는지 생각해 보자.

우리가 받은 선물 가운데 ㉣정말 귀한 것은 무엇일까? 아마도 그 사람에게만 줄 수 있는 ㉤이 세상에 하나밖에 없는 물건이 아닐까? 사형수로부터 비닐 빵 봉지를 이용해 [손수 만든 작은 짚신]을 선물로 받은 어떤 수녀님은 그것을 행운의 마스코트인 양 묵주에 달고 다니며 기도할 때마다 하늘로 간 그를 생각했다고 한다. 이렇게 오랜 손길이 닿은 선물에는 소중한 추억과 애정이 살아 숨쉰다고 할 수 있다.

–통계 속의 재미있는 세상 이야기 _ 구정화

[□선물 / □자원]의 가치는 물건 자체의 가격이나 쓰임새보다는 주고받는 기쁨과 그 물건에 담긴 정성에 있다고 [□설명하는 / □주장하는] 글입니다.

1 내용 파악

이 글의 내용으로 알맞지 않은 것은 무엇입니까?

① 경제가 성장함에 따라 선물에 투자하는 비용이 커지고 있다.
② 각종 사은품들은 자원을 낭비하고 쓰레기를 늘리는 원인이 되고 있다.
③ 다른 사람으로부터 선물로 받은 물건들을 쓰지 않고 방치하는 가정이 많다.
④ 사람들은 주로 마음을 표현하거나 인간관계를 돈독하게 하기 위해 선물을 한다.
⑤ 대부분의 사람들이 선물로 쉽게 떠올리는 품목들이 실제로는 가장 사용하지 않는 물건이다.

2 글의 주제

이 글에 나타난 글쓴이의 생각으로 가장 알맞은 것은 무엇입니까?

① 선물의 가치는 정성보다는 쓰임새와 활용도에 따라 결정된다.
② 선물은 비쌀수록 가치가 있으니, 금액이 싼 선물은 가능하면 하지 않는 것이 좋다.
③ 어디에서나 살 수 있는 물건보다는 세상에 단 하나뿐인 물건이 선물로서 더 가치가 있다.
④ 선물을 준 사람의 성의와는 상관없이 받은 지 오래된 것은 빨리 처분하고 버리는 것이 좋다.
⑤ 향수, 만년필, 스카프 등은 선물 품목으로 가장 인기가 있으니 선물할 때 활용하는 것이 좋다.

3 추론

㉠~㉤ 중 손수 만든 작은 짚신에 담긴 의미와 거리가 먼 것은 무엇입니까?

① ㉠ ② ㉡ ③ ㉢ ④ ㉣ ⑤ ㉤

4 추론

ⓐ에 들어갈 수 있는 말로 가장 알맞은 것은 무엇입니까?

① 힘 ② 짐 ③ 기쁨
④ 보답 ⑤ 답례

요즘 도시를 걷다 보면 가로등 빛, 건물을 장식하는 네온사인, 나무를 휘감은 전구의 불빛 등 다양한 ㉠조명이 밤을 환하게 비추고 있는 모습을 쉽게 볼 수 있다. 이러한 도시의 ㉡조명은 건물의 외관을 아름답게 꾸미고 많은 볼거리를 제공하기도 한다. 그런데 이러한 조명으로 인해 많은 문제들이 나타나고 있다. 조명을 포함한 모든 빛에 과도하게 노출되면 건강에 문제가 될 수 있기 때문이다.

빛과 ㉢조명은 우리가 살아가는 데 없어서는 안 되는 중요한 요소이다. 전구가 발명된 이후 ㉣조명은 인류에게 밤에도 안전하고 편리하게 생활할 수 있는 기회를 제공하였다. 그러나 사람을 포함하여 동물과 식물은 원치 않는 빛에 노출되면 스트레스를 받는다. 농경지의 밝은 빛은 농작물의 생장에 영향을 미치고, 가축들에게 스트레스 요인이 된다. 과도한 ㉤조명으로 인해 도심의 나무와 꽃은 성장이 가속되거나 둔화되는 등의 이상을 보인다. 실제로 백화점, 호텔 등 건물 앞의 가로수는 전선과 전구로 장식되어 '전기 꽃'을 피운다. 도심의 밤거리에서 환한 빛을 내는 '전기 꽃'은 보기에 아름다울 수 있지만 전선과 전구에 휘감긴 나무들은 생장을 하지 못하거나 수명이 단축되고 있다. 이러한 이유로 '빛 공해'라는 용어가 등장하였다. 말 그대로 빛이 매연이나 폐수처럼 환경을 오염시키는 공해로 작용한다는 의미이다.

동식물이 받은 빛 공해 스트레스는 인간에게 부메랑이 되어 돌아온다. 여름철 도시에서는 밤에도 매미들이 울어 대는 현상이 나타나고, 이로 인해 사람들은 밤에 잠을 설치기도 한다. 빛 공해는 이외에도 보행자에게 눈부심과 같은 불쾌감을 유발하거나 운전자에게 교통사고의 원인을 제공하기도 한다. 전문가들은 이와 같은 '빛 공해'를 해결하기 위해 밤을 환하게 비추는 빛을 규제해야 한다며 ⓐ입을 모으고 있다.

도시의 [□조명 / □나무와 꽃]이 빛 공해가 되고 있는 최근의 상황을 제시하면서 빛 공해의 문제점과 이에 대한 규제의 필요성을 언급한 [□기행문 / □주장하는 글]입니다.

5 중심 내용

'빛'에 대한 글쓴이의 생각으로 알맞지 않은 것은 무엇입니까? (정답 2개)

① 빛에 과도하게 노출되면 건강에 문제가 될 수 있다.

② 밤에도 안전하고 편리하게 생활하려면 빛이 밝을수록 좋다.

③ 과도한 빛은 운전자에게 교통사고의 원인을 제공하기도 한다.

④ 도시를 아름답게 만들기 위해서는 더욱 많은 조명이 필요하다.

⑤ 과도한 조명으로 인해 도심의 나무와 꽃은 성장이 가속되거나 둔화되기도 한다.

내용 적용

글쓴이가 [보기]의 사진을 바탕으로 기사를 쓴다고 할 때, 덧붙일 설명으로 가장 알맞은 것은 무엇입니까?

보기

① 빛 공해는 운전자에게 눈부심과 불쾌감을 유발한다.
② 도심의 나무에 조명을 설치하는 데에는 시간과 비용이 많이 든다.
③ 밤에도 낮과 같이 환하게 조명을 밝히는 것으로 인해 전기 에너지가 낭비된다.
④ 농경지의 밝은 빛은 농작물의 생장에 영향을 미치거나, 가축들에게 스트레스 요인이 된다.
⑤ '전기 꽃'은 보기에 아름다울 수 있지만 나무들의 생장을 방해하거나 수명을 단축시킨다.

7 추론

㉠~㉤ 중 의미하는 바가 나머지 넷과 다른 하나는 무엇입니까?

① ㉠ ② ㉡ ③ ㉢ ④ ㉣ ⑤ ㉤

8 어휘

ⓐ와 다른 의미로 쓰인 문장은 무엇입니까?

① 동네 사람들은 입을 모아 쑥덕대며 부러워했다.
② 선생님들은 입을 모아 민수가 예의 바르다고 칭찬했다.
③ 이제 중대 결단을 내려야 할 시점이라고 모두들 입을 모았다.
④ 밥을 먹여야 할 입을 모아 보니 한 가마솥으로도 부족하겠구나.
⑤ 무리한 다이어트는 건강을 해친다고 의사들은 입을 모아 이야기한다.

한눈에 보는 약점 유형 분석

틀린 문제에 ✔표를 하세요.

① 내용 파악	② 글의 주제	③ 추론	④ 추론	⑤ 중심 내용	⑥ 내용 적용	⑦ 추론	⑧ 어휘

♣공부한 날: 월 일 ♣맞은 개수: /8문항

토의 문제 ❶~❹

사회자: 현재 우리 시에서 이루어지는 개인 기부는 전체 기부의 29% 정도에 불과합니다. 그래서 오늘은 개인 기부가 저조한 원인과, 개인 기부 활성화 방안에 대해 이야기를 나누었으면 합니다.

남자 1: 우리 시의 개인 기부가 저조한 원인을 설문 조사를 통해 파악해 보았습니다. 가장 큰 원인은 개인이 기부를 쉽게 할 수 있는 프로그램이 없기 때문이었고, 그 다음으로는 기부 모금 기관에 대한 정보가 부족하기 때문인 것으로 나타났습니다.

여자 1: 그렇다면 우리 시 주민들을 대상으로 한 기부 모금 프로그램을 개발하는 것이 어떨까요?

남자 2: 좋은 생각이네요. 의견을 보태자면 ㉠기부 모금 기관의 정보를 공개하는 시스템도 필요해요. 이 시스템을 통해 기부자와 잠재 기부자에게 기부 모금 기관을 안내하고 모금액을 밝히고, 지출 내역과 지출액을 공개하면 기부 활성화에 도움이 될 것입니다. 또 기부로 도움을 받은 사람의 사례를 전한다면 모금 기관에 대한 신뢰도 높아질 거예요.

사회자: 네, 두 분께서 좋은 의견을 말씀해 주셨습니다. 이런 외적 장치 이외에 기부를 활성화할 수 있는 방안이 또 있을까요?

여자 2: 왜 개인 기부가 저조한지를 생각해 보면, '기부' 하면 '돈'이라는 생각을 하기 때문에 기부를 부담스러워 하는 것은 아닌가 싶습니다. 그렇다면 재능 기부를 원하는 사람과 필요로 하는 사람을 연결해 주는 채널을 마련해 주는 것이 어떨까요?

사회자: 이를테면 '재능 기부 은행' 같은 것을 운영하자는 말이군요. 좋은 의견입니다. 또 다른 의견 없을까요?

남자 2: 우리 시만의 마크를 제작해서 사회적 기업이나 마을 기업의 상품에 부착하게 하고, 소비자가 이 상품을 사면 상품 가격의 일부분이 취약 계층의 기부금으로 활용되도록 하는 방안도 있습니다.

개인 기부가 저조한 [□원인 / □지역]과 이를 활성화할 수 있는 방안에 대해 논의하는 [□토론 / □토의]입니다.

1 내용 파악

이 토의에서 다루고 있는 문제점은 무엇입니까?

① 개인 기부의 저조 ② 가계 경제의 어려움
③ 재능 기부 활용 부족 ④ 기부 문화 정착의 어려움
⑤ 사회 지도층의 기부 참여 부족

2 내용 파악

다음은 '남자 1'이 밝힌 설문 조사의 결과입니다. (가)에 들어갈 알맞은 내용을 쓰시오.

(%)
50
40
30
20
10
0
기부금 사용 내역을 믿지 못해서
경제적으로 여유가 없어서
(가)
개인 기부 프로그램 부재

____

3 내용 적용

이 토의를 바탕으로 [보기]에 대한 '개인 기부 활성화 방안'을 마련한다고 할 때, 그 방안으로 알맞은 것은 무엇입니까?

보기

'민희'는 불우 이웃을 돕는 모금 활동에 참여할 수가 없었다. 경제적으로 남을 돕기에는 생활 형편이 넉넉하지 못해 부담스러웠기 때문이었다. 대신에 '민희'는 자신이 잘하는 꽃꽂이를 이용해 남을 도울 수 있는 방법이 있는지 찾고 있다.

① 기부 모금 프로그램을 한다.
② '재능 기부 은행'을 만들어 운영한다.
③ 기부 모금에 대해 더욱 적극적으로 홍보한다.
④ 기부 모금 기관의 정보를 공개하는 시스템 마련한다.
⑤ 기부 마크를 제작하여 기부에 참여하는 기업의 상품에 부착하도록 한다.

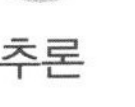
추론

㉠을 통해 확인할 수 있는 내용으로 알맞지 않은 것은 무엇입니까?

① 기부 모금액 ② 기부 모금 기관
③ 기부금의 지출 내역 ④ 기부를 위한 마크 제작 비용
⑤ 기부로 도움을 받은 사람의 사례

우리가 사용하고 있는 낱말은 고유어, 한자어, 외래어로 분류할 수 있다. 고유어는 우리말에 본디부터 있던 낱말이나 그것을 바탕으로 하여 새로 만들어진 낱말을 일컫는다. 우리말의 낱말 가운데에서 한자어와 외래어를 뺀 말이 바로 고유어인데, 이는 우리말의 기본 바탕을 이룬다. '어버이', '하늘', '땅', '아름답다'와 같은 낱말이 고유어에 속한다. 고유어는 토박이말, 순우리말이라고도 한다.

한자어는 한자를 바탕으로 하여 만들어진 낱말이다. 삼국 시대에 사람 이름, 땅 이름 등을 한자로 표기하면서 한자어가 많이 생기게 되었다. 고려 시대 이후에는 일상어까지 한자어가 대신하게 되면서 우리말의 절반 이상을 차지하게 되었다. 새로 생겨난 한자어는 고유어를 밀어내기도 하였다. '강'이 '가람'을, '동풍'이 '샛바람'을, '천 년'이 '즈믄 해'를 밀어내어 고유어는 잘 쓰이지 않게 되었다. 고유어와 한자어가 함께 쓰이는 경우도 있는데, '달걀'과 '계란', '오누이'와 '남매', '토박이말'과 '고유어' 등이 그것이다.

외래어는 다른 나라의 말이 들어와서 우리말처럼 쓰이는 낱말이다. 나라 사이의 교류에 따라 일본어, 영어 등의 말이 들어오면서 빌려 쓰게 된 말이다. '냄비', '라디오', '버스', '택시', '텔레비전' 등이 외래어이다. 외래어는 우리말을 더 풍성하게 해 주기도 하지만, 다른 나라의 말을 그대로 쓰게 되면서 고유어가 설 자리를 빼앗기도 한다.

만약 특정 단어가 고유어인지, 한자어인지, 외래어인지를 판단해야 한다면 국어사전을 이용하면 된다. 먼저 '바다'를 국어사전에서 찾아보면 '바다'라는 낱말 뒤에는 괄호나 다른 글자가 없다. 그러나 '병원'을 찾아보면 '병원(病院)'처럼 괄호 뒤에 한자가 있다. 이를 통해 '바다'는 고유어, '병원'은 한자어라는 것을 알 수 있다. 그리고 '라디오'를 찾아보면 '라디오(radio)'처럼 괄호 뒤에 영어가 써져 있다. 이를 통해 '라디오'는 고유어나 한자어가 아닌, 외래어라는 것을 알 수 있다.

우리말의 [□유래 / □종류]와 사전을 활용하여 낱말의 종류를 확인하는 방법 등을 [□설명하는 / □주장하는] 글입니다.

5 핵심어

이 글에서 우리가 사용하고 있는 낱말을 어떻게 분류하였는지 쓰시오.

_______________, _______________, _______________

6 내용 적용

(1)~(3) 중, 고유어와 한자어가 모두 알맞게 분류된 것을 모두 고르시오.

	고유어	한자어
(1)	가람	강
(2)	동풍	샛바람
(3)	즈믄 해	천 년

7 내용 적용

다음 낱말과 그에 해당하는 내용을 연결하시오.

(1) 계란, 남매 •

(2) 어버이, 하늘, 땅 •

(3) 냄비, 라디오, 버스 •

• ㉠ 한자를 바탕으로 만들어진 낱말이다.

• ㉡ 다른 나라의 말이 들어와서 우리말처럼 쓰이는 낱말이다.

• ㉢ 우리말에 본디부터 있던 낱말이나 그것을 바탕으로 하여 새로 만들어진 낱말이다.

8 내용 파악

이 글의 내용으로 알맞은 것은 무엇입니까?

① 외래어를 순우리말이라고도 한다.
② 외래어는 우리말을 더 빈약하게 한다.
③ 외래어는 고유어가 설 자리를 빼앗기도 한다.
④ 한자어는 삼국 시대 때 일상어를 대신하게 되었다.
⑤ 한자어는 고유어가 없는 경우에만 새로 만들어 썼다.

한눈에 보는 약점 유형 분석

틀린 문제에 ✔표를 하세요.

① 내용 파악	② 내용 파악	③ 내용 적용	④ 추론	⑤ 핵심어	⑥ 내용 적용	⑦ 내용 적용	⑧ 내용 파악

16~20 일차 글 읽기를 위한 어휘 연습

중요한 낱말을 다시 한번 확인하고 □에 써 보세요.

유기 (남길 遺, 버릴 棄)	내다 버림. 예 폐허가 된 집 안에 □□한 물건들이 쌓여 있었다.
식별 (알 識, 다를 別)	분별하여 알아봄. 예 공군은 항공기의 종류를 □□할 수 있는 기계를 갖고 있다.
의뢰 (의지할 依, 힘 입을 賴)	남에게 부탁함. 예 교수에게 추천해 줄 것을 □□했다.
교화 (가르칠 敎, 될 化)	가르치고 이끌어서 좋은 방향으로 나아가게 함. 예 그 그림은 □□적인 의도를 지니고 있다.
분쟁 (어지러워질 紛, 다툴 爭)	말썽을 일으키어 시끄럽고 복잡하게 다툼. 예 이번 □□은 서로에 대한 신뢰 부족 탓이다.
면담 (낯 面, 말씀 談)	서로 만나서 이야기함. 예 한 시간 정도 담당 의사와 개별 □□을 나누었다.
방부 (막을 防, 썩을 腐)	물질이 썩거나 삭아서 변질되는 것을 막음. 예 원래의 형상을 그대로 보존하려면 □□ 처리를 해야 한다.
양상 (모양 樣, 서로 相)	사물이나 현상의 모양이나 상태. 예 현대 사회로 오면서 삶의 □□이 많이 달라졌다.

방치 (놓을 放, 둘 置)	내버려 둠. 예 쓰레기의 ☐☐로 온 동네가 지저분해졌다.
가속 (더할 加, 빠를 速)	점점 속도를 더함. 또는 그 속도. 예 물체에 힘이 작용하면 그 물체는 ☐☐된다.
둔화 (둔할 鈍, 될 化)	느리고 무디어짐. 예 수출의 ☐☐로 경제가 악화되었다.
유발 (꾈 誘, 필 發)	어떤 것이 다른 일을 일어나게 함. 예 소문은 또 다른 소문을 ☐☐한다.
저조 (밑 低, 고를 調)	능률이나 성적이 낮음. 예 그는 출석이 ☐☐하여 이번에 졸업을 하지 못했다.
잠재 (잠길 潛, 있을 在)	겉으로 드러나지 않고 속에 잠겨 있거나 숨어 있음. 예 그의 ☐☐ 의식에는 삶에 대한 두려움이 있었다.
부착 (붙을 附, 붙을 着)	떨어지지 아니하게 붙음. 또는 그렇게 붙이거나 닮. 예 전신주에 불법 광고물들이 ☐☐되어 있다.
취약 (무를 脆, 약할 弱)	무르고 약함. 예 중소기업의 ☐☐한 기술 수준을 향상시켰다.

[01~04] 주어진 뜻에 알맞은 낱말을 빈칸에 넣어 문장을 완성하시오.

01 오늘 회의는 출석률이 □□했다.

*뜻: 능률이나 성적이 낮음.

02 인간의 □□ 능력은 무궁무진하다.

*뜻: 겉으로 드러나지 않고 속에 잠겨 있거나 숨어 있음.

03 사장은 우선 □□한 부분을 보완하기로 했다.

*뜻: 무르고 약함.

04 너무 어두워서 그가 누구인지 □□할 수가 없었다.

*뜻: 분별하여 알아봄.

[05~07] 빈칸에 공통으로 들어갈 낱말을 쓰시오.

05

ㅂ ㅊ	① 사진이 □□된 학생증이 필요하다. ② 골목길 담벼락에는 각종 광고가 □□되어 있다.

06

ㅂ ㅈ	① 두 나라의 국경 □□이 끊이지 않고 있다. ② 기독교는 이슬람교와 종교 문제로 오랫동안 □□하였다.

07

ㅇ ㄹ	① 그는 변호사에게 변호를 □□했다. ② 우리는 인터뷰를 위해 전문가에게 협조를 □□했다.

[08~11] 다음 뜻에 알맞은 낱말을 [보기]에서 찾아 쓰시오.

보기

가속 둔화 면담 양상

08 느리고 무디어짐.

09 점점 속도를 더함.

10 서로 만나서 이야기함.

11 사물이나 현상의 모양이나 상태.

[12~16] [보기]에서 글자 카드를 꺼내 다음의 뜻에 알맞은 낱말을 쓰시오.

보기

발 기 교 부 방 치 유 화

12 내다 버림.

13 내버려 둠.

14 어떤 것이 다른 일을 일어나게 함.

15 물질이 썩거나 삭아서 변질되는 것을 막음.

16 가르치고 이끌어서 좋은 방향으로 나아가게 함.

21~25 일차

♣공부한 날: 월 일 ♣맞은 개수: /8문항

설명하는 글 문제 ❶~❹

픽토그램은 그림을 뜻하는 픽토(picto)와 전보를 뜻하는 텔레그램(telegram)의 합성어로, 사물이나 시설, 행위 등을 상징적인 그림 문자로 나타낸 것이다. 이를 통해 사람들은 대상의 의미를 시각적으로 쉽고 빠르게 인식할 수 있다.

픽토그램은 문자 발생 과정에서 초기 단계의 그림 문자와 뚜렷이 구분된다. 초기 단계의 그림 문자는 선사 시대의 동굴 벽화에 보이는 조각이나 그림처럼 문자 체계가 확립되기 이전에 사용된 의미 전달 수단이다. 반면 픽토그램은 문자의 사용이 고도화되고 체계화된 현대에 등장한 새로운 의사소통 수단이다.

픽토그램은 그림 언어이기 때문에 언어가 달라서 소통하기 불편한 외국인들을 위해 사용하는 경우가 많다. 언어가 통하지 않아도 그림 하나면 의미를 전달할 수 있기 때문이다. 그래서 픽토그램은 공항이나 관광지, 공공장소 등에서 많이 사용된다. 글씨보다 그림으로 이해하는 것이 훨씬 빠른 경우에도 픽토그램을 사용한다. 예를 들어 비상구 픽토그램은 긴급하게 도망쳐야 하는 상황에서 금방 읽을 수 있기 때문에 비상구에서는 언제나 비상구 픽토그램을 볼 수 있다.

그러나 이러한 픽토그램은 아직까지 국제적으로 표준화되어 있지는 않다. 그래서 어떤 픽토그램은 그림의 모양새나 특징이 한 나라 안에서만 공식적으로 정해져 사용되기도 한다. ㉠우리나라의 화장실, 지하철, 버스 정류장 등의 픽토그램은 우리나라에서 정한 기준에 맞추어 사용하고 있다. 그러나 ㉡국제 올림픽 경기 대회 종목을 의미하는 픽토그램은 국제 표준으로 정해져 있기 때문에 필요한 기준에 맞추어 스포츠 종목을 표현해야 한다.

흔히 픽토그램을 마크나 로고와 혼동하기도 한다. 그러나 마크나 로고는 기업이나 단체, 브랜드 등 특정 대상을 상징화해서 대상의 시각적 홍보에 중점을 두는 반면, 픽토그램은 모든 사람들을 대상으로 하기 때문에 공공성과 일반성을 가진다는 점에서 차이가 있다.

픽토그램의 개념과 특징, [□사용 / □악용]되는 예 등을 [□설명하는 / □주장하는] 글입니다.

1

핵심어

다음은 픽토그램의 의미를 나타낸 것입니다. 빈칸에 알맞은 말을 쓰시오.

픽토그램 = ________(그림) + 텔레그램(________)

2

내용 파악

'픽토그램'을 공항이나 관광지, 공공장소 등에서 많이 사용하는 이유로 알맞은 것은 무엇입니까?

① 전 세계에서 그렇게 사용하기로 약속했기 때문이다.
② 특정 대상을 상징화해서 대상의 시각적 홍보에 도움이 되기 때문이다.
③ 픽토그램이 선사 시대 동굴 벽화와 닮아 있어 이해하기 쉽기 때문이다.
④ 언어로 표시하는 것보다 픽토그램을 사용하면 돈이 적게 들기 때문이다.
⑤ 언어가 통하지 않아도 표현하고자 하는 의미를 쉽게 전달할 수 있기 때문이다.

3

내용 적용

[보기]에서 알 수 있는 픽토그램의 특징은 무엇인지 ⓐ~ⓒ에 알맞은 말을 쓰시오.

보기

철수는 오랜만에 영화를 보기 위해 극장을 방문했다. 그런데 영화를 보는 도중에 화재 경보가 울리면서 긴급하게 대피해야 하는 상황이 발생했다. 사람들은 다음과 같은 픽토그램을 보고 출입문을 찾아 빠르게 나올 수 있었다.

[ⓐ]보다 [ⓑ]으로 이해하는 것이 훨씬 [ⓒ] 때문에 긴급하게 도망쳐야 하는 상황에 픽토그램을 사용한다.

ⓐ: ________, ⓑ: ________, ⓒ: ________

4

추론

㉠과 ㉡의 차이점에 대한 설명으로 가장 알맞은 것은 무엇입니까?

① ㉠은 언어로 표현되었고, ㉡은 그림으로 표현되었다.
② ㉠은 정보 전달이 목적이고, ㉡은 감정 표현이 목적이다.
③ ㉠은 청각적 수단을 활용하고, ㉡은 시각적 수단을 활용한다.
④ ㉠은 우리나라에서 정한 기준에 따르고, ㉡은 국제 표준으로 정한 기준에 따른다.
⑤ ㉠은 모든 사람을 대상으로 한 공공성을 가지고, ㉡은 특정 기업을 대상으로 한 상징성을 가진다.

풀잎과 바람

정완영

나는 풀잎이 좋아, ⓐ풀잎 같은 친구 좋아.
ⓑ바람하고 엉켰다가 풀 줄 아는 ⓒ풀잎처럼
헤질 때 또 만나자고 손 흔드는 친구 좋아.

나는 바람이 좋아, ㉠바람 같은 친구 좋아.
풀잎하고 헤졌다가 되찾아 온 ⓓ바람처럼
만나면 얼싸안는 바람, ⓔ바람 같은 친구 좋아.

핵심 요약에 체크해 보세요.

친구를 '풀잎'과 '바람'에 [□비교 / □비유]하여 친구를 좋아하는 마음을 표현한 [□동시 / □동화]입니다.

5 중심 소재

이 시에서 '친구'를 빗댄 대상이 무엇인지 찾아 쓰시오.

__________, __________

6 이 시에서 말하는 이가 ㉠과 같이 표현한 이유는 무엇입니까?

내용 파악

① 헤어지면 다시 볼 수 없는 친구 같아서
② 서로 싸우고 난 뒤 말하지 않는 친구 같아서
③ 헤어졌다가 다시 만나면 얼싸안는 친구 같아서
④ 헤어질 때 또 만나자고 손 흔드는 친구 같아서
⑤ 처음 만나 어색하여 말 걸지 못하는 친구 같아서

7 ⓐ~ⓔ 중에서 [보기]의 ㉮가 사용된 예로 볼 수 없는 것은 무엇입니까?

표현 방식

보기

어떤 현상이나 사물을 비슷한 현상이나 사물에 빗대어 표현한 것을 비유적 표현이라고 합니다. 비유적 표현 중 '~같이', '~같은', '~처럼' 등으로 표현하는 방법을 ㉮직유법이라고 합니다. 이때 비유적 표현에 등장하는 두 대상 사이에는 공통점이 있어야 합니다.

① ⓐ ② ⓑ ③ ⓒ
④ ⓓ ⑤ ⓔ

8 이 시를 읽은 후의 반응으로 알맞으면 ○표, 그렇지 않으면 ×표 하시오.

작품 감상

(1) 친구와 헤어지고 다시 만나지 못해 안타까워하는 '나'의 마음을 표현한 것 같아. (　　)
(2) 싸웠다가도 마음을 풀고, 헤어질 때 손 흔들며 인사하던 친구의 모습이 떠오르네. (　　)
(3) 바람이 많이 불어 풀잎이 쓰러져 있는 그림을 시와 함께 제시하면 좋을 것 같아. (　　)

한눈에 보는 약점 유형 분석

틀린 문제에 ✔표를 하세요.

① 핵심어	② 내용 파악	③ 내용 적용	④ 추론	⑤ 중심 소재	⑥ 내용 파악	⑦ 표현 방식	⑧ 작품 감상

♣공부한 날: ☐ 월 ☐ 일 ♣맞은 개수: ☐ / 8문항

인터뷰 문제 ❶~❹

사회자: 지방 선거는 우리들의 손으로 우리 지역의 일꾼을 뽑는 중요하고 의미 있는 행위입니다. 오늘은 지방 선거에 대해 알아보겠습니다. 우선 지방 자치와 지방 선거는 무엇인가요, 선생님?

전문가: 지방 자치는 주민들이 스스로 선출한 대표를 통해 지역의 일을 결정하고 처리하는 제도입니다. 그리고 이러한 지방 자치를 실현하기 위해 주민들이 지역의 일꾼을 직접 뽑는 것이 바로 지방 선거입니다.

사회자: 그렇다면 말씀하신 지역의 일꾼들에는 누가 있나요?

전문가: 우선 지방 의회가 결정한 정책을 집행하고 처리하는 지방 자치 단체장이 있습니다. 이를테면 태풍이나 화재에 대한 대비책이나 안전 관리, 지역 경제 발전, 주민들의 불편 사항 등을 처리합니다. 그리고 지방 의원이 있습니다. 지방 의회를 구성하는 지방 의원들은 주민들이 선출하는데요, 주민들의 삶과 밀접한 사안은 조례를 만들어 실행하기도 합니다. 마지막으로 지방 교육을 책임지는 교육감이 있습니다.

사회자: 이런 지역의 일꾼을 뽑을 때 중요한 판단 기준은 무엇일까요?

전문가: 바로 공약(公約)입니다. 공약은 후보자가 당선 후 수행할 정책을 유권자에게 알리고 실천을 약속하는 것입니다. 구체적인 목표나 우선순위, 이행 방법 및 기간 등을 밝힙니다. 학교 선거에서도 교내 편의 시설 설치나 동아리 활성화 방안 등의 공약을 살피고 선택을 하는 것과 같습니다. 어린이들은 비록 투표권은 없지만 투표소에 가는 엄마 아빠에게 공약의 중요성을 얘기해 간접적으로나마 선거에 참여할 수 있겠죠.

사회자: 마지막으로 지방 선거는 어떤 의의가 있을까요?

전문가: 지방 선거는 민주주의의 학교입니다. 주민은 선거와 정치에 참여하면서 민주주의를 경험하고 배웁니다. 또 지방 선거는 우리 지역 일꾼을 뽑아 지역 문제를 직접 해결한다는 점에서 풀뿌리 민주주의가 실현되는 과정이라고 할 수 있습니다.

지방 선거의 개념과 의의, [☐**국무 위원** / ☐**지방 의원**] 선출 시 판단 기준 등을 알려 주는 [☐**토론** / ☐**인터뷰**]입니다.

1 정보 확인

이 글에서 확인할 수 있는 내용으로 알맞지 않은 것은 무엇입니까?

① 지방 선거의 정의　　② 지방 자치의 정의
③ 지방 선거의 의의　　④ 선거권의 개념과 연령 제한
⑤ 지방 선거 시 후보자의 판단 기준

2 내용 파악

'지역의 일꾼들'에 대한 설명으로 알맞은 것을 찾아 연결하시오.

(1) 교육감 •　　• ㉠ 지방 교육을 책임진다.
(2) 지방 의원 •　　• ㉡ 지방 의회가 결정한 정책을 집행하고 처리한다.
(3) 지방 자치 단체장 •　　• ㉢ 주민들의 삶과 밀접한 사안은 조례를 만들어 실행한다.

3 내용 적용

이 글을 읽은 사람이 지방 선거에서 후보자를 선택할 때 고려할 내용으로 가장 알맞은 것은 무엇입니까?

① 후보자가 어느 지역 출신인지 눈여겨봐야겠어.
② 우리 지역 어느 학교 출신인지를 보고 선택해야겠어.
③ 후보자의 인물 생김새를 통해 인품을 추측해야겠어.
④ 후보자가 당선 후 수행할 정책인 공약을 살펴봐야겠어.
⑤ 후보자의 재산이 얼마인지 살펴보고 가장 청렴한 사람을 뽑아야겠어.

4 추론

다음 내용에 어울리는 표현을 [보기]에서 찾아 쓰시오.

보기
민주주의의 학교, 풀뿌리 민주주의

(1) 주민은 선거와 정치에 참여하면서 민주주의를 경험하고 배웁니다.
→ ______________

(2) 지역 주민의 자발적 참여를 통해 자신이 사는 지역에서 민주주의를 실현할 수 있습니다.
→ ______________

모든 동물 중에서 오직 인간만이 시체를 땅에 묻는다는 사실을 알고 있나요? 그러한 풍습이 언제부터 전해 내려왔는지는 알려져 있지 않지만, 이라크의 샤니다르 동굴에서 발견된 유적을 보면 약 6만 년 전에 네안데르탈인들이 무덤을 만들었다는 것을 추측할 수 있습니다. 샤니다르 동굴의 땅속에서는 30세 정도의 네안데르탈인의 시체가 발견되었어요. 현미경으로 관찰한 결과, 시체 위에 소나무, 전나무의 가지를 얹고 꽃을 덮어 주었다는 것도 알게 되었습니다. 인류 최초의 장례식이었던 것이지요.

장례식이 끝난 무덤에는 항상 묘비가 세워졌어요. 묘비는 무덤 앞에 세우는 비석입니다. 아마도 떠도는 영혼을 위로하거나, 아니면 도적들이 묘를 파헤치지 못하도록 동굴의 입구를 막기 위해 묘비를 세웠을 것입니다. 묘비의 형태는 나라마다 달랐지만, 죽은 자들을 그리워하고 걱정하는 마음은 똑같았습니다.

또 묘비에는 죽은 사람을 기리기 위해 글을 쓰기도 했습니다. 영국의 한 공동묘지의 묘비에는 "벽난로에 불을 붙이는 법을 잘 몰랐던 누이동생 제인 때문에 온 식구가 타서 죽다."와 같은 슬픈 사연이 적혀 있습니다.

그리스인들은 왕이나 연인, 어린이, 심지어는 애완동물을 위해서도 묘비에 글을 남겼습니다. "여기에 나의 개가 묻혀 있으니, 살아서는 우리 집의 충실한 파수꾼, 지금은 죽어서 그 짖는 소리가 텅 빈 밤길에 잠자고 있도다!"라고 말이죠. 이처럼 묘비는 살아남은 자들이 먼저 떠나간 자들에게 보내는 사랑과 그리움의 표현이었습니다.

옛 사람들은 죽은 이가 홀로 이 땅을 떠나는 길이 외롭지 않도록 평생 그가 아꼈던 물건을 함께 묻기도 했었습니다. 바이킹 부족은 부족장을 매장할 때 갖가지 생활용품을 갖춘 그의 배를 함께 묻었습니다. 그러나 보다 지위가 낮은 바이킹의 무덤에는 돌에 배의 윤곽을 그려 놓기만 했는데, 어떤 것은 그 길이가 18미터를 넘는 것도 있었다고 합니다.

–리더스 다이제스트 잡학 사전

시체를 땅에 묻는 인간의 장례 문화와 무덤 앞에 세우는 [□묘목 / □묘비]에 담긴 의미를 [□설명하는 / □주장하는] 글입니다.

5 중심 내용

이 글에서 중점적으로 설명하고 있는 것은 무엇입니까?

① 애완동물의 무덤
② 네안데르탈인의 유적
③ 동굴에서 발견된 시체
④ 무덤 앞에 세우는 묘비
⑤ 바이킹 부족의 생활용품

6 내용 파악

이 글에서 설명하고 있는 내용으로 알맞으면 ○표, 그렇지 않으면 ×표 하시오.

(1) 묘비에는 글을 쓰기도 한다. (　　)
(2) 애완동물을 위한 묘비도 있다. (　　)
(3) 묘비의 형태는 모든 나라가 비슷하다. (　　)
(4) 인간 외에 다른 동물도 시체를 땅에 묻는다. (　　)

7 추론

이 글에서 사람들이 묘비를 세웠던 목적으로 알맞지 않은 것은 무엇입니까?

① 죽은 사람을 기리기 위해
② 죽은 사람의 영혼을 위로하기 위해
③ 자손의 부와 권력을 과시하기 위해
④ 묘를 파헤치지 못하게 동굴 입구를 막기 위해
⑤ 죽은 사람에 대한 그리움과 걱정을 표현하기 위해

8 어휘

빈칸에 공통으로 들어갈 말로, 주어진 뜻에 맞는 낱말을 찾아 문장을 완성하시오.

1. 시체나 유골 따위를 땅속에 묻음.
2. 어떤 사람을 사회적으로 활동하지 못하게 하거나 용납하지 못하게 함을 비유적으로 이르는 말.

- 그가 사기꾼임이 밝혀짐으로써, 그는 그 지역에서 완전히 [　　　] 되었다.
- 할아버지께서 돌아가시자, 가족회의에서 [　　　] 대신 화장을 하기로 결정하였다.

한눈에 보는 약점 유형 분석

틀린 문제에 ✔표를 하세요.

① 정보 확인	② 내용 파악	③ 내용 적용	④ 추론	⑤ 중심 내용	⑥ 내용 파악	⑦ 추론	⑧ 어휘

독해

♣공부한 날: 월 일 ♣맞은 개수: /8문항

설명하는 글 문제 ❶~❹

벌은 곤충 가운데서 가장 큰 무리를 이루며 살아가는 사회적 동물로서, 세계에 10만 종 이상이 분포하고 있는 것으로 알려져 있습니다. 그러나 실제로 그 종의 수는 2배가 넘을 것으로 추측됩니다. 이렇게 많은 벌들은 서로 무리를 지어 살고 있습니다. 여러분들도 벌집에 수많은 벌들이 함께 모여 살고 있는 것을 본 적이 있을 것입니다.

벌집에는 여왕벌과 수벌, 일벌 등이 무리를 이루어 살고 있습니다. 이렇게 벌집에서 함께 사는 꿀벌들을 '사회적인 꿀벌'이라고 부릅니다. 그 뜻은 꿀벌들끼리 함께 살려면 사회성이 있어야 한다는 것입니다.

대개의 경우, 벌집 하나에는 여왕벌이 한 마리만 있습니다. 여왕벌은 평생 동안 알만 낳으며 지냅니다. 그런데 가끔 여왕벌이 한 마리 이상 태어날 때가 있습니다. 그러면 권력을 둘러싼 비극이 시작됩니다. 제일 먼저 태어난 여왕벌이 나머지 경쟁자들을 모두 죽여 버리기 때문입니다.

수벌이야말로 ⓐ'상팔자'라 할 수 있습니다. 다른 꿀벌들이 수벌을 위해 집도 마련해 주고, 먹을 것도 갖다 주기 때문입니다. 수벌은 싸울 일이 없으므로 침도 없습니다. 그렇지만 수벌에게도 한 가지 괴로움이 있습니다. 그것은 바로 짝짓기를 위해 수백 마리나 되는 형제들과 경쟁해야 한다는 것입니다. 그리고 여왕벌과 한 번 짝짓기를 하고 나면 죽게 됩니다.

일벌들은 눈을 뜨자마자 하루 종일 일만 합니다. 벌집 청소, 벌집 경비, 애벌레 돌보기, 꽃에서 꽃가루와 즙 가져오기, 꿀 만들기, 여왕벌의 수랏상 준비, 수벌 밥 먹이기 등 그 다음날도, 또 그 다음날도 계속 일만 합니다. 그래서 일벌은 몇 주일을 넘기지 못하고 과로로 죽고 맙니다.

사람들에게는 이러한 꿀벌들의 사회가 비민주적이고 비효율적인 것처럼 보이지만, 꿀벌들은 여왕벌을 중심으로 하여 ㉠그들만의 '사회성'으로 꿀벌 사회를 유지하고 지켜 나갑니다.

[□곤충 / □동물] 가운데 가장 큰 무리를 이루며 살아가는 꿀벌 사회의 구성원의 역할과 그들의 '사회성'에 대해 [□설명하는 / □주장하는] 글입니다.

1 핵심어

다음은 이 글의 구조를 정리한 것입니다. 빈칸에 공통으로 들어갈 말을 찾아 쓰시오.

[1문단] 무리를 지어 사는 벌의 습성

[2문단] (   )을 갖춘 꿀벌의 무리

[3문단] 여왕벌의 역할 / [4문단] 수벌의 역할 / [5문단] 일벌의 역할

[6문단] 꿀벌 사회를 유지하게 하는 (   )

____

2 내용 파악

'일벌'이 하는 일로 알맞지 않은 것은 무엇입니까?

① 알 낳기　② 꿀 만들기

③ 수벌 밥 주기　④ 꽃가루 모으기

⑤ 여왕벌 밥상 차리기

3 추론

㉠이 의미하는 바로 가장 알맞은 것은 무엇입니까?

① 죽기 살기로 끝까지 일만 한다.

② 자기만 살겠다고 다른 일벌을 죽인다.

③ 수벌은 여왕벌이 시키는 대로 해야 한다.

④ 꿀벌 집단을 위해 자기 역할을 해야 한다.

⑤ 일벌도 수벌이나 여왕벌이 되려고 노력해야 한다.

4 어휘

ⓐ의 의미로 가장 알맞은 것은 무엇입니까?

① 매우 편한 팔자　② 매우 고생할 팔자

③ 높은 지위에 오를 팔자　④ 미리 정해진 대로 살 팔자

⑤ 끊임없이 경쟁하며 살 팔자

장바구니를 써 주세요.

대형 마트 어느 곳에서나 볼 수 있는 비닐봉지.

이제 환경과 자연 보호를 위해 보다 현명하게 활용해 주세요.

일회용 비닐봉지는 너무 많이 사용된다는 지적을 받았지만, 편리성과 과대 포장의 습관으로 인해 사용량이 좀처럼 줄지 않았죠. 게다가 비닐봉지는 규제 사각지대에 놓여 제대로 관리되지 않았답니다.

이제 일회용 비닐봉지 대신
튼튼하고 환경 보호에도 도움이 되는
장바구니를 사용하는 것이 어떨까요?
깜빡 잊고 마트에 가도 걱정 마세요.
대형 마트에서 대여도 가능하답니다.
여러분의 작은 실천이 ㉠큰 변화를 만들어 냅니다.
장바구니를 사용하여 비닐봉지 사용 줄이기에 동참해 주세요.

환경과 자연 보호를 위해 일회용 비닐봉지 대신에 [□보자기 / □장바구니]를 사용하자고 강조하는 [□광고문 / □안내문]입니다.

5 중심 내용

이 글에서 글쓴이가 권장하는 행동 두 가지는 무엇입니까?

________________, ________________

6 이 글의 목적으로 가장 알맞은 것은 무엇입니까?

글의 목적

① 자신의 생각과 감정을 표현하기 위함이다.
② 서사적 흐름을 통하여 사건을 전달하기 위함이다.
③ 다름 사람들에게 특정 대상에 대해 설명하기 위함이다.
④ 특정 메시지를 전달하고 각인시켜 행동의 변화를 이끌어 내기 위함이다.
⑤ 견문을 넓힌 경험을 통해 자신이 보고 듣고 느낀 것을 전달하기 위함이다.

7 이 글의 내용으로 볼 때, '일회용 비닐봉지'의 사용이 줄어들지 <u>않는</u> 이유로 알맞은 것은 무엇입니까?(복수 정답)

내용 파악

① 비닐봉지의 편리성 때문에
② 과대 포장하는 습관이 남아있기 때문에
③ 마트에 장바구니가 구비되어 있지 않기 때문에
④ 마트에서 물건을 사면 비닐봉지에 담아 주기 때문에
⑤ 비닐봉지의 사용이 규제 사각지대에 놓여 제대로 관리되지 않기 때문에

8 [보기]를 참고할 때, ㉠에 해당하는 것으로 알맞지 <u>않은</u> 것은 무엇입니까?

추론

보기

하루에 5만 명의 소비자가 비닐봉지를 사용하지 않으면 한 달 동안 150만~200만 개의 비닐봉지를 줄일 수 있으며, 비닐봉지를 생산하는 데 소모되는 석유량이 줄어들게 되고, 바다와 해양 동물을 오염과 죽음으로부터 보호할 수 있다.

① 버려지는 비닐로 인한 환경 오염을 줄일 수 있다.
② 환경 오염으로 인한 동물들의 죽음을 줄일 수 있다.
③ 대형 마트에서 일회용 비닐봉지를 사라지게 할 수 있다.
④ 비닐봉지를 생산하는 데 소모되는 자원을 아낄 수 있다.
⑤ 장을 보러 마트에 오는 사람들의 불편함을 줄일 수 있다.

틀린 문제에 ✔표를 하세요.

① 핵심어	② 내용 파악	③ 추론	④ 어휘	⑤ 중심 내용	⑥ 글의 목적	⑦ 내용 파악	⑧ 추론

♣공부한 날: 월 일 ♣맞은 개수: /8문항

설명하는 글 문제 ❶~❹

GMO 식품, 즉 유전자 조작 식품은 유전자 재조합을 통해 새롭게 만들어진 농작물을 원료로 만든 식품이에요. 유전자 재조합은 유전자를 인위적으로 바꾸는 거예요. 유전자의 순서를 바꾸거나 넣고 빼서 원래 생물의 단점을 없애고 사람에게 도움을 주는 생물로 탈바꿈하는 것이지요.

유전 공학 과학자들은 미생물과 유전자에 대한 연구를 거듭해서 유전자 재조합 기술을 얻어냈어요. 하지만 유전자의 기능을 밝히고 재조합하는 것은 쉬운 일이 아니에요. 유전자 단백질의 양을 늘리거나, 특정 유전자를 파괴하고 새로운 유전자를 넣는 등 다양한 첨단 기술을 적용해야 하기 때문이지요.

이미 우리 식탁에는 유전자 조작 식품이 많은 자리를 차지하고 있어요. 유전자 재조합 기술로 농작물을 오래 보관하고, 대량 생산할 수 있게 해서 먹을거리에 대한 걱정을 해결할 수 있기 때문이에요. 반면에 유전자 조작 식품에 보이지 않는 위험이 담겨 있다고 생각하는 사람들도 많아요. 당장은 괜찮아도 언젠가 예상하지 못한 위험을 일으킬 수 있다는 거지요. 식물이 싹을 틔우고 열매를 맺는 등의 생명 현상을 수소와 산소가 만나 물을 만드는 것처럼 단순한 화학 현상으로만 볼 수 없다는 거예요.

유전자 재조합 식물은 생태계 질서에도 영향을 끼칠 수 있어요. 유전자 재조합을 통해 해충을 견디는 식물을 만들었는데, 다시 그 식물을 이기는 돌연변이 해충이 나오는 등 식물이 새로운 유전자를 받아들이면서 생태계의 먹이 사슬이 제대로 작동하지 않을 수 있다는 말이지요. 또 유전자 재조합 식물이 바람이나 곤충에 의해 경작지를 벗어나 다른 식물과 교배하거나 유기농 경작지로 들어가면 [ⓐ] 될까요? 유전자 재조합 식물은 살아 움직이는 생물이기 때문에 전혀 예측하지 못한 결과가 나타날 수 있어요.

이처럼 유전자 조작 식품은 ㉠약이 될 수도, ㉡독이 될 수도 있어요. 유전자 조작 식품이 약이 되기 위해서는 유전자 시스템을 확실하게 이해하고 부작용을 줄이기 위한 연구가 계속되어야 할 거예요.

–재미있는 미래 과학 이야기 _ 김수병

이 글은 유전자 조작 [□식품 / □약품]의 긍정적 측면과 부정적 측면을 [□설명하는 / □주장하는] 글입니다.

1 중심 내용

글쓴이가 설명하고자 하는 내용으로 가장 알맞은 것은 무엇입니까?

① 생태계를 보존하는 방법
② 돌연변이 식물의 위험성
③ 유전자 조작 식품의 양면성
④ 유전 공학 과학자들의 업적
⑤ 식량 문제를 해결하기 위한 노력

2 추론

다음 내용이 ㉠과 ㉡ 중 어디에 해당하는지 쓰시오.

(1) 식물이 새로운 유전자를 받아들이면서 생태계의 먹이 사슬이 제대로 작동하지 않을 수 있다. (　　)
(2) 농작물을 오래 보관하고, 대량 생산할 수 있게 해서 먹을거리에 대한 걱정을 해결할 수 있다. (　　)

3 내용 파악

이 글의 '유전자 재조합'에 대한 설명으로 알맞지 <u>않은</u> 것은 무엇입니까?

① 생명체의 암호인 유전자를 인위적으로 바꾸는 것이다.
② 유전자 재조합 기술을 활용하여 유전자 조작 식품을 만들 수 있다.
③ 유전자의 기능을 밝히고 재조합하는 것은 기술의 발달로 쉬워졌다.
④ 원래 생물의 단점을 없애고 사람에게 도움을 주는 생물로 바꾸는 기술이다.
⑤ 유전자 단백질의 양을 늘리거나 새로운 유전자를 넣는 등 첨단 기술이 적용된다.

4 맞춤법

ⓐ에 들어갈 알맞은 말을 아래에서 골라 ○표 하시오.

어떡해 / 어떻게 / 어떡게

옛날, 어느 마을에서 있었던 일이다. 가뭄이 들자 마을에는 농사에 쓸 물이 부족하였다. ⓐ그래서 사람들은 큰 저수지를 만들자고 하였다. ⓑ그러나 저수지를 만드는 일은 너무나 ⓒ큰일이어서 어느 누구도 쉽사리 먼저 나서려 하지 않았다.

"아무것도 없는 땅에 그렇게 큰 못을 어떻게 판담?"

"그러게 말이네. 못이 필요하기는 해도 못을 파는 일이 언제 끝날지 모를 일인데……."

마을 사람들은 하나같이 말하였다.

그러던 어느 날, 마을의 한 젊은이가 저수지를 만들 자리에 막대기를 ⓓ꽂고 마을 사람들에게 큰 소리로 말하였다.

"우리 모두 여기 막대기가 꽂힌 곳을 지날 때마다 한 치씩만 땅을 파고 갑시다."

마을 사람들은 그 말을 잊지 ⓔ않았지만 그곳을 지날 때마다 젊은이의 말과 저수지를 생각하였다.

그로부터 몇 년이 지나자 그곳에는 큰 저수지가 만들어졌다. 왜냐하면 사람들이 모두 "한 치 쯤이야."하며 지나갈 때마다 땅을 한 치씩 팠기 때문이었다. 그래서 사람들은 그 저수지를 '한치못'이라고 불렀다.

그 일이 있고 난 뒤부터 마을 사람들은 아무리 큰일이라도 조금씩 힘을 합하면 쉽게 이룰 수 있다는 것을 깨닫게 되었다. 그리고 어떤 환경과 어려움에서도 협동하면 잘 살 수 있다는 것도 알게 되었다.

얼룩말이 함께 빙 둘러서서 먹이를 먹는 습성은 공동의 힘으로 적을 물리치기 위해서이다. 그러지 않고 무리에서 떨어져 나와 혼자서 풀을 먹다가는 맹수의 공격을 받게 된다. 우리가 살아가는 이치도 ㉠이와 다르지 않다.

우리 속담에 "백지장도 맞들면 낫다."라는 말이 있다. 가벼운 물건이라도 함께 들면 더 쉽게 일을 할 수 있다는 뜻이다. 사람이 혼자서 큰일을 하기는 힘들다. 때로는 자기 능력만 믿고 혼자 그 일을 다 하려다 결국 감당하지 못하여 포기하기도 한다. 그러나 여럿이 모여서 꾸준히 힘을 합하면 혼자서는 하기 힘든 일도 쉽게 할 수 있다. 아름다운 사회를 이루기 위하여 함께하는 지혜를 발휘하자.

어느 마을 이야기와 얼룩말의 [□습관 / □습성] 등을 제시하며 여럿이 함께 하면 어려운 일도 쉽게 해결할 수 있다고 [□설명하는 / □주장하는] 글입니다.

5 내용 파악

이 글에서 마을 사람들이 만든 저수지를 '한치못'이라고 부르게 된 까닭으로 알맞은 것은 무엇입니까?

① 큰 저수지를 만들기 쉬웠기 때문에
② 한 치 길이의 막대기를 꽂아 두었기 때문에
③ 길이가 한 치 쯤만 되도록 땅을 팠기 때문에
④ '한 치 쯤이야.'하며 지나갈 때마다 땅을 한 치씩 팠기 때문에
⑤ 물이 부족할 때마다 '한치' 마을에서 물을 길어다 썼기 때문에

6 추론

㉠의 의미로 가장 알맞은 것은 무엇입니까?

① 혼자의 힘으로 노력하면 어려움을 극복할 수 있다.
② 환경에 상관없이 시간이 지나면 어려움이 해결된다.
③ 내 힘으로 안 될 때에는 다른 사람에게 의지하면 된다.
④ 여럿이 모여 힘을 합하면 어려움을 해결해 나갈 수 있다.
⑤ 자신의 능력을 믿고 일을 해 나갈 때 비로소 포기하지 않을 수 있다.

7 글의 주제

[보기]는 주장을 효과적으로 드러내기 위해 활용한 내용들입니다. 글쓴이가 주장하고자 한 내용이 무엇인지 ㉮, ㉯에 알맞은 말을 이 글에서 찾아 문장을 완성하시오.

보기

'한치못' 이야기, 얼룩말이 함께 먹이를 먹는 습성,
'백지장도 맞들면 낫다.'는 속담

주장: [㉮] 를 이루기 위하여 [㉯] 를 발휘하자.

8 접속어

ⓐ~ⓔ 중 이어 주는 말이 잘못 쓰인 것을 찾아 기호를 쓰고, 알맞게 고쳐 쓰시오.

________ → ________________

한눈에 보는 약점 유형 분석

틀린 문제에 ✔표를 하세요.

❶ 중심 내용	❷ 추론	❸ 내용 파악	❹ 맞춤법	❺ 내용 파악	❻ 추론	❼ 글의 주제	❽ 접속어

♣공부한 날: 월 일 ♣맞은 개수: /8문항

설명하는 글 문제 ❶~❹

바쁜 일상에서 휴식을 취할 수 있게 만든 ㉠샌프란시스코의 한 공공 벤치가 화제이다. 이 공공 벤치는 철제 쓰레기 수거함을 재활용한 친환경 시설물이다. 이 벤치의 장점은 언제든지 움직일 수 있어 행사나 교통이 복잡할 때는 이동시켜 교통이 원활하도록 돕는다는 것이다.

사실 공공 벤치의 경우 한 번 설치하면 철거하기가 쉽지 않다. 하지만 이런 방식을 활용하면 철거 역시 손쉽게 할 수 있다. 철제 쓰레기통을 재활용했기 때문에 설계비도 비교적 저렴하다. 빨간 색감의 벤치와 초록의 녹색 공간이 어우러져 보기에도 멋스럽다. 이 벤치는 실험적으로 두 개가 설치되었고, 시민들의 의견을 수렴하여 현재는 여섯 개가 기관과 기업 건물에 설치되었다.

이처럼 사적인 공간의 일부와 공공의 공간뿐만 아니라 공공시설 등을 아름답고 기능적으로 꾸미는 것을 공공 디자인이라 한다. 이러한 공공 디자인이 갖춰야 할 중요한 요소는 먼저, 시민들과 함께 공유하고 소통하여 시민들 누구나 누릴 수 있도록 설계되어야 한다는 것이다. 그런 점에서 지나치게 규모가 크거나 엄청난 예산을 들이는 것만으로 공공 디자인의 효과가 나타나지는 않는다. 즉 값비싼 유명한 작가의 작품을 공공 광장에 세우는 것이 전부는 아니라는 이야기이다.

다음으로 공공 디자인은 시민들의 편의를 고려하면서도 공감을 유도할 수 있어야 한다는 것이다. 그러기 위해서는 시민의 삶에 가까워야 한다. 보기에 좋은 것으로 끝날 것이 아니라 시민들의 삶을 더욱 풍요롭게 할 수 있어야 한다.

마지막으로 공공 디자인은 사람들의 편의만을 고려하는 것으로는 충분치 않고 자연과의 공감도 함께 고려할 수 있어야 한다는 것이다. 이러한 측면에서 볼 때 앞에서 언급한 공공벤치는 공공 디자인의 특성을 보여 주는 좋은 사례라고 할 수 있다.

핵심 요약에 체크해 보세요.

[□공공 디자인 / □산업 디자인]의 사례를 제시하면서 공공 디자인의 주요 요소를 [□설명하는 / □주장하는] 글입니다.

내용 파악

㉠의 장점으로 알맞지 않은 것은 무엇입니까?

① 철거하기가 쉽다.
② 설계비가 비교적 저렴하다.
③ 쓰레기 수거함으로 활용할 수 있다.
④ 언제든지 다른 곳으로 이동시킬 수 있다.
⑤ 빨간 색감의 벤치와 초록의 녹색 공간이 어우러져 보기에 멋스럽다.

내용 파악

이 글의 내용으로 볼 때, '공공 디자인'이 갖추어야 할 요건으로 알맞은 것은 무엇입니까?

① 편의뿐만 아니라 자연과의 공감도 함께 고려한다.
② 보기에 좋도록 미적 기능을 최우선으로 고려한다.
③ 가까이 사는 시민들에게 혜택이 돌아가도록 설계한다.
④ 시민들이 평소 잘 접해 보지 못한 것들에서 영감을 얻는다.
⑤ 시민들과 함께 소통하기보다는 전문가에게 맡겨서 완성한다.

내용 적용

이 글을 읽은 사람이 [보기]의 디자이너에게 해 줄 말로 가장 알맞은 것은 무엇입니까?

보기

디자이너: 이번 조형물은 공공 디자인의 목적을 살려서 큰 규모로 많은 예산을 투자하여 진행할 계획입니다. 그래서 유명 작가의 작품을 광장에 세우는 것도 고려하고 있습니다.

① 나중에 재활용할 것을 고려하여 친환경 시설물로 설치해야 합니다.
② 공공 디자인의 목적을 고려한다면 더욱 과감하게 투자하는 것이 좋습니다.
③ 고급스러움이 가장 중요하므로 유명한 작가의 작품을 찾아보아야 합니다.
④ 시민들과 함께 공유하고 소통하여 시민들 누구나 누릴 수 있게 설계하는 것이 먼저입니다.
⑤ 사람들에게 인기가 있는 공공 디자인을 조사하여 그대로 모방하여 설치해야 뒤탈이 없습니다.

4

어휘

'의견이나 사상 따위가 여럿으로 나뉘어 있는 것을 하나로 모아 정리함.'을 뜻하는 말을 이 글에서 찾아 쓰시오.

2016년 6월 22일부터 부산 지하철 1호선에서는 '여성 배려칸'을 운행 중이다. 이는 사람들이 가장 많이 붐비는 출퇴근 시간대에 5호차 한 량을 여성들을 위한 칸으로 만든 것이다. 이 정책은 사회적 약자인 여성을 배려하고 보호하기 위한 방안으로서 반드시 필요하다고 할 수 있다.

여성 배려칸이 필요한 이유는 첫째, ㉠여성 배려칸은 여성을 성범죄에서 보호할 수 있기 때문이다. 여성 배려칸은 임산부와 영유아를 동반한 여성을 성추행 등의 지하철 범죄에서 보호하려는 취지에서 시작되었다. 실제 여성이 성범죄를 당할 가능성은 남성에 비해 더 높다. 서울지방경찰청의 발표에 따르면 지난 2015년부터 최근 3년 간 서울에서 발생한 성범죄는 27.8% 증가했으며, 특히 지하철에서 발생하는 성범죄는 해마다 늘어나고 있다고 한다. 이러한 통계가 보여 주듯이, 여성을 위협하는 성범죄율이 날로 증가하고 있는 상황에서 지하철의 여성 배려칸은 반드시 필요하다.

이러한 주장에 대해 일부에서는 여성 배려칸을 마련하는 것이 성범죄를 예방하는 데에 별다른 도움이 되지 않는다고 주장하기도 한다. 이들은 지하철 범죄의 가해자가 전부 남성이라는 것은 편견이며, 여성이 여성의 신체를 촬영하는 몰래카메라 범죄도 충분히 일어날 수 있다고 주장한다. [ⓐ] 이러한 주장은 일반적인 상황이 아닌 특수한 상황에 국한된 것이라 할 수 있다.

둘째, ㉡여성 배려칸은 사회적 약자인 여성을 위한 정책이기 때문이다. 여성들은 지하철에서 성추행을 당해도 보복을 당하거나 신상이 알려지는 것을 걱정하고, 실제로 범인을 잡더라도 강력한 처벌이 이뤄지지 않아 신고를 주저하게 된다. 여성 배려칸은 이렇게 피해자가 되어서도 제 목소리를 내지 못하는 여성들의 억울함을 대변하지는 못해도, 그런 일을 최소화하자는 의도에서 시작되었다. 많은 사람들이 '정의'의 관점에서 사회적 약자를 배려하고 보호해야 한다고 주장한다. 이에 따라 사회적 약자를 위한 많은 정책들이 이미 시행되고 있다. 여성 배려칸 정책 역시 여성을 사회적 약자로 바라보고 마련한 작지만 의미 있는 정책이라 할 수 있다.

[□여성 / □어린이] 배려칸이 필요한 이유를 근거로 제시하면서 이에 대한 정책의 필요성을 [□안내하는 / □주장하는] 글이다.

5 핵심어

이 글에서 설명하는 대상은 무엇입니까?

① 여성 보호 센터　② 여성 쉼터　③ 여성 배려칸
④ 모자 보건 센터　⑤ 양성 평등 기본법

6 내용 파악

이 글의 '여성 배려칸'에 대한 설명으로 가장 알맞은 것은 무엇입니까?

① 사회적 약자인 노인을 위한 정책의 하나이다.
② 서울 지하철에서 맨 처음 시범적으로 운영되었다.
③ 임산부와 영유아를 동반한 여성은 이용할 수 없다.
④ 여성이 성범죄를 당할 가능성에 대비하여 마련되었다.
⑤ 출퇴근 시간대에 지하철 전체를 여성을 위한 공간으로 지정하였다.

7 추론

[보기]의 (가)와 (나) 중에서 다음의 활용 방안에 알맞은 것은 무엇인지 쓰시오.

보기

(가) 진정한 사회적 약자는 사회적으로 소외되거나 힘을 발휘하지 못하는 사람을 뜻한다. 그렇다면 아프거나 다쳐서 몸이 불편한 남성을 위한 남성 배려칸도 있어야 한다.
(나) 부산지하철경찰대에 따르면 여성 배려칸 도입 이후 2016년 32건이던 1호선 성범죄(성추행, 몰래카메라 촬영 등)는 지난해 26건으로 6건이 줄었다.

(1) ㉠을 뒷받침하는 근거로 활용한다. (　　　)
(2) ㉡에 반론을 제기하는 사람들의 견해를 드러내는 데 활용한다. (　　　)

8 접속어

ⓐ에 들어갈 말로 알맞은 것은 무엇입니까?

① 그리고　② 그래서　③ 그러나
④ 따라서　⑤ 반면에

한눈에 보는 약점 유형 분석

틀린 문제에 ✔표를 하세요.

① 내용 파악	② 내용 파악	③ 내용 적용	④ 어휘	⑤ 핵심어	⑥ 내용 파악	⑦ 추론	⑧ 접속어

21~25 일차 글 읽기를 위한 어휘 연습

중요한 낱말을 다시 한번 확인하고 □에 써 보세요.

고도화 (높을 高, 법도 度, 될 化)	정도가 높아짐. 또는 정도를 높임. 예 경제 성장을 위해서는 산업 구조의 □□□가 필요하다.
표준화 (우듬지 標, 준할 準, 될 化)	자재나 제품의 종류, 품질, 모양, 크기 따위를 일정한 기준에 따라 통일함. 예 그는 생산에 필요한 기계의 설계를 □□□하였다.
선출 (가릴 選, 날 出)	여럿 가운데서 골라냄. 예 학생들이 반장을 □□하였다.
사안 (일 事, 책상 案)	법률이나 규정 따위에서 문제가 되는 일이나 안. 예 모든 □□은 회원의 만장일치로 결정한다.
유권자 (있을 有, 권세 權, 사람 者)	선거할 권리를 가진 사람. 예 그는 만 명의 □□□ 중 6천 명의 지지를 받았다.
투표권 (던질 投, 표 票, 권세 權)	투표할 수 있는 권리. 예 진정한 국민이라면 □□□을 반드시 행사하여야 한다.
유적 (남길 遺, 자취 蹟)	남아 있는 자취. 건축물이나 싸움터 또는 역사적인 사건이 벌어졌던 곳이나 패총, 고분 따위를 이른다. 예 선사 시대의 □□이 발견되었다.
대여 (빌릴 貸, 줄 與)	물건이나 돈을 나중에 도로 돌려받기로 하고 얼마 동안 내어 줌. 예 구청에서 책을 임시 도서관에 무료로 □□했다.

동참 (한가지 同, 참여할 參)	어떤 모임이나 일에 같이 참가함. 예 시민들의 ☐☐으로 모금 운동은 성공적으로 끝났다.
교배 (사귈 交, 짝 配)	생물의 암수를 인위적으로 수정 또는 수분시켜 다음 세대를 얻는 일. 예 토종과 외래종을 ☐☐하여 우량한 종자를 만들었다.
습성 (익힐 習, 성품 性)	동일한 동물종 내에서 공통되는 생활 양식이나 행동 양식. 예 닭은 젖은 곳을 싫어하는 ☐☐이 있다.
수렴 (거둘 收, 거둘 斂)	의견이나 사상 따위가 여럿으로 나뉘어 있는 것을 하나로 모아 정리함. 예 그는 설문지 조사를 통해 주민들의 의견을 ☐☐하였다.
유도 (꾈 誘, 이끌 導)	사람이나 물건을 목적한 장소나 방향으로 이끎. 예 비행기는 지상의 ☐☐에 따라 착륙하였다.
취지 (뜻 趣, 뜻 旨)	어떤 일의 근본이 되는 목적이나 긴요한 뜻. 예 다른 사람들도 나와 같은 ☐☐로 이 일을 시작했다고 하였다.
국한 (판 局, 한계 限)	범위를 일정한 부분에 한정함. 예 오염 문제는 대도시에만 ☐☐된 것이 아니다.
대변 (대신할 代, 말씀 辯)	어떤 사람이나 단체를 대신하여 그의 의견이나 태도를 표함. 예 정치가는 국민의 의사를 ☐☐할 줄 알아야 한다.

21~25 일차 어휘력 쑥쑥 테스트

[01~04] 다음의 뜻에 알맞은 낱말을 [보기]에서 찾아 쓰시오.

보기

교배 사안 습성 유도

01 사람이나 물건을 목적한 장소나 방향으로 이끎. ☐☐

02 법률이나 규정 따위에서 문제가 되는 일이나 안. ☐☐

03 동일한 동물종 내에서 공통되는 생활 양식이나 행동 양식. ☐☐

04 생물의 암수를 인위적으로 수정 또는 수분시켜 다음 세대를 얻는 일. ☐☐

[05~07] 주어진 뜻에 알맞은 낱말을 빈칸에 넣어 문장을 완성하시오.

05 새로운 대의원이 ☐☐되었다.

＊뜻: 여럿 가운데서 골라냄.

06 환경 보호에 우리 모두 적극적으로 ☐☐해야 한다.

＊뜻: 어떤 모임이나 일에 같이 참가함.

07 그 문제는 범위를 국내에 ☐☐하여 생각해서는 안 된다.

＊뜻: 범위를 일정한 부분에 한정함.

08 빈칸에 공통으로 들어갈 낱말을 쓰시오.

ㅊ ㅈ	① 일의 ☐☐를 살릴 만한 해결책을 모색해야 한다. ② 그 운동은 환경을 보존하자는 ☐☐로 시민 단체가 시작한 것이다.

21~25 일차 십자말 풀이

		1			
				4	
1					
			3 3		
2 2					

가로 열쇠

1. 자재나 제품의 종류, 품질, 모양, 크기 따위를 일정한 기준에 따라 통일함.
2. 물건이나 돈을 나중에 도로 돌려받기로 하고 얼마 동안 내어 줌.
3. 선거할 권리를 가진 사람.

세로 열쇠

1. 정도가 높아짐. 또는 정도를 높임.
2. 어떤 사람이나 단체를 대신하여 그의 의견이나 태도를 표함.
3. 남아 있는 자취. 건축물이나 싸움터 또는 역사적인 사건이 벌어졌던 곳이나 패총, 고분 따위를 이른다.
4. 투표할 수 있는 권리.

이룸이앤비는 항상 꿈을 갖고 무한한 가능성에 도전하는 수험생 여러분과 함께 할 것을 약속드립니다.
수험생 여러분의 미래를 생각하는 이룸이앤비는 항상 새롭고 특별합니다.

내신·수능 1등급으로 가는 길
이룸이앤비가 함께합니다.

http://www.erumenb.com

이룸이앤비

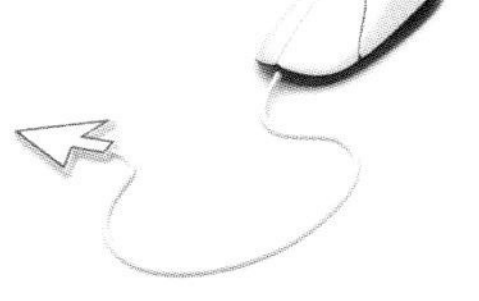

- 이룸이앤비의 모든 교재에 대한 자세한 정보
- 각 교재에 필요한 듣기 MP3 파일
- 교재 관련 내용 문의 및 오류에 대한 수정 파일

라이트수학

숨마쿰라우데®

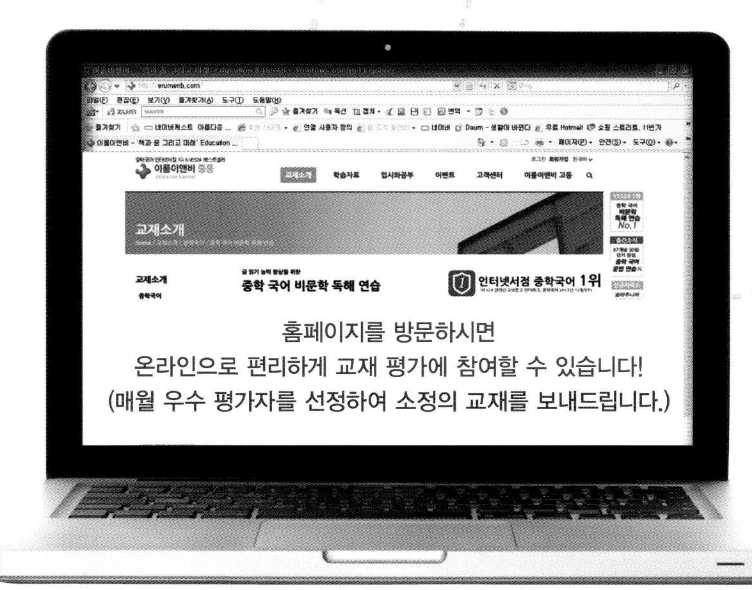

굿비 좋은 시작, 좋은 기초

글 읽기 능력이 향상되면

모든 공부의 **자신감**도 **향상**됩니다.

신간

숨마어린이

초등국어 **독해왕** 시리즈

1단계/2단계/3단계/4단계/5단계/6단계 (전 6권)

숨마 어린이®

글 읽기 능력 향상을 위한

초등국어 독해왕

글 읽기가 재미있다는 것을 자연스럽게 알게 됩니다.

문학(동화, 동시, 기행문, 전기문 등),
비문학(설명문, 논설문, 실용문, 소개문, 안내문, 편지 등)을
초등학생의 수준에 따라 엄선하여 수록!

6 단계

정답 및 해설

상세한 지문 분석 및 문제 해설

- ▸ **학생**에게는 **자기 주도 학습을 위한 가이드**가
- ▸ **선생님들**에게는 **수업을 위한 지도 자료로 활용**될 수 있습니다.

정답 및 해설

01 일차

강연 문제 ❶~❹

1 1-④ 여러분은 세뱃돈을 받은 기억이 있나요? 세뱃돈을 받자마자 한꺼번에 다 써 버려서 나중에 후회했던 경험이 있는 친구들이 있을 거예요. 그런 친구들은 아마도 저축을 해 본 경험이 없거나, 그 중요성을 모르는 친구들일 거예요. 1-③ 저축은 가지고 있는 돈 중 일부를 쓰지 않고 모아 두는 것을 말해요. 1-⑤ 저축을 하면 여러 가지 좋은 점들이 있어요. 저축의 개념.

2 첫째, 3-③ 모아 둔 돈을 급할 때 쓸 수 있어요. 가족 중 누군가가 아파서 갑자기 수술을 받아야 하거나 집안에 큰일이 생겨 적은 돈이라도 보태야 할 때가 있을 수 있어요. 그때 저축해 놓은 돈이 있다면 도움이 될 수 있어요. 이렇게 예상치 못한 일이 생겨서 급하게 돈이 필요할 때를 대비하기 위해서 저축은 꼭 필요해요. 둘째, 3-④ 미래에 하고 싶은 것을 할 수 있어요. 저축을 통해 큰돈을 마련하면 사고 싶은 것을 사거나 하고 싶은 일을 할 수 있어요. 갖고 싶었던 책을 살 수도 있고 놀이공원에 갈 수도 있어요. 셋째, 저축은 나라 경제에 도움이 돼요. 은행에 돈을 맡기면 은행에서는 그 돈을 필요한 사람이나 기업에게 빌려줘요. 기업은 그 돈으로 공장도 짓고 새로운 상품도 만들어 낸답니다. 기업 활동이 활발해지면 일자리가 늘어나고, 노동자들의 소득*도 늘어나니 경제가 더욱 발전하게 되겠지요. 저축을 하면 좋은 점.

3 큰돈이 아니어도 좋아요. 이제 조금씩 저축을 해 보기로 해요. 1-① '(㉠)'이라는 속담이 있어요. 이 속담은 아주 작은 티끌이라도 쌓이고 쌓이면 산만큼 거대해지는 것처럼, 아무리 적은 것이라도 자꾸 모으면 큰 것을 이룰 수 있다는 뜻이에요. 이 속담처럼 적은 돈이라도 차근차근 꾸준히 모아 나가다 보면 3-①, ⑤ 절약하는 습관을 가질 수 있는 동시에 더 큰 꿈을 펼칠 수 있는 경제적 여건*도 스스로 마련할 수 있을 거예요. 저축을 실천하는 태도의 중요성.

주제: 저축을 하자.

* **소득:** 일한 결과로 얻은 정신적 · 물질적 이익.
* **여건:** 주어진 조건.

[□소비 / ☑저축]의 장점을 제시하며 적은 돈이라도 꾸준히 모으는 습관을 가질 것을 강조하는 [☑강연 / □연극]입니다.

1. ②

'저축'과 다른 대상과의 공통점과 차이점을 밝히고 있는 부분은 확인할 수 없어요.

2. ⓐ 빌려줌, ⓑ 공장, ⓒ 새로운 상품, ⓓ 소득

4문단에 저축이 나라 경제에 도움이 되는 과정이 나와 있어요. 은행에 돈을 맡기면 은행은 기업에게 돈을 빌려주고, 기업은 그 돈으로 공장을 짓거나 새로운 상품을 만들어요. 그러면 일자리가 늘어나고 노동자들의 소득이 늘어나 경제가 발전한다고 했어요.

3. ②

이 글의 주장은 '저축을 하자.'라는 것이에요. 이 글에서는 저축을 하면 얻을 수 있는 효과를 근거로 제시하였어요. 그런데 저축을 함으로 인해서 노동자들의 소비를 늘릴 수 있다고는 말하지 않았어요.

4. ③

㉠의 뒷부분을 살펴보면, ㉠에 들어갈 속담을 찾을 수 있어요. 아주 작은 티끌이라도 쌓이고 쌓이면 산만큼 거대해진다는 뜻의 속담은 ③이에요. ①은 갈수록 더욱 어려운 지경에 처하게 되는 경우를, ②는 몸집이 작은 사람이 큰 사람보다 재주가 뛰어나고 야무짐을 의미하는 속담이에요.

"예금과 적금"

저축 상품은 크게 예금과 적금으로 나눌 수 있어요. 정기 예금은 목돈을 일정 기간 동안에 은행에 맡겼다가 약속한 날에 이자와 함께 돈을 찾는 상품을 말해요. 정기 적금은 정해진 기간 동안 매달 돈을 입금하고 약속한 날에 이자와 함께 찾을 수 있는 상품이에요.

설명하는 글 문제 ❺~❽

1 혹시 이런 말을 들어 봤나요? "내 동생은 깍두기로 끼워 줘!" 예전에는 편을 나눠 놀이를 할 때 짝이 없이 남은 아이를 '깍두기'로 표현했습니다. 이때 깍두기들은 형 또는 누나를 따라 온 동생이거나 함께 놀 아이들보다 약하거나 재주가 없어 평소 무리에 들지 못하는 아이였습니다. 깍두기는 놀이를 할 때 양쪽 편에 번갈아 들어갈 수 있게 했는데, 7-(3) 때에 따라서는 제일 잘하는 아이가 깍두기가 되기도 했습니다. '깍두기'의 개념과 특징.

2 '깍두기'는 깍두기를 만들려고 무를 썰다 보면 끄트머리*가 각진 네모로 썰어지지 않고 삐뚜름한 모양으로 썰리는 데서 유래했습니다. 깍두기가 대부분 네모 반듯하지만 끝이 둥근 것도 깍두기로 인정하겠다는 뜻이 들어 있지요. 모양이 다르다고 버리지 않고 다 함께 버무려 깍두기로 만드는 것처럼 함께 놀기 어려운 아이가 있더라도 남겨 두지 않고 어떤 식으로든 함께하려는 태도가 '깍두기'에 담겨 있습니다. '깍두기'의 유래와 그에 담긴 정신.

3 7-(1) 놀이에 참가한 '깍두기'는 놀이에서의 행동에 대한 규칙은 따르지만 승패에 대한 규칙은 따르지 않습니다. 숨바꼭질을 할 때 깍두기는 술래를 피해서 숨어야 하는 규칙은 똑같이 적용을 받지만, 술래에게 잡혀도 술래가 되지 않는 식입니다. 이러한 7-(2) 깍두기는 놀이를 공정하게 만드는 도구인 동시에 모두가 한데 어울릴 수 있게 해 주는 묘책*이었습니다. 깍두기가 있었기에 남자아이 놀이에 여자아이가 깍두기로 끼거나 어린아이도 함께 놀 수 있었기 때문입니다. '깍두기'에 적용되는 규칙과 그 가치.

4 하지만 요즘에는 깍두기를 잘 찾아볼 수가 없습니다. 팀을 나눠야 할 때도 꼭 짝수만을 고집하거나 못하는 친구를 아예 빼 버리기 때문입니다. 함께 놀이하는 법을 터득하기보다는 놀이에서 이기거나 쉽게 놀이하는 방법을 선택하는 것이지요. '깍두기'에는 소외되는 이 없이 함께 놀이에 참여하게 하는 배려와 나눔의 마음이 담겨 있습니다. 단 한 명도 약하거나 어리거나 그 어떤 이유로도 놀이에 끼지 못하는 일은 없었던 것, '깍두기' 문화를 우리는 기억해야 할 것입니다. '깍두기'의 의의.

주제: '깍두기' 문화에 담긴 배려와 나눔의 마음.

* **끄트머리**: 끝이 되는 부분.
* **묘책**: 매우 교묘한 꾀.

놀이에서의 [☑깍두기 / □따돌림] 문화의 유래와 규칙에 대해 이야기하고, 그것에 담긴 소중한 의미에 대해 [☑설명하는 / □주장하는] 글입니다.

5. 배려, 나눔

이 글은 깍두기 문화의 특징과 긍정적 기능에 대해 설명하고 있어요. 특히 4문단에서는 깍두기에 소외되는 이 없이 함께 놀이에 참여하게 하는 배려와 나눔의 마음이 담겨 있다고 말하고 있어요.

6. ④

이 글에서는 깍두기와 왕따의 차이에 대해서는 언급하지 않았어요. ①은 1문단, ②는 2문단, ③은 4문단, ⑤는 1, 3문단에 있어요.

7. (1) ○, (2) ○, (3) ×

(1) 3문단에서 깍두기는 놀이에서의 행동에 대한 규칙은 따르지만, 승패에 대한 규칙은 따르지 않는다고 했어요. (2) 3문단에서 깍두기는 놀이를 공정하게 만드는 도구라고 했어요. (3) 1문단에서는 놀이를 제일 잘하는 아이가 깍두기가 되기도 한다고 했어요.

8. ⑤

4문단에서 글쓴이는 요즘에 '깍두기'를 잘 찾아볼 수 없다고 말하면서, 요즘 아이들은 놀이에서 이기거나 쉽게 놀이하는 방법을 선택한다고 했어요. 따라서 ⑤는 '깍두기' 문화에 대해 이해한 내용으로 알맞지 않아요.

"접속 부사"

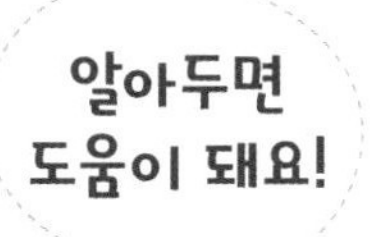

'접속 부사'는 각각의 문장을 자연스럽게 이어 주는 일종의 연결 고리예요. 이를 잘 파악하면 문장 간의 관계뿐만 아니라 문단 간의 관계도 파악할 수 있어요.

설명하는 글 문제 ❶~❺

1 이스터섬은 지구상에서 가장 고립된* 지역 중 하나로, 외부에서 이 섬을 처음 찾은 사람은 1722년 네덜란드의 탐험가 야코브 로헤벤이었다. 1864년 영국의 쿡 선장이 이스터섬을 다시 찾았을 때, 그는 인간의 형상*을 한 200여 개의 거대한 돌 조각이 바다를 향해 서 있는 것을 보았다. 그것은 '모아이(Moai)'라 불리는 석상이었다.
이스터섬에 세워진 모아이 석상의 발견.

2 모아이가 처음 만들어진 시기는 대략 13세기에서 15세기 말 사이로, ㉠모아이의 조각은 그들의 생존이 달려 있는 아열대숲의 파괴로 이어졌다. 집과 배를 만들 때보다 훨씬 더 많은 목재들이 모아이를 옮기고 일으켜 세우기 위한 받침목과 지렛대로 사용되었고, 목재들을 묶기 위한 (3-⑤) 막대한 밧줄의 사용은 하우하우 나무의 멸종을 재촉했다. 모아이 조각으로 인한 아열대숲의 파괴.

3 그 결과 이스터섬은 숲과 곡물이 사라지고 (3-④) 배를 만들 나무들도 더 이상 찾을 수 없게 되었으며, 이에 따라 (3-③) 해산물의 수확도 불가능하게 되었다. 그 결과 이스터섬 (3-②) 주민들은 서로를 죽이고 잡아먹는 지경에 이르게 되었다. 한때, 주민들이 서로 힘을 모아 모아이라는 거대한 석상을 세웠던 사회는 스스로가 선택한 환경 파괴로 서로 잡아먹는 식인 사회로 변하고 만 것이다. 아열대숲 파괴로 인한 결과.

4 모아이의 건립이 이러한 결과를 초래하리라고는* 이 섬에 거주하던 어느 누구도 예측하지 못했을 것이다. (3-①) 파괴된 숲과 사라진 동식물을 복원하기에는 그 훼손의 정도가 매우 심했다. 결국 환경이 파괴되었으므로 그에 의존하던 문명도 영원히 사라졌다. 이 이야기는 이러한 환경 재앙이 오늘날 우리가 사는 지구촌에서도 어김없이 되풀이될 수 있다는 경고 메시지를 담고 있다. 이스터섬의 재앙이 지닌 의미.

주제: 환경 파괴로 인한 환경 재앙에 대한 경고.

* **고립되다**: 다른 사람과 어울리어 사귀지 아니하거나 도움을 받지 못하여 외톨이로 되다.
* **형상**: 사물의 생긴 모양이나 상태.
* **초래하다**: 어떤 결과를 가져오게 하다.

석상을 만들기 위해 [☑환경 / □문화유산]을 훼손한 결과, 식인 사회로 전락해 버린 이스터섬의 재앙에 대해 [☑설명하는 / □주장하는] 글입니다.

1. 모아이 석상
1문단에서 영국의 쿡 선장이 이스터섬을 찾았을 때 본 것은 200여 개의 거대한 돌 조각, 모아이 석상이라고 했어요.

2. ④
모아이 석상을 옮기고 일으켜 세우는 데에는 많은 목재와 밧줄이 필요했다고 했어요. 이스터섬 주민들은 많은 목재와 밧줄을 얻기 위해 아열대숲을 파괴한 것으로 볼 수 있어요.

3. ①
2문단에서 모아이 석상이 만들어지면서 아열대숲이 파괴되었다고 했고, 4문단에서 파괴된 숲과 사라진 동식물들은 복원하기에는 그 훼손의 정도가 매우 심했다고 했어요.

4. ⓐ 환경 재앙, ⓑ 경고 메시지
글쓴이는 이스터섬의 재앙이 환경 파괴로 인한 것이라 보고 있어요. 그리고 4문단에서 이스터섬의 이야기는 그러한 환경 재앙이 우리가 사는 곳에서도 되풀이될 수 있다는 것을 경고하는 메시지라고 했어요.

5. 타산지석
'타산지석'은 다른 사람의 사소한 언행이나 실수라도 나에게는 커다란 교훈이나 도움이 될 수 있다는 의미예요. '진퇴양난'은 앞으로 나아갈 수도 없고 뒤로 물러날 수도 없다는 뜻이에요.

"중심 문장 파악하기"

글의 주제를 파악하기 위해서는 각 문단의 중심 내용을 파악해야 해요. 각 문단의 중심 내용은 주로 문단의 첫 부분이나 마지막 부분에 있는 경우가 많아요. 따라서 글을 읽을 때에는 각 문단의 첫 문장, 마지막 문장에 집중에서 읽어야 해요.

본문 ➔ 16쪽

우화 문제 ❻~❾

토끼하고 거북이가 서로 사이좋게 잘 놀고 있었어요. 그런데 어디선가 갑자기 사나운 늑대가 나타났습니다. 늑대는 토끼와 거북이에게 눈을 부라리면서 소리쳤대요.

"너희 둘이 달리기 시합을 해서 지는 녀석을 잡아먹겠다."

토끼와 거북이는 잔뜩 겁에 질려서 달리기 시작했답니다. 그런데 얼마나 달렸을까요? 갑자기 강물이 나왔어요. 앞서 달리던 토끼는 어쩔 줄 몰라 발만 동동 굴렀지요.

조금 있으니까 거북이가 왔어요. 6-(1) 거북이는 잠시도 주저하지 않고 토끼한테 다가와서 자기 등에 올라타라고 했지요. 그렇게 토끼하고 거북이는 함께 강을 건넜어요.

ⓐ거북이는 토끼를 등에 태우고 강을 건너느라 많이 지쳤어요. 그렇게 얼마를 갔을까요? 이번에는 가파른 언덕이 나타났어요. 거북이는 눈앞에 나타난 언덕을 보니까 지친 몸이 더욱 무겁게 느껴지고 다리도 무거워져 움직일 수가 없었어요.

그런데 언덕 밑을 보니 토끼가 기다리고 있었어요. 먼저 언덕을 올라갈 수도 있었을 텐데, 먼저 가지 않고 거북이를 기다린 거예요. 6-(2) 토끼는 거북이를 보자마자 들쳐 업고 달리기 시작했어요.

이렇게 해서 토끼하고 거북이는 결승선에 동시에 도착했어요. 늑대는 달리기 시합에서 지는 녀석을 잡아먹겠다며 군침을 흘리고 있었는데, 토끼와 거북이가 동시에 도착하는 것을 보고 할 말을 잃어 버렸어요. ㉠결국 늑대는 아무 말도 못 하고 슬그머니 꽁무니를 빼고 말았답니다.

주제: 서로 협력하면 어려운 문제도 해결할 수 있다.

토끼와 거북이가 [☑경주 / □운동]하는 이야기를 통해 어려운 문제가 닥치더라도 협력하면 이를 잘 극복할 수 있다는 교훈을 전달하는 [☑우화 / □신화]입니다.

6. (1) 등에 태우고 건넘. (2) 들쳐 업고 달림.

(1) 강물 앞에서 토끼가 발을 동동 굴리자 거북이는 자기 등에 올라타라고 했어요. (2) 지친 거북이가 언덕을 만났을 때에는 언덕 밑에서 기다리던 토끼가 거북이를 업고 달렸어요.

7. ⑤

토끼와 거북이가 동시에 결승선에 들어오는 바람에 늑대는 누구도 잡아먹을 수 없었어요. 결국 늑대는 아무 말도 못 하고 슬그머니 꽁무니를 뺄 수밖에 없었어요.

8. ㉮ 경쟁, ㉯ 협력

원래의 '토끼와 거북이' 이야기에서는 둘이서 달리기 시합을 하면서 서로 경쟁해요. 하지만 이 이야기에서는 똑같은 달리기 시합이지만 서로 협력해서 '강물'과 '언덕'이라는 장애물을 극복해 내요.

9. ②

거북이는 많이 지쳐 있는 상황에서 가파른 언덕과 마주하게 되었어요. 따라서 ⓐ의 상황을 표현하기에 어울리는 속담은 '좋지 않은 일이 연거푸 일어난다.'는 뜻의 '엎친 데 덮친 격이다.'예요.

"주제 파악"

알아두면 도움이 돼요!

문학, 특히 동화(우화)나 소설에서 주제를 파악하기 위해서는 등장인물 간의 관계에 초점을 두어야 해요. 인물 간의 관계가 갈등 관계인지 그렇지 않은지를 파악하고, 그런 관계를 통해 작가가 전달하고자 하는 의도가 무엇인지를 생각해 보면 주제를 쉽게 알아낼 수 있어요.

설명하는 글 문제 ❶~❹

1 우리나라에는 여러 개의 정당이 있어요. 정당이란 정치적인 주장이 같은 사람들이 정권을 잡고 정치적 이상을 실현하기 위하여 조직한 단체를 의미해요. 이 가운데 [1-(1)] 대통령을 배출한* 정당을 여당이라고 해요. 어느 때든 여당은 1개의 정당뿐이죠. 하지만 [1-(2)] 야당은 여당을 제외한 나머지 정당을 모두 일컫는 말이에요. 여당은 대통령과 함께 자신들이 생각한 방향으로 정치를 하기 위해 노력해요. 반면 [3-①] 야당은 정부와 여당의 정책을 감시하고, 다음 선거 때 대통령을 배출하기 위해 노력하지요. 여당과 야당의 개념 및 특징.

2 [3-③] 아무래도 여당은 대통령과 서로 도우면서 나랏일에 더 많은 영향을 끼치기 때문에 각 정당은 여당이 되려고 합니다. 하지만 [3-④] 여당이라도 국회 의원 수가 야당보다 적다면 큰 힘을 발휘할 수 없어요. 정부의 정책에 힘을 실어 주기 어렵지요. 반면 야당이라도 국회의원 수가 여당보다 많으면 자신들의 생각대로 나랏일을 추진할 수 있어요. 국회의원 수와 여당, 야당의 힘의 관계.

3 그래서 [3-②] 얼마나 많은 국회 의원이 소속되어 있는가는 정당의 힘을 판단하는 기준이 되지요. 특히 국회 의원 수가 20명이 안 되는 정당은 국회에서 자신들의 목소리를 내기 어려워요. 우리나라에는 '교섭 단체'라는 규정*이 있기 때문이에요. 정당의 힘을 판단하는 기준.

4 [1-(3)] 교섭 단체란 국회가 어떤 일을 하려고 할 때 그 방법 등에 관해 모여서 협의할 수 있는 단체를 일컫는 말이에요. 교섭 단체로 인정받으려면 20명 이상의 국회 의원이 모여야 해요. 그래서 각 정당은, 국회 의원 수를 최소한 20명 이상으로 유지하려고 애를 써요. 교섭 단체가 되면 정당의 뜻을 효과적으로 밝힐 수 있고, 나라의 보조금도 더 많이 받을 수 있거든요. 만약 국회 의원 수가 20명이 되지 않을 경우, 같은 정당 소속이 아니더라도 다른 교섭 단체에 속하지 않은 국회 의원들을 모아 교섭 단체를 만들기도 해요. [3-⑤] 만약 교섭 단체의 소속 국회 의원이 탈퇴하여 그 수가 20명에 미치지 못하게 되면 교섭 단체로서의 지위를 상실하게* 된답니다. 교섭 단체의 개념 및 성립 조건.

주제: 여당과 야당의 역할과 교섭 단체의 성립 조건.

* **배출하다:** 인재(人材)가 계속하여 나오다.
* **규정:** 규칙으로 정함. 또는 그 정하여 놓은 것.
* **상실하다:** 어떤 것이 아주 없어지거나 사라지다.

여당과 야당의 [☑역할 / □정책]과 그 차이점을 이야기하고, 각 정당이 교섭 단체의 지위를 얻기 위해 노력하는 이유에 대해 [☑설명하는 / □주장하는] 글입니다.

1. (1) 여당, (2) 야당, (3) 교섭 단체

(1) 1문단에서 여당은 대통령을 배출한 정당이라고 했어요. (2) 1문단에서 야당은 여당을 제외한 나머지 정당을 일컫는 말이라고 했어요. (3) 4문단에서 교섭 단체는 국회가 어떤 일을 하려고 할 때 그 방법 등에 관해 모여 협의할 수 있는 단체라고 했어요.

2. ②

국회 의원의 임기에 대해 언급한 내용은 이 글에서 찾아볼 수 없어요.

3. ⑤

4문단에서 국회 의원이 탈퇴하여 20명에 미치지 못하게 되면 교섭 단체로서의 지위를 상실하게 된다고 했어요.

4. ⑤

A당은 국회 의원이 15명, B당은 10명으로, 각각의 정당은 교섭 단체가 될 수 없어요. 그러나 4문단에서 같은 정당 소속이 아니더라도 다른 교섭 단체에 속하지 않은 국회 의원들이 모이면 교섭 단체를 만들 수 있다고 했어요.

"핵심 제재가 두 가지 이상일 때"

설명하는 글의 경우 설명하고자 하는 제재가 두 가지 이상일 때가 있어요. 이때에는 제재들의 공통점이나 차이점을 언급한 부분을 꼼꼼하게 점검하며 읽어야 제재의 특징을 명확히 파악할 수 있어요.

주장하는 글 문제 ❺~❾

1 겨울이면 우리가 으레 사용하는 장갑, 바로 '벙어리장갑'입니다. 표준국어대사전에도 '엄지손가락만 따로 가르고 나머지 네 손가락은 함께 끼게 되어 있는 장갑.'(6-①)이라는 뜻의 '벙어리장갑'이 실려 있습니다. 하지만 조금만 생각해 보면 이 말이 장애인을 낮잡아* 이르는 말이라는 것을 알 수 있습니다. '벙어리'는 언어 장애인을 낮잡아 부르는 말이기 때문입니다. '벙어리장갑'에 담긴 비하의 의미.

2 그렇다면 왜 이런 모양의 장갑을 '벙어리장갑'이라 부르게 된 걸까요? '막히다'라는 뜻의 옛말인 '벙을다'에서 유래되었다는 설도 있지만, 옛 사람들이 언어 장애인은 혀와 성대가 ㉠붙어 있다고 생각했는데, 이 때문에 네 개의 손가락이 붙어 있는 장갑을 보고 '벙어리장갑'이라 부르기 시작했다는 설이 가장 유력합니다.(6-⑤) 이렇게 그 어원에 대한 설은 여러 가지이지만, 사용 의도와 달리 '벙어리장갑'이라는 용어에 장애인에 대한 편견과 비하*의 의미가 담긴 것은 마찬가지입니다.(6-③) '벙어리장갑'의 어원 및 그에 담긴 비하의 의미.

3 이런 용어를 사용하는 것은 우리의 의도와 상관없이 누군가에게 큰 상처가 될 수 있습니다. 하지만 오래전부터 사용해 온 용어이기 때문에 오히려 '벙어리장갑'이라는 용어에서 귀여움을 느끼는 이도 있을 정도로 우리들은 문제의식을 느끼지 못하고 있습니다.(6-④) 이러한 태도는 우리가 타인에 대한 편견과 차별에 무감각하다는 것을 의미할 수도 있습니다. 편견과 비하의 의미를 담고 있는 용어 사용의 심각성.

4 우리는 일상 속에서 무심코 지나치기 쉬운 이러한 문제를 인식하는 것에서부터 변화를 시작해야 합니다. 어떤 단체에서는 '벙어리장갑'을 '손모아장갑'으로 바꾸어 부르자는 운동을 진행 중입니다. 우리는 문제를 인식하고, '손모아장갑'으로 용어를 바꾸어 부르는 것처럼 행동을 변화시켜 나가야 합니다. 이는 단순히 올바른 표현을 사용하는 데에서 더 나아가 장애인에 대한 사회적 인식까지 개선시킬 수 있을 것입니다. 편견과 비하의 용어를 바꿔 사용하기 위한 노력의 중요성.

주제: 편견과 비하의 의미가 담긴 용어를 올바른 용어로 바꿔 사용하자.

* **낮잡다:** 사람을 만만히 여기고 함부로 낮추어 대하다.
* **비하:** 업신여겨 낮춤.

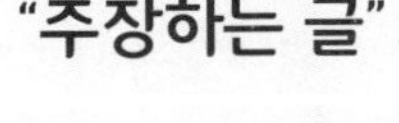

장애인에 대한 [□사랑과 배려 / ☑편견과 비하]의 의미가 담긴 표현을 올바른 표현으로 바꾸어야 한다는 내용을 [□광고하는 / ☑주장하는] 글입니다.

5. ④

이 글에서 글쓴이는 편견과 비하의 의미를 담고 있는 용어 사용이 지닌 문제의 심각성을 인식하고, 이를 바꿔 부르기 위해 노력해야 한다고 했어요. 따라서 이 글의 제목으로는 '벙어리장갑'을 '손모아장갑'으로 부르자는 의미를 지닌 ④가 가장 알맞아요.

6. ②

1, 2문단에서 '벙어리장갑'은 장애인에 대한 편견과 비하의 의미를 담고 있다고 했어요.

7. ④

4문단에서 글쓴이는 편견과 비하의 의미를 담고 있는 용어 사용의 문제를 인식하고, '벙어리장갑'을 '손모아장갑'으로 바꾸어 부르는 것처럼 행동을 변화시켜 나가야 한다고 했어요.

8. ⑤

①, ②, ③, ④가 장애인에 대한 편견과 비하의 의미를 포함하고 있음에 반해, '방귀 뀐 놈이 성낸다.'라는 표현은 편견과 비하의 의미를 담고 있다고 볼 수 없어요.

9. ②

㉠은 '물체와 물체 또는 사람이 서로 바짝 가까이하다.'라는 의미로 사용되었어요. 따라서 이와 가장 가까운 의미로 쓰인 것은 ②예요.

"주장하는 글"

알아두면 도움이 돼요!

주장하는 글을 읽을 때에는 문제시하고 있는 상황이나 비판의 대상을 먼저 찾고, 이를 해결하기 위해 제시하고 있는 방안을 파악하는 것이 중요해요. 이때 제시한 방안이 글쓴이가 주장하고자 하는 바인 거죠.

04 일차

설명하는 글 문제 ❶~❹

1 오페라는 17, 18세기 서유럽에서 귀족들이 ㉠향유하던 예술이었다. 19세기에 산업 혁명의 영향으로 막대한 부를 ㉡축적한 시민들은 오페라와 같은 예술을 즐기는 데 돈을 아끼지 않았는데, 이러한 시민들이 즐기던 오페라가 미국의 대중음악*과 결합하여 탄생한 것이 뮤지컬이다. 오페라의 향유 계층과 뮤지컬의 탄생.

2 넓은 의미에서 오페라와 뮤지컬은 모두 연극의 범주에 속한다. 대본, 배우, 무대, 관객이라는 4가지 요소가 있어야만 연극이라 할 수 있는데, 뮤지컬과 오페라는 이 4가지 요소를 모두 갖추고 있다. 오페라는 대사까지도 노래로 불리는 만큼 음악이 중심이 되는 반면에 뮤지컬은 노래와 춤은 물론, 일상적 대화를 ㉢구사하는 대사 능력이 중심이 된다. 연극의 범주에 속하는 오페라와 뮤지컬.

3 이 두 예술 장르를 구별하는 가장 쉬운 방법은 오페라는 마이크를 쓰지 않고 육성*으로 노래를 부르고, 뮤지컬은 마이크를 쓴다는 점이다. 대부분의 뮤지컬 배우들은 머리카락 속이나 귀 뒤에 고성능의 마이크로폰을 달고 노래한다. 이것이 무선으로 전달되어 스피커를 통해 관객의 귀에 들어가게 된다. 이에 비해 오페라는 원칙적으로 마이크를 쓰지 않는다. 육성으로 노래를 불러야 하는 까닭에 오페라의 발성 방법은 뮤지컬과는 차이가 있다. 오페라에서는 음과 음 사이가 끊어지지 않도록 부드럽고 자연스럽게 노래하는 '벨칸토 창법'이라는 독특한 발성법*을 사용한다. 오페라와 뮤지컬의 차이점 1

4 이밖에도 오페라와 뮤지컬을 구별하는 방법은 몇 가지가 더 있다. 주로 사용하는 음악 장르가 무엇인지를 살펴보는 것이다. 오페라의 음악은 클래식이 주를 이룬다. 이에 반해 뮤지컬 음악은 보다 대중적이어서, 팝, 발라드, 랩, 레게, 재즈 등 대중음악을 자유롭게 작품 속에 사용한다. 극 중의 상황에 춤이 더해지는 형태에 있어서도 차이점이 드러난다. 오페라 가수들은 춤을 추지 않지만 뮤지컬 배우들은 춤을 춘다. 오페라에서 과격한 동작은 전문 발레단의 ㉣몫이다. 주역 가수들은 춤이라 할 만한 특별한 동작을 하지 않는다. 하지만 뮤지컬에서는 뮤지컬 배우들이 직접 춤까지 ㉤소화해야 한다. 따라서 배우들의 춤 실력 또한 매우 중요하다. 오페라와 뮤지컬의 차이점 2

주제: 오페라와 뮤지컬의 차이점.

넓은 의미에서 [✔연극 / □영화]의 범주에 속하는 오페라와 뮤지컬의 차이점을 [✔설명하는 / □주장하는] 글입니다.

1. 배우, 관객

2문단에서 오페라와 뮤지컬은 모두 대본, 배우, 무대, 관객 등의 4가지 요소를 갖추고 있어 연극의 범주에 속한다고 했어요.

2. ⑤

4문단에서 뮤지컬 배우들은 직접 춤을 소화해야 한다고 했어요. 춤을 추지 않으며, 과격한 동작을 전문 발레단에게 맡기는 것은 오페라 배우들이에요.

3. ⓐ 노래, ⓑ 춤, ⓒ 대중음악

2문단에서 오페라는 대사까지도 노래로 불린다고 했어요. 반면 뮤지컬은 노래와 춤은 물론 일상적 대화를 구사하는 대사 능력이 중심이 된다고 했어요. 또한 4문단에서 뮤지컬 음악은 대중음악을 자유롭게 작품 속에 사용할 수 있다고 했으므로, 뮤지컬 배우들은 대중음악을 많이 들으면 역할을 소화하는 데 도움이 된다고 볼 수 있어요.

4. ③

㉢은 '말이나 수사법, 기교, 수단 따위를 능숙하게 마음대로 부려 씀.'을 의미하는 말이에요.

* 대중음악: 대중을 대상으로 하는 음악. 대중의 관심과 취향에 맞춘 음악을 이름.
* 육성: 사람의 입에서 직접 나오는 소리.
* 발성법: 여러 가지 발음 기관을 사용하여 적당히 조절하고 훈련하는 방법.

"오페레타"

소형의 오페라라고도 불리는 오페레타는 오페라에 비해 규모가 작으며 대사와 노래, 무용 등이 섞인 경(輕)가극을 일컫는 장르예요. 1920년대에 들어서면서 미국으로 건너간 오페레타는 뮤지컬로 이행되었는데, 보다 대중적인 악극 형식의 오페레타는 오늘날의 뮤지컬에도 많은 영향을 남겼어요.

방송 보도 문제 ⑤~⑧

앵커: 최근 수면 장애를 겪는 사람들이 크게 늘고 있는데요. 특히 ㉠저녁에 마시는 커피 한 잔이나 ㉡잠들기 전에 스마트폰을 사용하는 것은 '숙면*의 적'으로 알려졌습니다. 이 둘 가운데 어느 것이 수면에 더 방해가 되는 걸까요? ○○○ 기자가 취재했습니다. 진행자의 도입 - 숙면의 적, 커피 또는 스마트폰.

기자: 잠을 청할 때 보통 15분 정도면 뇌에서 수면 유도 호르몬이 나와서 깊은 잠에 빠지게 됩니다. 잠들기 전 커피를 마시는 것과 스마트폰을 하는 것 중 어느 쪽이 더 수면을 방해하는지 비교해 봤습니다. 비교 실험 소개.

잠들기 3시간 전, 에스프레소 2잔 분량의 카페인을 먹었을 때, 잠자리에 눕고서 55분 만에 수면 유도 호르몬이 나왔습니다. 평소보다 40분이 더 걸린 셈입니다. 반면 스마트폰 등 밝은 불빛에 집중한 경우에는, 잠들기까지 1시간 40분이나 걸렸습니다. 스마트폰의 수면 방해 작용이 커피보다 2배나 강력하다는 것이 확인된 겁니다. 비교 실험 결과.

원인은 뇌를 직접 교란하는* 스마트폰의 밝은 빛입니다. 카페인은 섭취 후 혈관을 따라 몸을 돌면서 일부는 배출되고 나서 뇌로 가지만, 인공 빛은 곧바로 시신경을 자극해서 우리 뇌를 밝은 대낮인 걸로 착각하게 하는 겁니다. 인공 빛 중 수면을 가장 방해하는 것은 에너지가 가장 강한 푸른색 계열의 빛입니다. 특히 눈에 바짝 대고 보는 스마트폰에서 블루라이트*가 가장 많이 나온다는 측정 결과도 있습니다. 스마트폰의 밝은 빛이 수면에 미치는 영향.

[수면 전문의]

"이런 습관을 장기화하면 뇌가 쉬지 못하기 때문에 공황 장애, 불안 장애, 우울증까지 야기될 수가 있겠죠."

기자: 전문의들은 잠들기 최소 3시간 전에는 스마트폰을 사용하는 시간이 20분을 넘지 않는 게 좋고, 꼭 써야 한다면 조명을 어둡게 조절하라고 당부했습니다. 이룸 뉴스 ○○○입니다. 잠들기 전 스마트폰 사용에 대한 자제 당부.

주제: 스마트폰의 밝은 빛이 수면에 미치는 영향.

핵심 요약에 체크해 보세요.

스마트폰의 사용이 수면을 [☑방해 / □유도]하는 요인임을 밝히고, 숙면을 위해서는 잠들기 전에 스마트폰의 사용을 자제해야 한다는 내용의 [□공익 광고 / ☑방송 보도]입니다.

5. ①
수면 전문의의 인터뷰를 제시하여 내용에 대한 신뢰성을 높이고 있어요(가). 숙면을 방해하는 요인으로 잠들기 전에 커피를 마시는 것과 스마트폰의 밝은 빛에 집중하는 것을 비교하여 그 심각성을 드러내고 있어요(나).

6. ⑤
커피를 마시는 것과 비교하여 스마트폰이 숙면에 방해가 되는 주요 원인임을 밝히고 있어요.

7. ①
기자는 스마트폰의 수면 방해 작용이 커피보다 2배나 강력하다는 것이 확인되었다고 말했어요.

8. ②
기자는 잠을 청할 때 보통 15분 정도면 뇌에서 수면 유도 호르몬이 나와서 깊은 잠에 빠지게 된다고 했어요.

* **숙면**: 잠이 깊이 듦. 또는 그 잠.
* **교란하다**: 마음이나 상황 따위를 뒤흔들어서 어지럽고 혼란하게 하다.
* **블루라이트**: 모니터, 스마트폰, TV 등에서 나오는 파란색 계열의 광원.

알아두면 도움이 돼요!

"방송 보도"

뉴스 보도와 같은 방송 보도는 일정한 구조를 갖추고 있어요. 해당 보도의 핵심을 간단히 소개하는 진행자의 도입, 보도 내용을 자세하게 전달하는 기자의 보도, 보도한 내용을 요약 · 정리하거나 당부 등을 덧붙이는 기자의 마무리로 구성된답니다.

05 일차

전기문 문제 ❶~❹

1 강감찬은 유난히 키가 작고 얼굴에 곰보* 자국까지 있었지만 재주가 뛰어나고 용맹스러웠다. 983년에 과거에 급제해 나라의 교육과 외교를 맡았으며, 능력이 뛰어나 높은 벼슬에까지 올랐다. 강감찬의 생김새 및 성품, 업적.

2 강감찬이 지금의 평양인 서경 시장으로 갔을 때, 거란의 장군 소배압이 10만 대군을 이끌고 고려에 쳐들어왔다. ㉠정면으로 맞서면 그들을 이기기 어렵다고 생각한 강감찬은 전투가 예상되는 곳의 지형과 거란군이 올 만한 길목*을 살폈다. 강감찬은 장수들을 불러 쇠가죽을 엮도록 했고, 엮은 쇠가죽으로 강물을 막은 후 곳곳에 군사를 숨겨 두었다. 쇠가죽으로 강을 막았기 때문에 강물은 평소보다 훨씬 적은 양이 흘렀고, 거란군이 홍화진에 이르렀을 때는 강의 수심은 매우 얕아졌다. 거란군이 안심하고 강을 건너는 순간, 강감찬은 쇠가죽으로 막은 둑을 무너뜨렸다. 그러자 거란군은 순식간에 물길에 휩쓸려 떠내려갔다. 거란군에 맞선 강감찬의 전략.

3 그러나 소배압은 살아남은 군사들을 정비해 개경 부근까지 밀고 내려왔다. 강감찬은 적군이 지나가는 길목에 숨어 있다가 총공격을 벌였고 남은 적군들은 귀주까지 달아났다. 한 놈도 남겨두지 말라는 강감찬의 명령에 귀주 벌판은 아수라장*이 되었고, 결국 소배압은 10만 대군 가운데 2,000여 명만 데리고 달아났다. 이것이 우리나라의 '3대 대첩' 중 하나인 귀주 대첩이다. 귀주에서의 강감찬의 승리.

4 겉보기에 강감찬은 매우 보잘 것이 없어 보였다. 의복도 검소했고 겉치장에 별로 신경을 쓰지 않았다. 수단과 방법을 가리지 않고 재산을 모으던 여느 관리들과 달리 자신의 토지마저 부하의 가족에게 나누어 줄 정도로 인심 또한 매우 후했다. 이렇게 [㉡]하여 많은 백성들의 존경을 한 몸에 받은 강감찬은 벼슬자리에서 물러나 자연과 벗 삼아 책을 읽으면서 조용히 살다가 여생을 마쳤다. 강감찬의 성품.

주제: 강감찬의 업적과 성품.

* **곰보**: 얼굴이 얽은 사람을 낮잡아 이르는 말.
* **길목**: 길의 중요한 통로가 되는 어귀.
* **아수라장**: 싸움 따위로 혼잡하고 어지러운 상태에 빠지는 것.

고려를 침략한 [☑거란 / □여진]의 대군을 지략을 통해 물리친 강감찬 장군의 업적과 성품을 사실적으로 기록한 [□기사문 / ☑전기문]입니다.

1. ⑤

4문단에서 강감찬은 벼슬자리에서 물러나 자연과 벗 삼아 책을 읽으며 여생을 보냈다고 했어요.

2. ⓐ 개경, ⓑ 귀주

3문단에서 소배압은 홍화진에서 살아남은 군사들을 정비해 개경 부근까지 왔다고 했어요. 그리고 강감찬 장군의 총공격을 받은 적군들은 귀주까지 달아났다고 했어요.

3. ①

거란의 장군 소배압이 고려에 쳐들어올 때 데려온 병력이 10만 명이라고 했어요. 그만한 병력을 갖추고 있지 못했던 강감찬은 정면으로 맞서면 이기기 어렵다고 판단하여 전략을 마련한 것으로 추측해 볼 수 있어요.

4. ⑤

강감찬은 수단과 방법을 가리지 않고 재산을 모은 관리들과 달리 자신의 토지마저 부하의 가족에게 나누어 줄 정도로 인심이 후했다고 했어요. 따라서 ㉡에는 성품이 고결하고 욕심이 없으며 순수한 인품을 가리키는 표현인 '청렴결백'이 알맞아요.

"전기문"

전기문에는 첫째, 인물의 일생과 인물의 성품, 사상이 드러나야 해요. 둘째, 인물의 활동과 업적, 그것들을 보여 주는 일화가 나타나야 해요. 셋째, 인물이 살았던 때의 사회적 · 역사적 환경과 개인적인 환경이 나타나야 해요. 넷째, 인물에 대한 글쓴이의 생각이나 느낌, 평가가 기록되어 있어야 해요.

알아두면 도움이 돼요!

기사문 문제 ❺~❾

1 최근 어느 기관에서 어린이(만 10~11세, 초등학교 5학년 기준) 1만 명을 대상으로 체격과 체력의 변화를 알아보기 위한 검사를 실시하였다. 그 결과 6-① 수년 전에 비해 키는 3~5cm 커지고 몸무게도 3~5kg 늘어나서 체격은 좋아졌지만, 오히려 체력은 약해진 것으로 나타났다. 한마디로 요즘 아이들은 덩치만 큰 ㉠'속 빈 강정'이다. 어린이의 체격과 체력의 불균형.

2 이러한 신체적 불균형의 원인은 나쁜 식습관 때문인 것으로 나타났다. 6-④ 매일 한 번 이상 과일과 채소를 섭취하는 우리나라 어린이는 10명 중 4명에 불과한 것으로 나타났다. 그리고 6-③ 패스트푸드를 일주일에 1회 이상 섭취하는 어린이는 10명 중 5명, 6-⑤ 라면과 탄산음료를 일주일에 1회 이상 섭취한다는 어린이도 10명 중 7명에 달했다. 패스트푸드의 주원료*는 동물성 단백질, 지방, 정제된 설탕, 소금, 화학조미료이며, 패스트푸드에는 아이들의 성장과 대사에 필요한 비타민과 미네랄을 섭취할 수 있는 녹황색 채소와 과일은 거의 없기 때문에 어린이의 신체적 불균형을 초래한다. 어린이들의 신체적 불균형의 원인.

3 그렇다면 체력을 키우기 위해서는 어떻게 해야 할까? 첫째, 모든 음식을 골고루 먹도록 해야 한다. 탄수화물은 50~60%, 단백질은 20~30% 비율로 섭취하는 것이 적절하며 비타민과 미네랄을 섭취할 수 있는 채소와 과일도 곁들여 먹는 것이 좋다. 둘째, 칼슘이 많이 함유된 음식을 먹어야 한다. 칼슘이 부족하면 근육이 수축하거나 경련*이 일어날 수 있고, 아동의 경우 성장이 늦어질 수 있기 때문이다. 따라서 우유나 새우, 미역, 두부, 깻잎 등과 같이 칼슘이 많이 들어있는 식품을 섭취해야 한다. 셋째, 즉석식품을 피하도록 한다. 즉석식품은 1차 가공된 식품이라 위장이 정당한 활동을 하지 않아도 쉽게 흡수된다. 이런 음식에 길들여지면 육류같이 조금만 소화에 부담되는 음식이 들어와도 위는 자기 역할을 잘 못하게 된다. 넷째, 짜게 먹지 않도록 한다. 염분*은 칼슘의 흡수를 방해한다. 따라서 되도록 짜게 먹지 않는 것이 좋고, 만약 먹어야 한다면 우유나 과일 등을 ㉡곁들여서 먹는 것이 좋다. 체력을 키우는 방법.

주제: 체력 약화의 원인과 체력을 키우는 방법.

핵심 요약에 체크해 보세요.

요즘 어린이들에게서 나타나는 신체적 [□결함 / ☑불균형]의 문제를 지적하고 이를 해결하기 위한 방법을 전달하는 [□광고문 / ☑기사문]입니다.

5. 나쁜 식습관

2문단에서 요즘 아이들의 신체적 불균형의 원인은 나쁜 식습관 때문이라고 했어요.

6. ②

어린이들의 평균 수면 시간 변화 양상은 제시하지 않았어요. ①은 1문단에서 제시했어요. ③, ④, ⑤는 2문단에서 제시했어요.

7. (1) ㉡, (2) ㉠

체격은 좋아졌지만 오히려 체력은 약해진 것을 '속 빈 강정'으로 표현했어요. '속 빈 강정'은 겉만 그럴듯하고 실속이 없음을 비유적으로 이르는 말이에요. 따라서 비어 있는 '속'은 '체력'을, 겉을 의미하는 '강정'은 '체격'을 의미해요.

8. ③

문단에서 육류는 소화에 부담이 되는 음식이라고 했어요. 즉석식품을 먹다 보면 육류 같은 음식을 위가 제대로 소화시키지 못한다고 했어요.

9. ①

㉡의 '곁들이다'는 '주로 하는 일 외에 다른 일을 겸하여 하다.'라는 의미로 사용되었으므로, 이와 바꿔 쓰기에 가장 알맞은 것은 '함께'라고 할 수 있어요.

* **주원료**: 주된 원료.
* **경련**: 근육이 별다른 이유 없이 갑자기 수축하거나 떨게 되는 현상.
* **염분**: 바닷물 따위에 함유되어 있는 소금기.

어휘력 쑥쑥 테스트

01. 비하 **02.** 교란 **03.** 묘책 **04.** 부라리다 **05.** 향유 **06.** 여건
07. 염분 **08.** 터득

십자말 풀이

[가로 열쇠] **1.** 형상 **2.** 유래 **3.** 유력하다
[세로 열쇠] **1.** 초래 **2.** 상실 **3.** 유도 **4.** 낮잡다

수필 문제 ❶~❹

다음은 세 쌍의 부부 중에서 어느 시인 내외*의 젊은 시절 이야기이다. 역시 이들도 가난한 부부였다.

어느 날 아침, 남편은 세수를 하고 들어와 아침상을 기다리고 있었다. 그 때, 시인의 아내가 쟁반에다 삶은 고구마 몇 개를 담아 들고 들어왔다.

"햇고구마가 하도 맛있다고 아랫집에서 그러기에 우리도 좀 사왔어요. 맛있나 보세요."

남편은 본래 고구마를 좋아하지도 않는데다가 식전에 그런 것을 먹는 게 부담스럽게 느껴졌지만, 아내를 대접하는 뜻에서 그중 제일 작은 놈을 하나 골라 먹었다. 그리고 쟁반 위에 함께 놓인 홍차를 들었다.

"하나면 정이 안 간대요. 한 개만 더 드셔요."

아내는 웃으면서 또 이렇게 권했다. 남편은 마지못해 또 한 개를 집었다. 어느새 밖에 나갈 시간이 가까워졌다.

"이제 나가 봐야겠소. 밥상을 들여요."

"지금 드시고 계시잖아요. 이 고구마가 오늘 우리 아침밥이어요."

"뭐요?"

남편은 비로소 집에 쌀이 떨어진 줄을 알고 무안하고* 미안한 생각에 얼굴이 화끈했다.

"쌀이 없으면 없다고 왜 좀 미리 말을 못 하는 거요? 사내 봉변*을 시켜도 유분수*지."

뿌루퉁해서 한마디 쏘아붙이자, 아내가 대답했다.

"저의 작은 아버님이 장관이셔요. 어디를 가면 쌀 한 가마가 없겠어요? 하지만, 긴긴 인생에 이런 일도 있어야 늙어서 얘깃거리가 되잖아요."

잔잔한 미소를 지으면서 이렇게 말하는 아내 앞에 남편은 묵연할 수밖에 없었다. 그러면서도 가슴 속에서 형언 못할 ㉠ 행복감이 밀물처럼 밀려왔다.

주제: 가난 속에서 찾은 행복.

* **내외**: 부부.
* **봉변**: 뜻밖의 변이나 망신스러운 일을 당함.
* **무안하다**: 수줍거나 창피하여 볼 낯이 없다.
* **유분수**: 마땅히 지켜야 할 분수가 있음.

가난한 부부 이야기를 통해 부유함만이 [☑행복 / □행운]을 가져다주는 것은 아니라는 깨달음을 주는 [□동시 / ☑수필]입니다.

1. ⓐ 부담스러움, ⓑ 대접하는, ⓒ 아침밥, ⓓ 얘깃거리

남편은 식전에 고구마를 먹는 게 부담스러웠지만, 아내를 대접하는 뜻에서 먹었어요. 아내는 사실 쌀이 떨어져 남편에게 아침밥 대신에 고구마를 권했어요. 그리고 쌀이 떨어져 고구마를 먹은 일이 늙어서 얘깃거리가 될 수 있다고 했어요.

2. ④

아내는 쌀이 떨어져 아침을 준비할 수 없어 대신 고구마를 대접하면서도 남편에게 쌀이 떨어졌다고 말하지 않았어요. 그리고 이 사실을 안 남편에게 긴긴 인생에서 이런 일이 얘깃거리가 될 수 있다고 말하여 남편이 무안해하지 않도록 배려했어요.

3. ①

가난 속에서도 아내는 이것이 훗날 늙어서 얘깃거리가 될 것이라는 긍정적인 생각을 하고 있고, 이를 들은 남편은 행복감이 밀려왔다고 했어요. 글쓴이는 이 이야기를 통해 가난 속에서도 행복을 찾을 수 있음을 말하고자 하고 있어요.

4. 직유법, (2)

'~처럼'의 표현을 쓰면서 행복감이 밀려드는 것을 '밀물'에 빗대어 표현했어요. 이러한 비유적 표현 방법을 '직유법'이라고 해요. 이를 통해 행복감을 느끼는 남편의 마음을 실감나게 표현하고 있어요.

"직유법"

알아두면 도움이 돼요!

직유법이란 '솜사탕 같은 구름'과 같이 표현하고자 하는 것과 비유되는 것을 직접 견주어서 나타내는 표현 방법이에요. 직유법에는 주로 '같이', '처럼', '듯이' 등의 말을 넣어 표현해요.

설명하는 글 문제 ❺~❽

1 오늘날에는 과거와 같이 국왕이 나라를 다스리는 경우는 사라지고, 국민에 의해 선출된 대표가 국가의 운영을 도맡아 책임지는 체제를 표방하는* 나라들이 많다. 현재에도 왕실이 있는 국가들도 있지만, 국왕은 대체로 정치에 직접적으로 관여하지 않는 상징적 존재로 남아 있다. 하지만 여전히 왕이 실질적인 의사 결정을 담당하는 나라 역시 존재하는 것이 사실이다. 이렇게 오늘날의 국가 체제는 다양한 형태를 띠고 있는 것으로 볼 수 있는데, 이를 크게 4가지로 구분해 살펴보도록 하자. 국가 체제의 4가지 형태.

2 우선 왕이 국가의 주인인 체제, ㉠전제 군주제가 있다. 절대적인 통치권을 가진 왕이 법이나 국민들의 견제 없이 권력을 행사한다. 따라서 의회는 존재하지 않고, 왕이 행정, 정치, 경제 등 국가의 모든 방향성을 결정한다. 이러한 체제의 대표적인 국가가 사우디아라비아이다. 이 국가에는 의회* 대신 자문 위원회가 있지만, 국민들에게는 참정권이 없어서 선거 제도도 없다. 전제 군주제의 특징.

3 ㉡입헌 군주제는 전제 군주제와 동일하게 왕이 존재하는 정치 체제이다. 다만 입헌 군주제는 ⓐ왕의 권한이 법으로 제한된다. 즉, 헌법이 왕과 어떤 관계를 맺고 있느냐에 따라 전제 군주제와 입헌 군주제가 구분된다. 전제 군주제는 헌법이 왕에게 종속되어* ⓑ왕이 막강한 권한을 갖는 반면, 입헌 군주제는 ⓒ왕이 헌법에 종속되어 그 안에서만 권한을 행사할 수 있다. 입헌 군주제는 표면상으로는 ⓓ왕의 신분이 가장 높지만, 실제로는 헌법이 의회의 합의로 결정된다는 점에서 사실상 의회 구성원들이 ⓔ왕보다 강력한 권한을 갖는다. 영국, 스페인, 스웨덴, 일본, 말레이시아 등이 여기에 해당된다. 이들 국가에서 정책적 권한을 행사하는 의회와 총리는 국민에 의한 선거로 선출되기 때문에 실질적인 권한은 국민에게 있다고 할 수 있다. 입헌 군주제의 특징.

4 전제 군주제에 반대되는 개념이 공화제이다. 공화제는 왕이 없다는 기본적인 전제만을 갖기 때문에 다양한 형태의 국가 체제로 나타날 수 있다. 우선 귀족이나 소수 엘리트가 집권하는 형태를 ㉢귀족제라고 하고, 다수의 인민에 의해서 국가가 운영되는 형태를 ㉣민주제라고 한다. 오늘날 우리는 민주주의를 최선의 정치 체제로 인정하고 그 가치를 지켜 나가는 것을 자연스럽게 생각한다. 우리가 민주주의를 추구하는 것은 자유와 평등을 통해 인간의 존엄성을 이루는 것을 목표로 하기 때문이다. 귀족제와 민주제의 특징.

주제: 국가 체제의 4가지 형태가 지닌 특징.

핵심 요약에 체크해 보세요.

오늘날 [☑국가 체제 / □의사 결정]의 다양한 모습을 4가지 형태로 나누어 그 특징을 [☑설명하는 / □주장하는] 글입니다.

5. (1) ㉠, ㉡ (2) ㉢, ㉣

2문단에서 전제 군주제는 왕이 국가의 주인인 체제라고 했고, 3문단에서 입헌 군주제는 왕이 존재한다고 했어요. 4문단에서 공화제는 왕이 없다고 했어요.

6. 사우디아라비아

2문단에서 전제 군주제는 왕이 절대적인 통치권을 가지고 법이나 국민들의 견제가 없다고 했어요. 그리고 왕이 국가의 모든 방향성을 결정한다고 했어요. 이러한 체제의 대표적인 국가가 사우디아라비아라고 했어요.

7. ②

ⓐ, ⓒ, ⓓ, ⓔ는 모두 헌법에 종속되어 있는 왕이 존재하는 입헌 군주제의 '왕'을 의미해요. 하지만 ⓑ는 막강한 권한을 갖는 전제 군주제의 '왕'을 의미해요.

8. ③

3문단에서 입헌 군주제의 왕은 권한이 법으로 제한되는 반면 전제 군주제는 헌법이 왕에게 종속되어 왕이 막강한 권한을 갖는다고 했어요. 따라서 입헌 군주제가 전제 군주제에 비해 왕의 권한이 막강하다는 것은 옳지 않아요.

* **표방하다:** 어떤 명목을 붙여 주의나 주장 또는 처지를 앞에 내세우다.
* **의회:** 국민의 정치적 대표 기관인 의원을 구성원으로 하고, 중요한 국가 작용에 결정적으로 참여하는 기능을 가진 합의체.
* **종속되다:** 자주성이 없이 주가 되는 것에 딸려 붙게 되다.

알아두면 도움이 돼요!

"분류"

대상이나 개념을 공통적인 특성에 근거하여 구분 짓는 설명 방식을 말해요. 우리말은 고유어, 한자어, 외래어로 나눌 수 있다."라는 식의 설명이 바로 분류에 의한 설명이에요.

발표 문제 ❶~❹

■1 이 시간에는 잠의 중요성에 대해 발표하겠습니다. 잠은 인체의 중요한 생명 현상입니다. 잠잘 때 우리 몸은 성장 호르몬을 생산하고, 꿈을 통해 정신적 갈등과 욕망을 해소하느라 무척 바쁩니다. 예전에는 잔다는 것을 단순히 뇌의 활동이 없는 수동적인 현상으로만 생각했습니다. [㉠] 최근의 연구 결과를 보고, 인간의 잠이 뇌를 쉬게 함으로써 마음과 정서를 편안하게 하고 질서 있는 몸을 만드는 과정이라는 것을 알게 되었습니다. 잠이 중요한 이유.

■2 모든 동물은 낮과 밤의 일정한 리듬을 타면서 생명 활동을 합니다. 이 생체 리듬에 혼란이 생기면 정신적 · 신체적으로 균형이 무너져 병에 걸리고, 그 기간이 지속되면 생존 자체가 어려워집니다. 어떤 새들은 조명을 조작하여 낮과 밤을 반대로 하면 모두 1~2일 사이에 죽어 버리고, 개나 고양이도 잠들지 못하게 하면 쇠약해져 죽어 버린다는 사실이 실험을 통해 밝혀졌습니다. 생체 리듬이 중요한 이유.

■3 정상적인 사람이라도 밤에 일정 시간 동안 잠을 자지 못하면, 다음 날 졸리고 일을 제대로 못하며 기분도 오락가락하게 됩니다. 잠을 충분히 잔 학생이 그렇지 않은 학생보다 학업 성취도가 높다는 연구 결과도 나와 있습니다. 그만큼 잠이 몸과 마음에 큰 영향을 미친다는 증거입니다. 잠이 몸과 마음에 끼치는 영향.

■4 사람이 120시간쯤 잠을 자지 못하면 환시*, 피해망상*, 방향 감각 상실 등과 같은 정신병적인 증상이 나타납니다. 이와 같은 증상은 어느 정도 잠을 자고 나면 곧 사라지고 정상적인 정신 상태를 되찾을 수 있습니다. 그만큼 잠은 빠르게 뇌를 회복시킬 수 있습니다. 결국 에너지 소모가 많은 뇌의 휴식을 위해 충분한 잠이 필요한 것이고, 충분히 자야만 건강한 하루를 보낼 수 있습니다.

잠이 몸과 마음에 중요한 이유.

주제: 잠의 중요성.

* **환시:** 실제로 존재하지 아니한 것을 마치 보이는 것처럼 느끼는 환각 현상.
* **피해망상:** 남이 자기에게 해를 입힌다고 생각하는 망상.

잠의 [☑기능 / □부작용]을 중심으로 여러 가지 연구 결과를 제시하며 잠의 중요성을 강조하는 [□토의 / ☑발표]입니다.

1. ④

1문단에서 글쓴이는 꿈이 정신적 갈등과 욕망을 해소한다고 말하고 있어요. 따라서 꿈을 꾸는 것이 정신적 갈등과 욕망이 쌓이는 과정이라고 하는 것은 적절하지 않아요.

2. ⑤

잠은 마음과 정서를 편안하게 하고 질서 있는 몸을 만드는 과정이라고 했어요. 따라서 잠은 몸과 마음을 회복시키는 중요한 과정이므로 잠을 충분히 자야 한다는 것이 이 글의 주제예요.

3. ④

㉠의 앞 문장은 잠을 뇌 활동이 없는 수동적인 현상으로 생각했다는 것이고, 뒤 문장은 최근 연구 결과를 보고 잠이 뇌를 쉬게 하여 마음과 정서를 편안하게 하는 과정이라는 것을 알게 되었다는 내용이에요. 따라서 ㉠에 들어갈 말은 화제를 앞의 내용과 관련시키면서 다른 방향으로 이끌어 나갈 때 쓰는 '그런데'가 적절해요.

4. 재정

4문단에서 에너지 소모가 많은 뇌의 휴식을 위해 충분한 잠이 필요한 것이고, 충분히 자야만 건강한 하루를 보낼 수 있다고 했어요.

"접속어"

'접속어'는 앞말과 뒷말을 이어줄 때 쓰는 말이에요. '따라서'는 앞에서 말한 일이 뒤에서 말할 일의 원인, 이유, 근거가 됨을 나타내는 접속 부사예요. '그래서'는 앞의 내용이 뒤의 내용의 원인이나 근거, 조건 따위가 될 때 쓰는 접속 부사예요.

주장하는 글 문제 ❺~❽

(가) 최근 쓰레기의 양이 빠르게 늘고 있어 큰 문제가 되고 있다. 늘어난 쓰레기 문제를 해결하기 위해서는 되도록 쓰레기를 만들지 않아야 하고, 만들어진 쓰레기는 환경이 오염되지 않도록 잘 처리해야 한다. 쓰레기 문제 해결 방법.

(나) 우리는 만들어진 쓰레기를 잘 처리하기 위해 재활용과 재사용을 실천해야 한다. 쓰레기 재활용과 재사용은 쓰레기를 줄일 수 있을 뿐만 아니라, 자원의 낭비를 막고 환경 오염을 줄이는 데에도 큰 효과가 있다. 만들어진 쓰레기를 처리하기 위한 방법.

(다) 재활용은 쓰고 버린 물건을 그대로 사용하는 것이 아니라 특별한 방법으로 손질하고 다른 방식으로 되살려 사용하는 것을 말한다. 분리 배출된 쓰레기 중 40%는 재활용할 수 있는데 6-(1) 플라스틱은 또 다른 플라스틱 제품으로, 폐지*는 종이나 화장지로 만드는 것이 재활용의 예이다. 재활용의 개념과 예.

(라) 쓰레기를 재활용하면 경제적으로 많은 이득이 생긴다. 우리 생활에서 가장 많이 나오는 쓰레기는 고철과 캔이고, 그 다음이 폐지, 플라스틱, 유리병 순이다. 이것을 1%만 재활용해도 1년에 무려 639억 원의 이익이 생긴다. 따라서 쓰레기의 분리 배출을 잘해서 재활용하는 쓰레기의 비율을 높이도록 해야 할 것이다. 재활용의 긍정적 측면.

6-(2)
(마) 재사용은 쓰고 버린 물건을 손질하여 원래의 용도대로 다시 사용하는 것을 말한다. 상급 학교로 진학할 때 후배에게 가방이나 교복을 물려주거나 마음에 안 드는 물건을 필요한 다른 물건과 바꾸는 것이 좋은 예이다. 알뜰 장터에서는 필요한 물건을 서로 바꾸거나 약간의 돈을 받고 파는 경우도 있다. 재사용의 개념과 예.

(바) 재활용은 쓰고 버린 물건에 새로운 자원을 투입하여* 손질을 해야 하는 반면, 재사용은 이러한 과정을 특별히 거치지 않으므로 쓰레기 처리 방법 중 가장 좋은 방법이라 할 수 있다. 따라서 재사용을 일상생활에서 실천해 나가야 한다. 재사용의 실천 촉구.

주제: 재활용과 재사용을 실천하자.

* 폐지(廢紙): 쓰고 버린 종이.
* 투입하다: 사람이나 물자, 자본 따위를 필요한 곳에 넣다.

핵심 요약에 체크해 보세요.

[✔쓰레기 / □에너지]를 줄이기 위해 일상생활에서 재활용, 재사용을 실천해야 한다고 [□설명하는 / ✔주장하는] 글입니다.

5. ⓐ 만들지 않아야 한다. ⓑ 잘 처리해야 한다.

(가)에서 늘어난 쓰레기 문제를 해결하기 위해서는 쓰레기를 만들지 않아야 하고, 만들어진 쓰레기는 환경이 오염되지 않도록 잘 처리해야 한다고 했어요. (나)에서 만들어진 쓰레기를 잘 처리하기 위해 재활용과 재사용을 실천해야 한다고 했어요.

6. (1) ㉡, (2) ㉠

(다)에서 재활용의 예로, 플라스틱은 또 다른 플라스틱 제품으로, 폐지는 종이나 화장지로 만드는 것이 있다고 했어요. (마)에서 재사용의 예로 상급 학교로 진학할 때 후배에게 가방이나 교복을 물려주는 것이 좋은 예라고 했어요.

7. ④

글쓴이는 늘어나는 쓰레기 문제를 해결하기 위해서는 만들어진 쓰레기를 잘 처리해야 한다고 했어요. 그 구체적 방법으로 재활용과 재사용을 실천해야 함을 강조하였어요.

8. ④

[보기]의 자료는 재활용으로 에너지를 절약하고, 나무를 지킬 수 있으며 석유를 절약할 수 있다는 것을 보여 주고 있어요. 따라서 재활용을 하면 경제적으로 많은 이득이 생긴다는 (라)와 관련이 있어요.

"자원의 순환"

알아두면 도움이 돼요!

쓰레기를 다시 사용하거나 새로운 자원으로 만들어 재이용하는 것을 자원의 순환이라고 해요. 자원의 순환 방법에는 재사용과 재활용이 있어요. 쓰레기를 재사용, 재활용하면 자원을 절약할 수 있을 뿐만 아니라 쓰레기로 덮여 가는 지구의 환경도 살릴 수 있을 거예요.

설명하는 글 문제 ❶~❺

1 우리의 낱말이나 속담에는 우리나라 민속 악기와 관련된 것들이 있습니다. 앞이마와 뒤통수가 유난히 튀어나온 머리를 가진 사람을 흔히 ㉠'짱구'라고 부르며 놀리곤 하지요? 만화 주인공으로도 자주 등장해서 우리들에게 친숙한 말이기도 하고요. 그런데 '짱구'라는 말은 어디에서 유래했을까요? '장구'라는 우리나라의 민속 악기 이름은 다 잘 알고 있을 것입니다. 장구는 오동나무로 된, 허리가 가늘고 잘록한 둥근 통의 양쪽에 소가죽이나 말가죽을 대서 만든 타악기*입니다. 바로 이 장구의(4-③) 생김새와 닮았다고 해서 '장구 머리'라는 말이 나왔는데, 나중에 발음이 강해지면서 '짱구 머리' 또는 줄여서 '짱구'라는 말로 부르게 됐습니다. '짱구 머리'의 유래.

2 이 장구와 관련된 또 다른 낱말 중 ㉡'맞장구치다'라는 말이 있습니다. 여기서 맞장구는 풍물놀이를 할 때 둘이 마주 서서 장구를 치는 것을 말합니다. 이때(4-②) 맞장구를 치는 두 사람은 당연히 서로 호흡이 맞아야 합니다. 그래서 '맞장구치다'(4-④)라는 말이 실제로 둘이 마주 서서 장구를 치는 것뿐만 아니라, '남의 말에 동조하여* 같은 말을 하거나 부추기거나 하다.'라는 뜻을 지니게 되었습니다. '맞장구치다'의 유래.

3 다음으로 민속 악기 중에는 나발이라는 것이 있습니다. 나발은 쇠붙이로 만든 긴 대롱을 입으로 불어 소리를 내는 악기인데요, 이와 관련된 속담에 ㉢'원님 덕에(4-⑤) 나발 분다.'라는 말이 있지요. 이것은 남의 덕으로 분에 넘치는 대접을 받음을 비유하여 이르는 말입니다. 옛날에 원님이 행차를 하면 앞에서 나발을 불어 사람들로 하여금 길을 비키게 하는 역할을 하는 사람이 있었습니다. 그렇게 나발을(4-①) 부는 사람은 사실 보잘것없는 직책을 지녔지만, 나발을 불며 지나가면 그 앞에서 다들 길을 피하니 마치 자기가 원님이라도 된 듯한 기분을 느꼈을 테지요. '원님 덕에 나발 분다.'의 유래.

주제: 민속 악기와 관련된 낱말과 속담의 유래.

* **타악기:** 두드려서 소리를 내는 악기를 통틀어 이르는 말.
* **동조하다:** 남의 주장에 자기의 의견을 일치시키거나 보조를 맞추다.

우리나라 민속 악기와 관련된 [☑낱말 / □풍습]이나 속담에 대해 [☑설명하는 / □주장하는] 글입니다.

1. 민속 악기
1문단에서 우리의 낱말이나 속담에는 우리나라 민속 악기와 관련된 것들이 있다고 했어요.

2. ④
'짱구', '맞장구치다', '원님 덕에 나발 분다.' 등의 용어에 대한 개념과 유래를 상세하게 설명하며 이해를 돕고 있어요.

3. ②
나발 연주자가 나발을 불고 원님이 행차하는 사진 자료를 제시하는 것은 '원님 덕에 나발 분다.'는 의미를 이해하는 데 도움이 되지만, 나발 연주자의 인적 사항 소개 자료는 내용을 이해하는 데에 별 도움이 되지 않아요.

4. ②
2문단에서 맞장구를 치는 두 사람은 서로 호흡이 맞아야 한다고 했어요.

5. ㉢
주어진 상황은 친구가 미술 대회에서 은상을 받은 덕분에 가연이도 학용품 세트를 나눠 받은 것이기에 남의 덕으로 분에 넘치는 대접을 받음을 비유하여 이르는 말인 ㉢으로 표현할 수 있어요.

"감쪽같다"

'감쪽같다'에서 '감'은 곶감을 말하는 것이고, '쪽'은 어떤 것을 쪼갰을 때의 한 조각을 말하는 거예요. 결국 '감쪽'이란 '곶감을 쪼갰을 때의 한 쪽'을 말하지요. 그러니까 '감쪽같다'는 말은 '곶감의 한 쪽을 먹는 것처럼 너무 빨라 일의 흔적조차 남기지 않는다.'라는 뜻이에요.

기사문 문제 ❻~❾

1 지난해 지리산 반달가슴곰(반달곰) 한 마리가 90km 떨어진 경북 김천 수도산으로 두 차례 탈출했다 붙잡혀 왔다. 국립공원관리공단이 2015년 지리산에 방사한 반달곰 ㉠KM-53이었다. 2004년 시작된 반달곰 종 복원 프로젝트에 따라 한국(Korea)에서 태어난 수컷(Male) 중 53번째 지리산 곰이란 뜻으로 이런 이름을 붙였다. 이 곰이 5일 새벽 또다시 지리산을 탈출하다 통영대전 고속도로 함양 분기점에서 관광버스에 치였다. 지리산 방사한 지리산 반달곰의 사고 소식.

2 현재 지리산에 살고 있는 반달곰은 56마리이고 지리산에서 수용 가능한 수는 최대 78마리라고 한다. 2027년엔 100마리를 넘어설 것으로 전망된다. KM-53처럼 끈질기고 모험심이 많다면 다른 곳을 찾아 떠나는 반달곰이 늘어날 수밖에 없다. 이런 상황에서 반달곰 이동을 위한 생태 통로가 더욱 중요해졌다. 생태 통로는 도로나 댐 등의 건설로 야생 동물이 서식지를 잃는 것을 방지하기 위하여 야생 동물이 지나는 길을 인공적으로 만든 것이다. 이번 사고 구간은 4살짜리 반달곰 KM-53의 이동 경로 중 가장 위험하다고 지적 받은 곳이다. 반달곰 이동을 위한 생태 통로의 중요성.

3 고라니, 너구리, 멧돼지, 오소리, 산토끼 등 야생 동물 2,500여 마리가 매년 고속도로에서 로드 킬*을 당한다. 생태 통로는 야생 동물의 생존 수단이지만, 현실을 보면 야생 동물이 살아갈 수 있는 환경적인 여건은 갖춰지지 않은 채 통로만 있는 형국*이다. ㉡쓰레기로 가득 찬 터널형 통로, 바닥을 시멘트 벽돌로 깔아 놓은 육교형 통로, 절벽에 가까운 절토(흙을 깎아 냄) 면에 막힌 육교형 통로가 적지 않다. 생태 통로의 문제점.

4 로드 킬을 당하는 야생 동물 외에도 관심이 필요한 야생 동물이 또 있다. 최근 멧돼지, 고라니 등의 도심 주택가 출몰*이 부쩍 늘었다. 11일 밤에도 충북 청주 시내의 한 상가와 아파트 지하 주차장에 멧돼지 2마리가 나타나 사람들을 놀라게 했다. 요즘은 어미로부터 독립한 어린 멧돼지들이 서식지 경쟁에서 밀리다 보니 먹이를 찾아 도심으로 내려오는 경우가 많다. 전문가들은 멧돼지의 야생 먹거리를 배려하되, 개체 수를 적절히 관리해야 한다고 말한다. 야생 동물을 보호하는 데에 더욱 관심을 기울여야 할 때이다. 야생 동물에 대한 관심의 필요성.

– ○○일보, ○월 ○일

주제: 야생 동물을 보호하는 데에 관심을 기울이자.

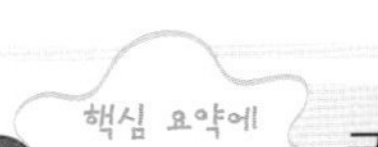

국립공원관리공단이 지리산에 [☑방사 / □매장]한 반달곰에 대한 정보 전달과 함께 야생 동물에 대한 관심을 높여야 한다고 말하는 [☑기사문 / □편지글]입니다.

6. ⑤
1문단에서 KM-53은 한국에서 태어난 수컷 중 53번째 지리산 곰이란 뜻이라고 했어요.

7. ④
3문단에서 현재의 생태 통로의 모습을 예로 제시하면서 야생 동물이 살아갈 수 있는 환경적인 여건은 갖춰지지 않은 채 통로만 있는 형국이라고 했어요.

8. ①
4문단에서 로드 킬을 당하는 야생 동물, 그리고 도심으로 내려오는 야생 동물 등에 관심을 더 높여야 한다고 했어요.

9. ④
㉮의 지리산에 살고 있는 반달곰들의 이름과 야생 먹거리를 정리한 문서 자료는 이 글의 내용과 직접적인 관련이 없으므로 보조 자료로 제시하기에는 적절하지 않아요.

* 로드 킬: 동물이 도로에 나왔다가 자동차 등에 치여 사망하는 사고.
* 형국: 어떤 일이 벌어진 형편이나 국면.
* 출몰: 어떤 현상이나 대상이 나타났다 사라졌다 함.

알아두면 도움이 돼요!

"기사문"

알릴만한 가치가 있는 사건이나 사실을 신속하고 정확하게 전달하기 위하여 쓴 글을 기사문이라고 해요. 신문이나 잡지 등에서 어떠한 사실을 알리는 글을 말하기도 해요. 기사문은 읽는 이의 관심을 끌 만한 내용을 육하원칙에 따라 체계적으로 쓰고 문장은 간결하게 써야 해요.

09 일차

주장하는 글 문제 ❶~❹

1 우리나라뿐만 아니라 세계 곳곳에서 벌어지고 있는 환경 개발이 우리의 삶을 위협하고 있다. 무분별한 개발로 우리 삶의 터전*인 자연은 몸살을 앓게 되었고, 이제 인류의 생존까지 위협하는 상황에 이르렀다. 우리는 자연의 소리에 귀를 기울이고 자연을 보호해야 할 의무가 있다. 그렇다면 자연을 보호해야 하는 까닭은 무엇인가? 무분별한 환경 개발의 문제점.

2 첫째, (3-㉠) 자연은 한번 파괴되면 복원하기가* 어렵다. 한 그루의 어린나무가 아름드리나무로 성장하는 데 약 30년에서 50년이 걸린다고 한다. 또한 우유 한 컵을 정화하려면 약 2만 배의 깨끗한 물이 필요하다고 한다. 이처럼 환경을 오염시키는 것은 순간이지만 오염된 환경을 되살리는 데는 수십, 수백 배의 시간과 노력이 필요하다. 자연을 보호해야 하는 까닭 1

3 둘째, (3-㉡) 무리한 환경 개발은 생태계를 파괴한다. 생물은 서로 유기적인 생태계로 얽혀 있으며 주변 환경과 영향을 주고받으면서 살아간다. 환경 개발로 생태계가 파괴되면 결국 사람의 생활 환경이 악화된다. 무리한 환경 개발을 지속하면 기후 변화로 인한 자연 재해가 잦아지고 동식물이 멸종 위기에 처하는 등 지구 환경이 위협을 받게 될 것이 분명하다. 자연을 보호해야 하는 까닭 2

4 셋째, (3-㉢) 자연은 우리 후손이 살아갈 삶의 터전이다. 당장의 편리와 이익만을 추구하다 보면 우리 후손이 물려받게 될 삶의 터전이 훼손된다*. 환경을 고려하지 않은 개발로 물, 공기, 토양, 해양 등의 자연환경이 돌이키기 힘들 정도로 훼손되면 우리 후손은 그 훼손된 자연 속에서 살아가야 한다. 조상으로부터 금수강산을 물려받은 우리는 후손에게 아름다운 자연을 물려주어야 할 의무가 있다. 자연은 조상이 남긴 소중한 환경 유산이자 동시에 후손이 앞으로 살아갈 삶의 터전임을 잊어서는 안 된다. 자연을 보호해야 하는 까닭 3

5 자연은 어머니의 따뜻한 품이자 우리의 영원한 안식처이다. 더이상 무분별한 개발로 금수강산을 훼손해서는 안 된다. 환경 개발로 사라져 가는 동식물을 다시 이 땅으로 돌아오게 하여 더불어 살아가도록 해야 한다. 지나친 개발로 인한 지구 온난화와 이상 기후 현상이 더이상 심해지지 않도록 노력하는 일도 우리 모두에게 남겨진 과제이다. 이제 우리 모두 자연 보호를 실천에 옮겨야 한다. 자연 보호에 대한 실천 촉구.

주제: 무분별한 환경 개발을 중단하고 자연을 보호해야 한다.

자연을 보호해야 하는 [☑까닭 / □원인]을 근거로 제시하면서 자연 보호를 실천에 옮길 것을 [□광고하는 / ☑주장하는] 글입니다.

1. 무분별한 (환경) 개발

1문단에서 무분별한 개발로 자연은 몸살을 앓게 되었고, 인류의 생존까지 위협하게 되었다고 했어요.

2. ②

이 글에서 글쓴이는 무분별한 개발을 중단하고 자연 보호를 실천에 옮겨야 한다고 주장하고 있어요.

3. ㉠ 복원, ㉡ 생태계, ㉢ 후손

2~4문단의 첫 번째 문장에 글쓴이의 주장을 뒷받침하는 근거들이 제시되고 있어요. 2문단에는 '자연은 한번 파괴되면 복원하기가 어렵다.'라는 내용이, 3문단에는 '무리한 환경 개발은 생태계를 파괴한다.'라는 내용이, 4문단에는 '자연은 우리 후손이 살아갈 삶의 터전이다.'라는 내용이 근거로 제시되고 있어요.

4. ④

첫 번째 그림은 어린나무가 자라는 데 30~50년이 걸린다는 의미이고, 두 번째 그림은 우유 한 컵을 정화하려면 2만 배의 깨끗한 물이 필요하다는 의미예요. 2문단에서 이러한 사례를 통해 파괴된 자연을 되살리는 데는 수십 수백 배의 시간과 노력이 든다는 것을 보여 주고 있어요.

* **터전:** 살림의 근거지가 되는 곳.
* **복원하다:** 원래대로 회복하다.
* **훼손되다:** 헐리거나 깨져 못 쓰게 되다.

"논설문의 구성"

알아두면 도움이 돼요!

서론에서는 주장하고자 하는 문제가 무엇인지 밝히고, 글을 쓴 동기나 목적을 드러내요. 본론에서는 주장과 그에 대한 근거를 전개해요. 그리고 서론이나 결론보다 길게 써야 해요. 결론에서는 본론의 내용을 요약하고 정리해야 해요. 앞으로의 전망 등을 간결한 문장으로 쓰는 것도 좋아요.

본문 ➡ 50쪽

수필 문제 ❺~❽

하루는 선생님께서 시간을 어떻게 관리해야 하는지에 대해 아주 구체적인 예를 들어 설명해 주셨습니다.

"자, 퀴즈를 하나 풀어 봅시다."

선생님께서 교탁 밑에서 커다란 항아리를 하나 꺼내 교탁 위에 올려놓으셨습니다. 그러시고 나서 ㉠주먹만 한 돌을 항아리 속에 하나씩 넣기 시작하셨습니다. 항아리에 돌이 가득 차자 선생님께서 물으셨습니다.

"이 항아리가 가득 찼습니까?"

우리들이 입을 모아 그렇다고 대답했습니다. 그러자 선생께서는 정말 그러냐고 되물으시더니, 다시 교탁 밑에서 ㉡조그만 자갈을 한 움큼 꺼내 들었습니다. 그러시고는 항아리에 집어넣고 항아리를 흔드셨습니다. 주먹만 한 돌 사이에 조그만 자갈이 가득 차자, 선생님께서는 다시 물으셨습니다.

"이 항아리가 가득 찼습니까?"

눈이 둥그레진 우리들은 '글쎄요.' 하고 대답하였고, 선생님께서는 다시 교탁 밑에서 모래주머니를 꺼내셨습니다. ㉢모래를 항아리에 넣어, 주먹만 한 돌과 자갈 사이의 빈틈을 가득 채우신 뒤에 다시 물으셨습니다.

"이 항아리가 가득 찼습니까?"

우리들은 아니라고 대답했고, 선생님께서는 다시 물 한 주전자를 항아리에 부으셨습니다. 그러시고 나서는 우리들에게 물으셨습니다.

"이 실험의 의미가 무엇이겠습니까?

한 학생이 즉각 손을 들어 대답했습니다.

"너무 바빠서 시간이 없더라도 정말 노력하면 그 사이에 새로운 일을 할 수 있다는 것입니다."

선생님께서는 고개를 저으시면서 말씀하셨습니다.

"그것이 요점이 아닙니다. 이 실험이 우리에게 주는 의미는 만약 큰 돌을 먼저 넣지 않는다면, 영원히 큰 돌을 넣지 못할 것이라는 것입니다. 즉 꼭 해야 하는 중요한 일들을 먼저 처리해야 한다는 것이지요."

주제: 중요한 일을 먼저 해야 한다.

5. ②
이 글은 선생님의 수업에 대한 이야기를 통해 시간을 관리하는 지혜로운 방법에 대해 교훈을 전달하고 있어요.

6. ⑤
선생님은 마지막 발언에서 이 실험의 의미를 '큰 돌을 먼저 넣지 않는다면 영원히 큰 돌을 넣지 못할 것'이라고 설명했어요.

7. ㉠ 중요한 일, ㉡, ㉢ 중요하지 않은 일
선생님은 마지막 발언에서 이 실험의 의미는 '꼭 해야 하는 중요한 일들을 먼저 처리해야 한다.'는 것이라고 설명했어요. 따라서 먼저 넣어야 하는 '주먹만 한 돌'은 먼저 해야만 해 낼 수 있는 중요한 일을, '조그만 자갈'과 '모래'는 중요하지 않은 일을 의미한다고 할 수 있어요.

8. ①
이 글이 전해 주는 교훈은 중요한 일을 먼저 처리해야 한다는 것이에요. 따라서 여러 가지 일을 해야 하는데 시간이 없어 고민하고 있는 정희에게 세민이는 가장 중요한 일을 먼저 해야 한다고 조언할 수 있어요.

선생님께서 [□놀이 / ☑퀴즈]를 통해 시간을 관리하는 방법을 알려 주는 내용의 [☑수필 / □전기문]입니다.

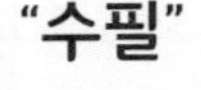

"수필"

알아두면 도움이 돼요!

수필은 자신의 생각이나 생활 속에서 보고 느낀 것을 자유롭게 쓰는 글이에요. 수필에 담겨 있는 삶의 모습은 우리에게 재미와 감동을 줍니다. 또한 글쓴이의 깊은 깨달음이 담겨 있는 수필은 우리의 행동을 뒤돌아보게 해요.

10 일차

주장하는 글 문제 ❶~❹

1 여러분, 퍼스널 모빌리티(Personal Mobility), 즉 PM에 대해 들어 본 적이 있습니까? PM이란 전기를 충전해서 그 동력으로 움직이는 1인용 개인 이동 수단을 말합니다. 여러분들이 흔히 타는 킥보드 중에서도 전동 킥보드가 바로 퍼스널 모빌리티(Personal Mobility)입니다. PM의 개념과 예.

2 1인용 개인 이동 수단은 저렴하고 친환경적이어서 도시에서의 새로운 이동 수단으로 떠오르고 있습니다. 전문가들은 1인용 개인 이동 수단이 2020년에는 세계 시장의 3분의 1을 점유할* 것이라고 전망하고 있습니다. 그런데 이런 장점을 지닌 1인용 개인 이동 수단의 이용자 수가 급증함에 따라 사고 발생 현황도 높아지고 있습니다. 1인용 개인 이동 수단의 판매량 및 이용자 수는 재작년에 비해 올해에는 80배나 증가했고, 이에 따라 교통사고 및 안전사고 역시 32.7%나 증가했습니다. 교통사고의 주요 원인은 운전 미숙(79.8%), 보행자 충돌(14.1%), 차량 충돌(4.1%) 등으로 나타났습니다. 그렇다면 왜 이렇게 교통사고 및 안전사고가 증가하는 것일까요? PM 산업의 장밋빛 전망과 높아지는 사고율.

3 1인용 개인 이동 수단에는 전동 킥보드 이외에도 전동 휠, 세그웨이(왕발통) 등이 포함됩니다. 그런데 (3-④) 이런 1인용 개인 이동 수단은 차량에 속합니다. 따라서 이것을 이용하려면 반드시 (3-⑤) 만 16세 이상이 소지할* 수 있는 원동기 자전거 이상의 면허를 가져야 합니다. 즉 면허가 없는 어린이는 전동 킥보드나 전동 휠을 탈 수 없는 것이지요. 그런데도 유명 관광지에서는 불법으로 어린이들에게 전동 킥보드를 빌려주고 있는 실정입니다. PM 이용의 자격 요건.

4 1인용 개인 이동 수단을 안전하게 이용하기 위해서는 (3-①) 운행하기 전 안전모와 무릎 보호대 같은 안전 장구를 꼭 착용해야 합니다. 그리고 (3-②) 1인용 개인 이동 수단을 운행할 때에는 좌우 도로를 꼭 살펴야 하며, (3-③) 핸드폰을 사용해서는 절대 안 됩니다. 이제는 친환경 교통수단인 1인용 개인 이동 수단을 제대로 알고 안전하게 탑시다. PM을 이용할 때의 주의점.

주제: PM을 제대로 알고 안전하게 이용하자.

* **점유하다**: 물건이나 영역, 지위 따위를 차지하다.
* **소지하다**: 물건을 지니고 있다.

1. ③
3문단에서 1인용 개인 이동 수단에는 전동 킥보드 외에도 전동 휠, 세그웨이 등이 포함된다고 했어요.

2. ㉮ 운전 미숙, ② 4.1, ③ 보행자 충돌
3문단에서 교통사고의 원인 유형을 조사해 보니 운전 미숙(79.8%), 보행자 충돌(14.1%), 차량 충돌(4.1%)로 나타났다고 했어요.

3. ④
3문단에서 PM은 차량에 속한다고 하였으므로, 인도로 주행하는 것은 알맞지 않아요.

4. ⑤
보행자 충돌 사고는 PM 이용자나 보행자의 부주의로 일어날 수 있어요. 따라서 PM 이용자 외에 보행자 역시 길을 갈 때 사고가 나지 않도록 주의를 기울일 필요가 있어요.

친환경 교통수단으로 떠오르는 [☑1인용 / □2인용] 개인 이동 수단에 대한 정보를 제공하고, 안전하게 이용하는 규칙에 대해 [□광고하는 / ☑주장하는] 글입니다.

""퍼스널 모빌리티"의 휴대성"

알아두면 도움이 돼요!

퍼스널 모빌리티는 공해가 거의 없고 유지비가 들지 않는다는 장점 외에도 휴대가 간편하다는 특징이 있어요. 가방이나 전용 상자에 넣고 대중교통과 병행하여 사용하기도 하지요.

토론 문제 ❺~❽

사회자: 요즘 '소확행'나 '갑분싸'와 같은 줄임말이나 이모티콘 등의 인터넷 언어가 학생들 사이에서 일상적으로 사용되고 있습니다. 그래서 오늘은 '인터넷 언어를 사용해도 된다.'라는 논제*로 토론을 진행하겠습니다. 먼저 찬성 측 말씀해 주세요. 사회자의 논제 소개.

동준: 저는 인터넷 언어 사용에 찬성합니다. 인터넷은 속도가 중요하기 때문에 될 수 있으면 뜻만 통할 수 있게 간단히 나타내려는 경향에서 인터넷 언어가 등장했어요. 이는 우리나라만의 현상이 아니고 전 세계적인 현상이에요. 따라서 인터넷 언어는 인터넷이라는 기술의 발달에 따른 국어의 당연한 변화로 이해할 수 있어요. 찬성 측의 주장 1

연서: 인터넷 언어 중 이모티콘은 컴퓨터 자판의 여러 문자, 기호, 숫자를 이용하여 감정이나 의사를 얼굴 모양으로 만든 것이에요. 이는 글자보다 영상에 익숙한 어린 친구들을 중심으로 급속히 퍼져 나가 이제는 휴대 전화로 문자를 주고받을 때도 많이 사용되고 있어요. 이런 이모티콘의 경우 서로 언어가 다른 사람들 간이나 글자를 모르는 이들 간에도 의사소통이 가능하다는 장점이 있어요. 따라서 인터넷 언어를 사용하는 데에 찬성합니다. 찬성 측의 주장 2

영옥: 저는 인터넷 언어를 사용하는 것이 우리 언어생활에 부정적인 영향을 끼친다고 생각합니다. 물론 저도 친구들과 인터넷 언어를 주고받아요. 그런데 저도 알 수 없는 문자가 오기도 해서 당황스러울 때가 있어요. 이렇게 가다간 서로 의사소통이 안 될 수도 있다는 생각이 들어요. 반대 측의 주장 1

정수: 저도 인터넷 언어를 사용하는 것에 반대합니다. 왜냐하면 첫째, 표준어나 맞춤법에 혼란을 가져올 수 있어요. 실제로 학교에서 글쓰기를 할 때에도 이모티콘이나 맞춤법이 틀린 어휘를 아무렇지도 않게 쓰기도 해요. 둘째, 인터넷 언어는 소리 나는 대로 쓴다든지, 긴말을 줄인다든지 하여 인터넷에 익숙하지 않은 사람, 특히 나이 드신 분들은 이해하기 어려워요. 셋째, 인터넷 언어로 은어*나 비속어* 또는 욕을 많이 써요. 그래서 일상생활에서도 은어나 비속어 심지어 욕을 늘 하는 친구들도 있어요. 반대 측의 주장 2

논제: 인터넷 언어를 사용해도 된다.

'인터넷 언어를 사용해도 된다.'라는 [☑논제 / □소재]로 찬성과 반대의 입장으로 나뉘어 서로의 입장을 주장하는 [☑토론 / □인터뷰]입니다.

5. ⑤
각 학생들은 논제에 대해 근거를 제시하면서 자신의 주장을 내세우고 있어요.

6. (1) 동준, 연서 (2) 영옥, 정수
동준은 인터넷 언어 사용에 찬성한다고 했어요. 연서는 이모티콘의 장점을 들어 인터넷 언어 사용에 찬성한다고 했어요. 영옥은 인터넷 언어 사용이 우리 언어생활에 부정적인 영향을 끼친다고 했어요. 정수도 인터넷 언어 사용에 반대한다고 했어요.

7. 동준
[보기]는 인터넷 언어에 언어의 경제성을 추구하는 특성이 반영되어 있다는 설명이에요. 동준은 인터넷 언어가 뜻만 통할 수 있게 간단히 나타내려는 경향에서 등장했다고 했어요. 따라서 [보기]를 주장을 보완하는 데 활용할 만한 사람은 동준이에요.

8. ③
인터넷에 익숙하지 않은 사람들이나 나이가 드신 분들이 인터넷 언어를 이해하는 데 어려움이 있다는 근거를 제시한 친구는 정수예요. 영옥은 친구들 간 의사소통이 안 될 수 있다는 점을 근거로 제시했어요.

* **논제**: 토론 따위의 주제나 제목.
* **은어**: 어떤 계층이나 부류의 사람들이 다른 사람들이 알아듣지 못하도록 자기네 구성원들끼리만 빈번하게 사용하는 말.
* **비속어**: 격이 낮고 속된 말.

어휘력 쑥쑥 테스트

01. 내외	02. 무안	03. 봉변	04. 안식처	05. 투입	06. 동조
07. 복원	08. ㉠	09. ㉣	10. ㉢	11. ㉡	12. 소지
13. 형국	14. 점유	15. 은어			

11 일차

기사문 문제 ❶~❹

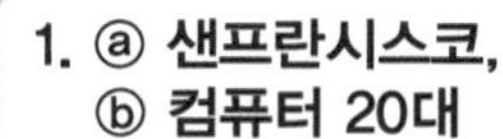

2문단에서 미국 캘리포니아주 샌프란시스코에 로봇이 햄버거를 만드는 가게가 새로 생겼다고 했어요. 그리고 이 로봇은 컴퓨터 20대와 센서 350개로 작동한다고 했어요.

2. ④

3문단에서 로봇이 햄버거를 만드는 과정을 설명하고 있어요.

3. ①, ④

4문단에서 로봇이 만든 햄버거는 계량이 정확해 맛도 아주 일정하고 빠르게 만들어진다는 장점이 있다고 했어요. 그리고 노동력에 쓰이는 비용도 절약할 수 있어 저렴하게 판매된다고 했어요.

4. ②

이 글의 글쓴이는 로봇이라는 대상에 대해 긍정적인 입장을 보이고 있어요. 그런데 ②는 그러한 인공 지능에 대해 부정적인 태도를 보이고 있어요.

1 인공 지능과 로봇의 시대. 최근 들어 로봇이 주문을 받고 결제까지 해 주는 식당들이 많이 늘어나고 있습니다. 로봇은 계산을 실수하지 않고 지치지도 않으니 단순한 노동에 로봇을 사용하는 경우가 많아지고 있는 것입니다. 그런데 음식의 맛을 좌우할 수 있는 요리사가 로봇이라면 어떻게 될까요? 과연 로봇이 만든 음식은 인간이 만든 요리의 맛을 따라갈 수 있을까요? 인공 지능과 로봇의 시대 도래.

2 최근 미국의 언론에 따르면 캘리포니아주 샌프란시스코에 로봇이 햄버거를 만드는 가게가 새로 생겼다고 합니다. 이 로봇은 사람의 도움 없이 주문부터 재료 손질, 고기 패티 굽기 등 모든 요리 과정을 혼자서 담당한다고 합니다. 옛날에도 햄버거 패티를 굽는 로봇은 있었지만, 전체 요리를 혼자 해내는 로봇은 이번이 처음입니다. 알렉스 바르다 코스타스 최고 경영자에 따르면 이 로봇은 컴퓨터 20대와 센서 350개를 바탕으로 작동한다고 합니다. 로봇이 햄버거를 만드는 가게의 등장.

3 그렇다면 이 로봇은 어떤 과정을 거쳐 햄버거를 만들까요? 우선 주문이 접수되면 빵은 투명한 관을 통해 조리대로 들어가고 전동 칼이 빵을 반으로 가릅니다. 그러면 빵의 윗부분은 잠시 멈춰있고 빵의 아랫부분은 또 다른 조리대로 보내집니다. 로봇은 빵 아랫부분에 버터를 바르고 소스를 뿌립니다. 소스가 뿌려진 빵 아랫부분은 컨베이어 벨트*처럼 움직이는 조리대로 보내지고, 피클, 양파, 토마토 등의 재료들이 차례로 쌓입니다. 그리고 마지막으로 남아있던 빵 윗부분이 놓이면서 햄버거가 완성됩니다. 로봇이 햄버거를 만드는 작업 과정.

4 이렇게 만든 햄버거는 로봇이 만들다 보니 계량(3-①)이 정확해 맛도 아주 일정하고 빠르게 만들 수 있다는 장점이 있습니다. 또한 혼자서 주문부터 제작(3-④)까지 모든 공정*을 처리하기 때문에 노동력에 쓰이는 비용도 절약할 수 있어 다른 수제* 햄버거에 비해 저렴하게 판매될 예정입니다. 햄버거 로봇 활용의 장점.

주제: 햄버거 만드는 로봇의 등장과 이점.

* **컨베이어 벨트:** 두 개의 바퀴에 벨트를 걸어 돌리면서 그 위에 물건을 올려 연속적으로 운반하는 장치.
* **공정:** 한 제품이 완성되기까지 거쳐야 하는 하나하나의 작업 단계.
* **수제:** 손으로 만듦.

햄버거를 만드는 로봇의 등장과 로봇이 햄버거를 만드는 과정, 그 [☑장점 / □단점] 등을 소개하는 [☑기사문 / □기행문]입니다.

"인공 지능"

최근 들어 인공 지능과 관련된 지문이나 개념이 많이 등장하고 있어요. 인공 지능이란 사람의 학습하는 능력, 생각하는 능력, 말하는 능력 등을 컴퓨터 프로그램으로 실현한 기술이에요. 인공 지능을 통해 컴퓨터나 로봇이 인간처럼 지능적인 행동을 하기도 해요.

감상 보고서 문제 ⑤~⑧

▲ 오노레 도미에의 「삼등 열차」

1 선생님께서 보여 주신 여러 가지 작품 중에서도 이 작품은 제목이 인상 깊었다. 삼등 열차라고 하면 왠지 지정된 자리도 없고 시설도 형편없는 열차가 연상된다. 아무래도 이런 열차에는 서서 가는 사람들이나 바닥에 신문지를 깔고 지친 몸을 아무 곳에나 기댄 채 앉아 있는 사람들이 많을 것이다. 이런 모습은 우리 사회 어디에서도 쉽게 볼 수 있는 사람들의 삶을 고스란히 담고 있는 것 같아서 이 작품으로 보고서를 쓰게 되었다. 작품 선정 이유.

2 「삼등 열차」는 파리의 서민적인 생활을 부각하고* 사회의 부조리*와 위선적*인 인간상을 그려 내는 사실주의적 그림이다. 열차에 탄 사람들을 그려 내고 있는데 그들은 같은 열차에 타고 있지만 모두 자신의 일만 생각하는 데 몰두해 있어서 타인에게는 무관심한 표정들이다. 도미에의 그림의 특징은 날카로운 성격 묘사와 명암 대조를 교묘히 융합시킨 것이다. 즉 그림에 나타난 인물들의 모습은 날카로우나, 빛이나 선은 부드럽게 표현한 것이다. 표현상의 특징.

3 그림의 색감이나 사람들의 표정이 어두워서 일상에 지친 그들의 고단함이 느껴졌고, 그림을 보는 나도 감정 이입*이 되었다. 그림의 배경에는 무기력해 보이는 사람들이 가득 그려져 있다. 내 생각에 열차 안의 풍경은 고된 하루 일과를 마치고 집으로 돌아가는 사람들이 서로 간의 대화나 웃음도 없이 그저 달리는 기차에 지친 몸을 싣고 있는 것 같다. 그런데 특이한 것은 그림의 중심에 있는 할머니가 지그시 눈을 감고 있다는 것이다. 아마도 가족이 행복하기를 기도하고 있는 것은 아닐까? 이렇게 생각한다면 이 그림은 쓸쓸하고 어두운 것이 아니라, 힘들고 지친 가운데서도 가족을 생각하고 돌아갈 집을 생각하는 가슴 한 편이 따뜻해지는 그림이 아닐까 하는 생각이 들었다. 작품에 대한 소감.

주제: 오노레 도미에의 「삼등 열차」에 대한 감상.

오노레 도미에의 [□「일등 열차」/ ☑「삼등 열차」]라는 작품을 보고 느낀 점을 기록한 [□기사문 / ☑감상 보고서]입니다.

5. ⑤
이 글에서 작품을 전시했던 장소들에 대한 정보는 확인할 수 없어요.

6. ⑤
1문단에서 글쓴이는 우리 사회 어디에서도 쉽게 볼 수 있는 사람들의 삶을 고스란히 담고 있는 것 같아서 오노레 도미에의 「삼등 열차」로 보고서를 쓰게 되었다고 했어요.

7. ④
2문단에서 글쓴이는 그림을 보고 인물들의 생활 모습은 날카로우나 빛이나 선은 부드럽게 표현했다고 했어요.

8. ⓐ 어두워서 ⓑ 할머니
3문단에서 그림의 색감이나 사람들의 표정이 어두워서 일상에 지친 그들의 고단함이 느껴졌고, 자신의 감정도 이입되는 것 같다고 했어요. 그리고 눈을 감고 있는 할머니의 모습이 가족의 행복에 대해 기도하는 것 같다고 했어요.

* **부각하다:** 어떤 사물을 특징지어 두드러지게 하다.
* **부조리:** 이치에 맞지 아니하거나 도리에 어긋남. 또는 그런 일.
* **위선적:** 겉으로만 착한 체하는. 또는 그런 것.
* **감정 이입:** 대상으로부터 느낌을 직접 받아들여 대상과 자기가 서로 통한다고 느끼는 일.

"보고서"

알아두면 도움이 돼요!

보고서는 보고하는 글이나 문서를 말해요. 조사나 답사를 한 후에는 보고서를 써서 기록으로 남겨요. 보고서를 쓰면서 조사하거나 답사하여 알게 된 내용을 정리할 수 있고, 다른 사람에게 알릴 수 있기 때문이지요. 미술 감상 보고서에는 해당 작품을 선정한 이유, 해당 작품에 대해 조사한 내용, 감상을 한 소감 등이 들어간답니다.

12 일차

광고문 문제 ❶~❺

영화나 드라마, 게임 등 가상의 세상에 존재하는 좀비.

지금 우리 곁에도 있다는 사실 알고 계신가요?

'스몸비'는 스마트폰과 좀비를 합성해서 만든 말로,

스마트폰을 보며 걸어 다니는 사람들을 일컫는 말입니다.

최근 3년 동안의 교통사고 분석 결과

보행* 중 주의 분산으로 인한 사고의 61.7%가 휴대 전화 사용이 원인.

휴대 전화를 보며 길을 걷게 되면

주변 상황에 대한 인지 능력이 떨어지고

위기 상황이 발생했을 때 대처가 늦거나 불가능합니다.

여러분은 이런 좀비가 되시겠습니까?

좀비가 되지 않으려면

걸어 다닐 땐 휴대 전화에서 눈을 ㉠떼십시오.

주제: 걸어 다닐 때는 휴대 전화를 보지 말자.

* **보행**: 걸어 다님.

스마트폰을 보며 걸어 다니는 사람을 [☐기계 / ☑좀비]에 비유하며, 걸어 다닐 때는 휴대 전화에서 눈을 떼라는 내용을 담은 [☐기사문 / ☑광고문]입니다.

1. 휴대 전화

이 글에서는 스마트폰을 보며 걸어 다니는 사람들을 '스몸비'라 일컫는다고 말하면서, 이것이 사고의 원인이 된다고 말했어요.

2. ②

걸어 다니면서 휴대 전화를 보는 것이 사고의 원인이 된다고 했어요.

3. ①, ②

휴대 전화를 보며 길을 걷게 되면 주변 상황에 대한 인지 능력이 떨어지고 위기 상황이 발생했을 때 대처가 늦거나 불가능하다고 했어요.

4. ④

이 광고는 휴대 전화를 보며 걸어가면 사고가 날 수 있다는 내용을 담고 있기 때문에 휴대 전화를 보며 가던 사람이 차와 부딪히는 그림을 추가하면 내용 전달이 더 잘 될 수 있어요.

5. ④

㉠과 같이 휴대 전화에서 눈을 '떼다'라는 의미는 휴대 전화를 '눈여겨 지켜보던 것을 그만두다.'라는 뜻으로 해석할 수 있어요.

"공익 광고"

공익 광고는 개인적인 이익이 아니라 나라와 국민 전체의 이익을 위하여 만든 광고예요. 담배는 몸에 해로우니 피우지 말자는 내용, 에너지를 아껴 쓰자는 내용의 광고들이 그 예랍니다. 공익 광고는 학계, 언론계, 광고계, 정부, 소비자 단체 등 사회 각층에서 뽑힌 15~20명의 위원으로 구성된 공익광고협의회에서 담당하여 만들고 있어요.

주장하는 글 문제 ❻~❽

1 우리가 집에서 먹다 남은 약 중에서 유효 기간이 지났거나 변질*, 부패 등으로 사용할 수 없는 의약품을 폐의약품이라 한다. 다들 한 번쯤은 병원에서 처방받은 약을 다 먹지 않은 채 쓰레기통에 버린 경험이 있을 것이다. 그런데 약은 먹는 방법만큼이나 버리는 방법도 정말 중요하다. 폐의약품을 버리는 방법의 중요성.

2 처음에는 대부분의 사람들이 무심코 의약품을 하수구에 버리거나 쓰레기봉투에 버렸는데, 환경부에서 조사한 결과 토양이나 하천에서 약 성분들이 다량 검출되었다. 그 후 2010년 7월부터 가정에서 폐의약품을 약국이나 보건소로 가져가면 이를 해당 지방 자치 단체가 수거, 소각하는* 사업이 전국적으로 시행되었다. 지방 자치 단체의 폐의약품 수거, 소각 사업.

3 그렇다면 약을 쓰레기통에 버리는 것은 왜 문제가 될까? 약은 화학 물질이기 때문에 경우에 따라서는 독성 물질로 변할 수 있다. 그래서 먹고 남은 약을 싱크대를 통해 하수도로 배출하거나 생활 쓰레기로 쓰레기봉투에 담아 버릴 경우 의약 물질에서 나온 항생 물질 등이 하천 및 토양에 들어가 환경 문제를 일으킬 수 있다. 결국 무심결에 버린 약은 생태계 교란, 식수 오염 등의 문제를 일으켜 오히려 우리 몸을 병들게 할 수 있다. 폐의약품 무단 배출의 문제점.

4 따라서 가정에서는 폐의약품을 처리하는 방법을 제대로 알고 실천해야 한다. 폐의약품은 약들의 포장지는 제거하고, 내용물만 골라서 한곳에 모아 폐의약품 수거함이 비치되어* 있는 근처의 약국, 보건소에 방문해서 버려야 한다. 이때 조제약은 약 포장지 상태로 그대로 배출하고, 알약은 PTP* 포장지나 플라스틱 통은 분리하고 캡슐이나 알약만 따로 비닐에 모아 밀폐해서 배출해야 한다. 물약은 한 병에 다 모아서 새지 않도록 밀봉하여 배출하고 안약, 연고 등은 종이 박스만 분리하고 그대로 배출해야 한다. 폐의약품 배출 요령.

5 가정 내에서 먹지 않아서 폐기해야 하는 약의 경우, 반드시 그냥 버리지 말고 폐의약품 수거함에 넣어야 한다는 것을 모두 다 기억해야 한다. 환경을 위해, 우리의 건강을 위해 폐의약품은 반드시 분리하여 배출하도록 하자. 올바른 폐의약품 배출 방법의 강조.

주제: 폐의약품을 분리하여 배출하자.

폐의약품의 위험성을 근거로 제시하면서 폐의약품을 제대로 [☑분리 / □분해] 배출해야 한다는 것을 강조하는 [□설명하는 / ☑주장하는] 글입니다.

6. 환경을 위해, 우리의 건강을 위해 폐의약품은 반드시 분리하여 배출하도록 하자.

5문단에서 주장을 다시 한번 강조하고 있어요.

7. ⓐ 쓰레기봉투, ⓑ 토양, ⓒ 약국

2문단에서 사람들이 무심코 의약품을 하수구나 쓰레기봉투에 버린다고 했어요. 이후 환경부에서 조사한 결과 토양이나 하천에서 약 성분이 다량 검출되었고, 이후 약국이나 보건소로 가져다 버리도록 하는 사업이 전국적으로 시행되었다고 했어요.

8. (1) (가), (2) (라), (3) (나), (4) (다)

4문단에서 가정에서 폐의약품을 처리하는 구체적 방법을 조제약, 알약, 물약, 안약과 연고 등으로 나누어 설명하고 있어요.

* **변질**: 성질이 달라지거나 물질의 질이 변함. 또는 그런 성질이나 물질.
* **소각하다**: 불에 태워 없애 버리다.
* **비치되다**: 마련되어 갖추어지다.
* **PTP**: 압박 포장. 정제(tablet)나 캡슐의 포장 형식으로, 손가락 끝으로 세게 눌러 꺼내는 PTP 포장 시트.

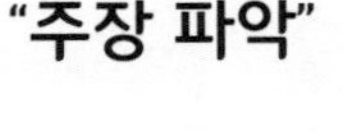

"주장 파악"

알아두면 도움이 돼요!

주장하는 글에서 글쓴이의 주장은 대부분 첫 문단이나 마지막 문단에서 제시되는 경우가 많아요. 첫 문단에서 주장이 제시된 경우 이후 문단에는 뒷받침 근거가 제시되고 마지막 문단에서 다시 한번 주장을 강조하는 식으로 내용이 전개돼요. 마지막 문단에서 주장을 나타낼 때는 첫 문단에서는 주로 문제 상황이 부각돼요.

13 일차

인터뷰 문제 ❶~❹

A: 오늘은 '푸드스타일리스트'를 만나봅니다. 푸드스타일리스트가 어떤 일을 하는지, 푸드스타일리스트가 되기 위해서는 어떤 준비가 필요한지 알아볼까요? 안녕하세요?

B: 안녕하세요? 저는 푸드스타일리스트 김은아입니다. 저는 방송, 광고에 등장할 음식을 만들고 그 음식이 맛깔스럽게* 보이도록 꾸미는 일을 합니다. 푸드스타일리스트의 소개.

A: 광고 속 음식이 맛있게 보이는 이유가 있나요?

B: 저희는 방송, 광고 속 음식이 맛있어 보이도록 특별한 연출*을 해요. 예를 들어 2-③ 떡볶이 같은 붉은색 음식은 검은색 그릇에 담아요. 검은색이 붉은색을 눈에 확 띄게 만들고 맛있어 보이게 하기 때문이지요. 2-① 멋진 분위기를 위해 그릇이나 테이블 세팅 등 음식 주변의 것들도 함께 연출합니다. 광고 속 음식이 맛있게 보이는 이유.

A: 푸드스타일리스트가 연출하는 음식은 다 진짜인가요?

B: 가짜 음식도 있답니다. 2-② 달걀흰자와 설탕, 식초를 넣어 녹지 않는 가짜 아이스크림을 만들기도 해요. 아이스크림은 녹기 쉬워 촬영이 어렵거든요. 또 글리세린을 이용해 2-④ 시원한 음료 표면에 탐스럽게 맺힌 물방울들을 연출하지요. 진짜 물방울은 자꾸 아래로 흘러내려 예쁜 모습을 찍기 어렵기 때문이에요. 푸드스타일리스트가 연출하는 가짜 음식들.

A: 푸드스타일리스트가 되려면 어떻게 준비해야 하나요?

B: 대학에서 푸드스타일리스트학이나 식품 영양학*, 호텔 조리학 등을 전공하면 유리합니다. 아직 국내에는 푸드스타일리스트와 연관된 국가 공인 시험은 없습니다. 대신 3-① 한식 · 양식 조리 자격증을 따거나 3-②, ③ 꽃 장식을 다루는 플로리스트, 색을 다루는 컬러리스트 등의 자격시험을 보면 도움이 되지요. 3-④ 디자인 감각을 키우기 위해 미술, 영화, 사진 등에 폭넓게 관심을 가지고 공부하는 것이 좋아요. '[㉠]'라는 말이 있지요. 음식의 맛은 물론이고 디자인도 굉장히 중요합니다. 오감으로 즐기는 음식을 만드는 푸드스타일리스트를 꿈꿔 보세요. 푸드스타일리스트가 되기 위한 준비 방법.

주제: 푸드스타일리스트의 소개와 준비 방법.

푸드스타일리스트가 하는 일과 푸드스타일리스트가 되기 위한 [☑방법 / □비용] 등에 대한 질문과 답변을 기록한 [□토의 / ☑인터뷰]입니다.

1. 꾸미는

첫 번째 답변에서 자신을 소개하면서 방송, 광고에 등장하는 음식을 만들고 그 음식이 맛깔스럽게 보이도록 꾸미는 일을 한다고 했어요.

2. ⑤

손님들을 대상으로 음식 맛의 만족도를 조사하고 평가한다고 하지는 않았어요.

3. ⑤

그릇이나 테이블 세팅 등 음식 주변의 것들도 함께 연출한다고는 했기 때문에 그릇을 연출하는 법을 공부하는 것은 맞지만, 그릇 만드는 법을 배워 음식에 어울리는 그릇을 직접 만들어 보라고 하지는 않았어요.

4. ③

'보기 좋은 떡이 먹기도 좋다.'는 겉모양새를 잘 꾸미는 것도 필요함을 비유적으로 이르는 말이에요.

* **맛깔스럽다:** 입에 담길 만큼 음식의 맛이 있다.
* **연출:** 연극이나 방송극 따위에서, 각본을 바탕으로 배우의 연기, 무대 장치, 의상, 조명, 분장 따위의 여러 부분을 종합적으로 지도하여 작품을 완성하는 일. 또는 그런 일을 맡은 사람.
* **식품 영양학:** 식생활에서 식품과 영양 문제를 다루는 자연 과학.

"인터뷰"

알아두면 도움이 돼요!

'면담'이라고 하기도 해요. 인터뷰는 알고 싶은 내용을 알아보기 위하여 얼굴을 마주하고 이야기하는 것이에요. 정보를 얻는 방법 중에서 알고 싶은 내용을 자세하고 정확하게 알 수 있는 방법이지요. 면담은 궁금한 점이 있으면 질문을 통해서 쉽고 빠르게 알 수 있다는 장점이 있어요.

설명하는 글 문제 ❺~❽

1 이 세상에 거울이 ㉠없다면 가장 불편한 사람은 누구일까요? 아마 거울을 통해 수시로 외모를 체크해야 하는 이들이 아닐까요? 하지만 누구든 거울이 없다면 불편한 일이 한두 가지가 아닐 것입니다. 식사 후에 이 사이에 낀 고춧가루를 그냥 둔 채 하루를 보낼지도 모를 일이지요. 거울이 없을 때의 불편함.

2 그러면 이러한 거울들은 어떤 원리로 똑같은 내 모습을 볼 수 있게 하는 걸까요? 사람은 빛의 반사에 의해 사물을 볼 수 있습니다. 즉, 빛이 사물에 반사되어 튕겨 나오고, 이 반사된 빛이 우리 눈에 들어와서 우리는 사물을 보게 되는 것입니다. 거울에 우리의 모습이 비치는 현상도 바로 빛의 반사 원리에 의해 이루어집니다. ㉡그리고 거울에 우리의 모습이 비치는 이유를 알기 위해서는, 먼저 빛의 반사가 무엇인지부터 알아야 합니다. 거울을 통해 대상을 볼 수 있는 원리.

3 ㉢그렇다면 빛의 반사란 무엇일까요? 빛의 반사란 빛이 진행하다 어떤 면에 부딪혀 튕겨 되돌아오는 현상을 말합니다. 우리는 이런 빛의 반사 현상을 그림자를 통해서도 추측해 낼 수 있습니다. 햇빛이 비치는 곳을 걸어갈 때 함께 따라다니는 친구가 있는데, 바로 그림자입니다. 그런데 이 그림자는 반드시 빛의 반대쪽에만 생긴답니다. 도대체 그 이유가 무엇일까요? 이것은 진행하던 빛이 우리 몸에 부딪혀 통과하지 못하기 때문에 생기는 현상이라고 할 수 있습니다. 빛의 반사의 개념과 원리.

4 ㉣그러면 이때 우리 몸에 부딪힌 빛은 어떻게 될까요? 일부는 흡수되기도 하지만 일부는 반사됩니다. 여기서 반사되는 빛은 아주 중요한 역할을 합니다. 이것은 우리가 물체를 볼 수 있는 이유와 직접적인 관련이 있기 때문입니다. 만약 빛의 반사가 없다면 우리는 사물을 볼 수 없습니다. 물체가 빛을 모두 흡수해 ㉤버리면, 그 물체를 비춘 빛이 우리 눈에 들어올 수 없기 때문이지요. 따라서 우리가 물체를 보는 과정은 빛이 물체에 반사되고, 그 반사된 빛이 우리 눈에 들어올 때 비로소 이루어집니다. 아름다운 풍경이 우리 눈앞에 펼쳐져 있습니까? '빛'이 닿아 비로소 나타나는 아름다운 풍경임을 기억하세요. 우리가 물체를 보게 되는 과정.

주제: 물체가 눈에 보이는 원리와 과정.

핵심 요약에 체크해 보세요.

빛의 [□굴절 / ☑반사]에 의해 우리가 사물을 볼 수 있는 원리에 대해 [☑설명하는 / □주장하는] 글입니다.

5. ㉮ 진행, ㉯ 반사

3문단에서 빛이 진행하다 어떤 면에 부딪히면 반사한다고 했어요. 4문단에서 이렇게 반사된 빛이 우리의 눈에 들어오면 우리가 물체를 볼 수 있다고 했어요.

6. ③

4문단에서 우리 몸에 부딪힌 빛은 일부가 흡수된다고는 했지만, 흡수되는 이유를 언급하지는 않았어요. ①은 2, 4문단, ②는 4문단, ④는 3문단, ⑤는 2문단에서 확인할 수 있어요.

7. 빛

2문단에서 거울로 똑같은 내 모습을 볼 수 있게 되는 것은 사물에 반사된 빛이 우리 눈에 들어오기 때문이라고 했어요.

8. ②

㉡의 앞부분에서 거울에 우리 모습이 비치는 것은 빛의 반사 원리에 의해 이뤄진다고 했어요. ㉡의 뒷부분에서는 거울에 모습이 비치는 이유를 알기 위해서는 빛의 반사를 먼저 알아야 한다고 했어요. 앞부분이 뒷부분의 이유가 되므로 앞에서 말한 일이 뒤에서 말할 일의 원인, 이유, 근거가 됨을 나타내는 '따라서'로 고쳐야 해요.

알아두면 도움이 돼요!

"문단이 질문으로 시작할 때"

설명하는 글에서 특정 문단이 질문으로 시작되는 경우가 있어요. 이것은 호기심을 유발하면서 화제를 제시하는 역할을 해요. 이때는 해당 질문에 대한 답을 찾아 가는 과정이 바로 글을 독해하는 과정이라 할 수 있어요. 즉 질문에 대한 답을 찾으면 그것이 바로 해당 문단의 중심 내용이에요.

14 일차

설명하는 글 문제 ❶~❹

1 암행어사는 조선 시대에 임금의 명령을 받아 비밀리에 지방을 돌아다니며 수령*의 잘못을 밝히고 민심을 살피던 관리이다. '암행'이란 비밀리에 돌아다닌다는 뜻이고, '어사'란 임금의 명령을 수행하는 관리를 가리킨다. 암행어사의 뜻과 역할.

2 암행어사를 임명할 때에는 왕이 적임자를 선택하도록 명령하고, 이에 따라 영의정, 좌의정, 우의정이 그 적임자*를 복수로 추천하면 왕이 그들 중에서 임명하였다. 암행어사는 임무가 완수될 때까지 누구에게도 공개될 수 없었으므로 왕은 항상 강직하며 정의감이 투철한 인물을 선정하고자 고민하였는데, 대체로 자신을 보좌하던 측근 중에서 젊은 관리들을 선정했다. 젊은 관리들을 암행어사로 파견한 것은 첫째, 암행어사는 청렴한 사람이어야 하기 때문이었다. 관료로서 오래 물을 먹은 사람들은 지방관의 비리를 적발해도 이런저런 ㉠끈이 닿아 있는 경우가 많으므로 엄밀한 관리, 감독이 어려웠다. 둘째, 암행어사는 혼자서 몇 달 동안 걸어서 수천 또는 수만 리를 여행해야 하므로 나이가 많은 관료들은 체력적으로 임무를 제대로 수행할 수 없기 때문이었다. 암행어사의 임명 과정 및 요건.

3 암행어사로 결정되면 왕은 봉서, 사목, 마패 등을 직접 수여하여 임명했다. 국왕이 보내는 임명장인 봉서에는 암행어사 임명 사실과 감찰할* 대상 지역, 문제 등이 기록되어 있었다. 봉서가 내려지면 암행어사는 집에도 들르지 못하고 즉시 출발해야 했는데, 부모나 왕이 사망한 경우에도 임무를 마치기 전에는 돌아올 수 없었다. 사목은 암행어사의 직무*를 규정한 책인데, 그의 임무와 암행 조건 등을 기재해 두었다. 마패는 암행어사의 가장 중요한 증표이다. 마패는 지름이 10㎝ 정도의 구리쇠로 만든 둥근 패로 한쪽 면에는 말을 새겼다. 당시에는 교통 기관으로 역이라 불리는 관청을 두고 말을 관리했는데, 어사는 소지한 마패에 조각된 수량만큼의 말을 사용할 수 있었다. 또한 암행어사에게 지급된 마패는 어사가 도장 대신으로 사용했고, 어사출두 때는 역졸이 손에 들고 '암행어사 출두'라고 외쳤다. 암행어사 임명 시 받는 물품.

주제: 암행어사 임명과 임명 시에 수여받는 물품.

암행어사의 [☑임명 / □축출] 방법과 암행어사로 임명할 때 주는 것들에 대해 [☑설명하는 / □주장하는] 글입니다.

1. ⑤
암행어사를 맡았던 인물은 언급되어 있지 않아요.

2. ⓐ 봉서, ⓑ 사목, ⓒ 마패
3문단에서 봉서는 국왕이 보내는 임명장이라고 했어요. 그리고 사목에는 암행어사의 임무와 암행 조건이 적혀 있다고 했어요. 마패는 암행어사의 가장 중요한 증표로, 역이라는 불리는 관청에서 마패에 조각된 수량만큼의 말을 사용할 수 있었다고 했어요.

3. ①
2문단에서 암행어사는 왕이 적임자 선택을 명령하면 영의정, 좌의정, 우의정이 그 적임자를 복수로 추천하고, 왕이 그들 중 선택하여 임명한다고 했어요.

4. ⑤
㉠의 '끈'은 '의지할 만한 힘이나 연줄.'이라는 의미를 지녀요. 따라서 ⑤의 '끈'과 의미가 같다고 볼 수 있어요. ①과 ④의 '끈'은 물건을 맬 때 쓰는 가늘고 긴 물건을 의미해요. ②와 ③의 '끈'은 인연이나 관계를 의미하는 말이에요.

* **수령:** 고려 · 조선 시대에, 각 고을을 맡아 다스리던 지방관들을 통틀어 이르는 말.
* **적임자:** 어떠한 임무나 일에 알맞은 사람.
* **감찰하다:** 단체의 규율과 구성원의 행동을 감독하여 살피다.
* **직무:** 맡은 일.

"역참(驛站)제도"

영토를 효과적으로 다스리고 물자를 운반하기 위해 실시한 교통 제도예요. 수도를 중심으로 각 지방에 이르는 교통로 상에서 말로 달려 하루에 갈 수 있는 거리(약 100리)마다 역을 세워 역참이란 것을 두었어요. 역참에는 간단한 숙박 시설, 말, 식량 등이 준비되어 있어 관리는 말을 갈아탈 수 있었고 숙박도 할 수 있었어요.

본문 ➔ 76쪽

설명하는 글 문제 ❺~❽

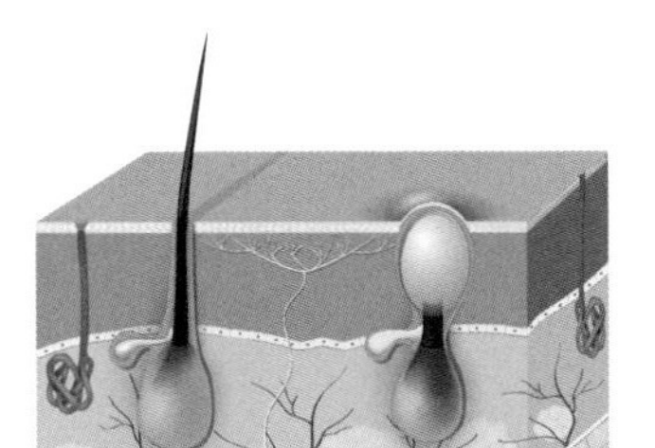

1 아기의 피부를 본 적 있나요? 뽀얗고 보드랍지요? 누구나 아기 때에는 그런 좋은 피부를 가졌을 거예요. 아기 때의 좋은 피부.

2 그러나 사춘기가 되면 얼굴에 ㉠불청객*이 찾아옵니다. 바로 여드름입니다. 호르몬의 분비*가 왕성해지면서 나타나는 현상이지요. 호르몬의 자극에 의해 피지선이 성숙되어 피지 분비량이 많아지는데, 이 피지가 밖으로 나가지 못하고 모공*이나 피지선에 쌓이면 여드름이 되는 거예요. 여드름은 10대에 많이 나타나지만 성인이 되어서 나타나는 경우도 있어요. 여드름이 나는 이유.

3 6-① 여드름은 주로 볼과 이마에 볼록볼록 솟아오르는데, 얼굴뿐만 아니라 목, 가슴, 등, 엉덩이, 어깨에도 생겨요. 6-② 몸에 나는 여드름은 스트레스나 수면 부족이 원인일 수 있어요. 그리고 여드름은 유전적으로 생기기도 한답니다. 여드름이 나는 부위와 원인.

4 여드름은 번들거리는 얼굴 피부를 가진 사람들에게 잘 생깁니다. 이런 사람들은 평소 씻는 것부터 신경을 써야 합니다. 6-③ 여드름을 예방하는 데는 청결이 아주 중요하기 때문입니다. 아침에 한 번, 저녁에 한 번씩 미지근한 물로 여러 번 헹구어야 합니다. 여드름을 예방하는 방법.

5 일단 여드름이 났다면 과도한 피부 화장은 하지 않는 것이 좋습니다. 그리고 머리카락이 여드름에 닿지 않게 뒤로 빗어 넘겨야 합니다. 또한 가공식품은 가급적 먹지 않는 것이 좋습니다. 초콜릿이나 커피 등의 자극적인 음식, 당분이 많은 과자류는 여드름에 좋지 않습니다. 이런 가공식품 대신에 우유와 과일, 채소와 친해져야 합니다. 그리고 스트레스를 피하고 잠을 충분히 자야 합니다. 여드름을 피하는 방법.

6 여드름을 함부로 짜다가는 흉터를 남기기도 합니다. 깨끗한 휴지나 솜을 이용해서 짜되, 6-⑤ 여드름 부위에 손톱이 닿지 않도록 주의해야 합니다. 6-④ 다 짠 후 소독도 잊지 말아야 하겠지요. 여드름을 짜는 방법.

주제: 여드름의 원인과 예방 방법.

[☑여드름 / □점]이 생기는 원인과 여드름을 방지하기 위한 방법 등을 [☑설명하는 / □주장하는] 글입니다.

5. ①

이 글은 여드름이 나는 이유, 예방법 등에 대해 설명하고 있으므로 여드름이 난 사람에게 가장 도움이 될 거예요.

6. ③, ④

4문단에서 여드름을 예방하는 데는 청결이 아주 중요하다고 했어요. 또 6문단에서 여드름을 다 짠 후 소독도 잊지 말아야 한다고 했어요.

7. ②

5문단에서 초콜릿이나 커피 등의 자극적인 음식은 여드름 피부에 좋지 않다고 하면서 이런 가공식품 대신에 우유와 과일, 채소와 친해져야 한다고 했어요.

8. ④

누구나 아기 때에는 피부가 뽀얗고 보드랍지만 사춘기가 되면 뜻하지 않게 여드름이 생기는데, 이렇게 여드름이 생기는 것을 원하는 사람은 없으므로 '불청객'이라고 표현한 것으로 볼 수 있어요.

* **불청객**: 청하지 않았는데 스스로 오거나 우연히 온 손님.
* **분비**: 샘세포의 작용에 의하여 만든 액즙을 배출관으로 보내는 일.
* **모공**: 털구멍.

알아두면 도움이 돼요!

"호르몬"

사춘기가 되면 남자는 목소리가 변하며 수염이 나는데 이것은 성호르몬이 하는 일이에요. 또한 키를 크게 하는 것은 성장 호르몬이 나오기 때문이에요. 우리 몸은 호르몬 양이 정상보다 많아지면 호르몬 분비량을 줄이고, 적어지면 호르몬 분비량을 늘리는 방법을 써서 적정한 양을 유지한답니다.

15 일차

주장하는 글 문제 ❶~❹

1 지난해 소방서 상황실에 접수된 119 신고 전화를 분석한 결과, 2통 중 1통은 '장난 전화'인 것으로 나타났습니다. 한 소방관은 "불을 끄는 것보다 화재 신고 장난 전화를 막는 것이 더 힘들다."라고 하면서 소방관들을 가장 피곤하게 하는 것이 바로 장난 전화라고 말했습니다. 방학인 1월과 8월에는 평소보다 2배 이상 많은 장난 전화가 걸려 온다고 합니다. 보도 기사에 의하면, 최근 3년간 허위 신고*를 받고 투입된 경찰은 3만 명이 넘었고, 허위 신고로 처벌한 건수도 해마다 증가하여 지난해는 4,192건에 달했다고 합니다. 정말 심각한 문제라고 할 수 있습니다. 장난 전화의 심각성.

2 119에 장난 전화를 하지 말아야 하는 이유는 여러 가지가 있습니다. 첫째, 119에 허위로 장난 전화를 하다가는 처벌을 받을 수 있습니다. 119에는 신고 자동화 시스템이 갖춰져 있기 때문에 버튼 하나만 누르면 컴퓨터 모니터에 신고를 한 전화번호와 주소가 나타납니다. 따라서 소방서에 '불이 났다'고 장난 전화를 하면 100만 원 이하의 벌금형에 처할 수 있도록 ㉠규정한 '소방법'에 의해 처벌을 받습니다. 장난 전화를 하지 말아야 하는 이유 1

3 둘째, 119에 장난으로 신고를 하면 소방차들이 한 번 출동할 때마다 아까운 세금이 날아가 버립니다. 화재 신고가 들어오면 소방서에서는 지휘차 1대, 펌프차 4대, 탱크차 4대, 사다리차 1대, 구조차 2대, 구급차 1대 등 차량 13대와 대원 50여 명이 출동합니다. 기름값 등을 감안하면 한 번에 20~30만 원씩 경비가 들어가는 것이므로 허위 신고를 하면 해마다 수십억 원을 길바닥에 버리는 셈입니다. 장난 전화를 하지 말아야 하는 이유 2

4 셋째, 실제로 긴급 상황이 발생했을 때 장난 전화로 인해 출동을 못하는 ㉡심각한 문제가 발생할 수 있습니다. 만약 자신의 집이 불타고 있는데, 장난 전화로 소방차가 출동하지 못한다고 생각해 보면 그 심각성을 쉽게 이해할 수 있을 겁니다. 장난 전화를 하지 말아야 하는 이유 3

5 장난 전화로 허탕*을 치고 있는 동안에도 ㉢위급한 상황에서 도움이 필요한 사람이 발을 구르며 구조의 손길을 기다리고 있을 수 있습니다. 이런 점을 생각해서 더더욱 장난 전화를 하지 말아야 합니다. 장난 전화를 하지 말 것을 당부.

주제: 장난 전화를 하지 말아야 한다.

* **허위 신고:** 행정 관청에 사실이 아닌 내용을 진술하거나 보고함.
* **허탕:** 어떤 일을 시도하였다가 아무 소득이 없이 일을 끝냄. 또는 그렇게 끝낸 일.

[□세금 낭비 / ☑장난 전화]가 심각한 문제임을 제시하면서 장난 전화를 하지 말아야 한다고 [□설명하는 / ☑주장하는] 글입니다.

1. ④
1문단에서 소방서로 걸려 오는 허위 신고 전화가 2통 중 1통 꼴로 심각하다고 했어요.

2. (1) ×, (2) ○, (3) ○, (4) ○, (5) ×
(1) 1문단에서 장난 전화는 1월, 8월에 평소보다 2배 이상 많다고 했어요. (2) 1문단에서 소방관들을 가장 피곤하게 하는 것이 장난 전화라고 했어요. (3) 1문단에서 신고 전화의 2통 중 1통이 장난 전화라고 했어요. (4) 3문단에서 장난 전화로 20~30만 원의 경비가 길바닥에 버려진다고 했어요. (5) 2문단에서 장난 전화를 하면 100만 원 이하의 벌금형에 처할 수 있다고 했어요.

3. ④
글쓴이는 장난 전화를 하면 안 되는 이유를 세 가지로 제시하고 있는데, 마지막 문단에서 위급한 상황에 있는 사람이 도움을 받지 못할 수도 있으므로 장난 전화는 더더욱 하지 말아야 한다고 강조했어요.

4. (1) ㉠-ⓐ, (2) ㉡-ⓒ, (3) ㉢-ⓑ
'규정한'은 '규칙으로 정한.'의 뜻이고, '심각한'은 '상태나 정도가 매우 혹독하거나 중대한.'의 뜻이에요. '위급한'은 '상황이 위태롭고 급박한.'의 뜻이에요.

"주장하는 글에서 신뢰성을 높이는 방법"

알아두면 도움이 돼요!

주장하는 글은 자신이 주장하는 바와 이를 뒷받침하는 근거로 구성이 돼요. 이때 자신의 주장에 대한 설득력을 높이기 위해서는 근거가 명확하고 신뢰성이 높아야 해요. 근거의 신뢰성을 높이는 일반적인 방법은 출처가 명확한 통계 자료를 제시하거나 전문가의 견해를 인용하는 것이에요.

본문 ➡ 80쪽

설명하는 글 문제 ❺~❾

1 1759년 어느 날 조셉[7-④] 멀린(Joseph Merlin)이라는 벨기에 청년은 며칠 후 열릴 무도회를 준비하고 있었습니다. 그는[7-⑤] 어떻게 하면 무도회에 가장 멋진 모습으로 등장할 수 있을까 궁리했습니다. 그러다가 그는 스케이트를 타고 얼음판을 미끄러지듯이, 부드럽고 빠르게 무도회장에 등장하면 무척 멋있을 것이라고 생각했습니다. 그는 아이스 스케이트의 금속 날 대신에 각각의 신발에 2개의 바퀴를 한 줄로 나란히 단 바퀴 스케이트를 만들었습니다. ㉠멀린은 바퀴 스케이트가 사람들이 이미 오래전부터 이용하던 아이스 스케이트를 대신할 수 있을 것이라고 믿었습니다. 바퀴 스케이트가 나오게 된 계기.

2 그는 바퀴 스케이트를 타고 바이올린을 켜면서 무도회장에 입장하였습니다. 그런데 멀린은 무도회장에 있던 모든 사람들을 정말 깜짝 놀라게 하고 말았습니다. 그는 바퀴[7-①] 스케이트를 멈추는 방법을 몰라 맞은편 벽에 걸려 있던 거울에 바로 부딪혀 버렸던 것입니다. 바퀴 스케이트의 문제점.

3 멀린의 바퀴 스케이트 덕분에 1863년, 미국인 레너 플림턴은 신발[7-③] 한 짝에 바퀴가 4개 달린 롤러스케이트를 고안해* 냈습니다. 두 쌍의 바퀴가 나란히 달린[7-②] 롤러스케이트는 방향을 바꾸는 것과 멈추는 것이 쉬웠기 때문에 선풍적*인 인기를 끌었습니다. 롤러스케이트의 등장.

4 또 롤러스케이트는 아이스 스케이트와는 달리 얼음판이 필요하지 않아서 단시일에 전 유럽에 전파될 수 있었고, 새로운 것을 좋아하는 미국인 사이에는 더욱 유행하여 그 인기가 유럽을 능가하였습니다*. 이렇게 롤러스케이트는 짧은 시간 내에 전 세계로 퍼져 나가, 남녀노소 모두 즐기는 ⓐ대중적인 스포츠가 되었습니다. 대중적인 스포츠가 된 롤러스케이트.

주제: 롤러스케이트의 유래와 등장.

* **고안하다:** 새로운 방법이나 물건을 연구하여 생각해 내다.
* **선풍적:** 돌발적으로 일어나 사회에 큰 영향을 미치거나 관심의 대상이 될 만한. 또는 그런 것.
* **능가하다:** 능력이나 수준 따위가 비교 대상을 훨씬 넘어서다.

오늘날과 같은 [☑롤러스케이트 / □아이스 스케이트]가 등장하게 된 과정을 [☑설명하는 / □주장하는] 글입니다.

5. ④

아이스 스케이트에서 바퀴 스케이트, 롤러스케이트로 발전하게 된 과정을 통해 롤러스케이트의 유래에 대해 설명하고 있어요.

6. 아이스 스케이트, 롤러스케이트

1문단에서 멀린은 아이스 스케이트의 금속 날 대신 바퀴를 단 바퀴 스케이트 만들었다고 했어요. 3문단에서 멀린의 바퀴 스케이트 덕분에 플림턴은 롤러스케이트를 고안해 냈다고 했어요.

7. ④

1문단에서 가장 멋진 모습으로 무도회장에 등장하기를 원했던 벨기에 청년, 조셉 멀린이 바퀴 스케이트를 만들었다는 것을 확인할 수 있어요.

8. ④

아이스 스케이트는 얼음판 위에서 타야 하는 한계가 있어요. 멀린은 바퀴 스케이트를 만들면 어느 곳에서나 스케이트를 즐길 수 있으므로, 바퀴 스케이트가 아이스 스케이트를 대신할 수 있을 것이라고 생각했음을 추측해 볼 수 있어요.

9. ㉯

'대중적'은 '수많은 사람의 무리를 중심으로 한. 또는 그런 것.'을 의미해요. ㉯에서는 승마와 같은 운동이 소수의 사람들만이 즐길 수 있다고 했으므로 '대중적인'이란 단어를 넣을 수 없어요.

어휘력 쑥쑥 테스트

01. 강직	02. 폐기	03. 감안	04. 변질	05. 암행	06. 부조리
07. 감찰	08. 보행	09. ㉢	10. ㉠	11. ㉡	12. ㉣
13. 투철	14. 교란	15. 융합			

토론 문제 ①~④

사회자: 최근 반려동물을 기르는 인구가 1천만 명에 이르렀지만, 이와 함께 매년 버려지는 반려동물의 숫자도 늘고 있습니다. 현행 동물 보호법상 버려진 동물이 10일 안에 주인을 찾지 못하면 다른 곳에 입양되지 않는 한 안락사를 당할 수밖에 없습니다. 오늘은 '유기* 동물, 안락사를 시켜야 한다.'는 논제로 토론을 진행하겠습니다. 먼저 찬성 측 말씀해 주세요. 토론의 배경 및 논제 제시.

영민: 안락사는 유기 동물 문제를 해결할 현실적인 방안입니다. 해마다 10만 마리 이상의 반려동물이 버려지고 있는 것이 현실입니다. 그러나 유기 동물의 입양률은 20%에 못 미치고, 동물 보호소에서도 매년 발생하는 유기 동물을 구조하여 수용하는 데 한계가 있습니다. 사료 값을 감당하기 어렵고, 그 많은 동물을 관리할 인력과 장소도 부족하기 때문입니다. 더군다나 많은 동물을 한곳에 수용하면 전염병에 걸릴 수 있습니다. 안락사에 찬성하는 입장 1

민정: 유기 동물이 야생*화되면 지역 주민을 위협하거나 가축을 공격하는 등의 문제가 발생할 수 있습니다. 이 문제를 해결하기 위해 유기 동물의 수를 조절해야 하고, 어쩔 수 없이 안락사라는 수단을 사용해야 합니다. 안락사에 찬성하는 입장 2

사회자: 네, 잘 들었습니다. 이번에는 반대 측 말씀해 주세요.

윤서: 현실적이라는 이유로 안락사가 정당화될 수는 없습니다. 생명을 살리고 죽이는 것을 비용과 편리 등 현실적인 이유로 결정하는 것은 양심에 어긋난다고 생각합니다. 유기 동물이 급증하는 것이 문제라면 급증하지 않게 하는 방법을 찾는 것이 우선입니다. 안락사에 반대하는 입장 1

서정: 유기 동물을 안락사 시킬 것이 아니라 유기 동물이 늘어나는 것을 막기 위한 법을 만들고 사회적 환경을 조성해야 합니다. 동물을 키우는 데에는 개인과 사회의 책임이 따를 수밖에 없습니다. 따라서 유기 동물을 줄일 수 있는 보다 근본적인 제도 마련이 필요합니다. 동물 등록제의 식별* 정보를 내장형 마이크로칩으로 바꾸고, 동물을 버리면 동물 학대로 강력히 처벌하는 등의 제도를 마련해야 합니다. 안락사에 반대하는 입장 2

논제: 유기 동물 안락사를 시켜야 한다.

유기 동물을 [□훈련 / ☑안락사]시키는 것에 대해 찬성과 반대의 의견을 나누는 [☑토론 / □토의]입니다.

1. ④
영민은 동물 보호소에서 매년 발생하는 유기 동물을 구조하여 수용하는 데 한계가 있다는 점을 들어 반려동물의 안락사에 찬성하고 있어요.

2. ①
사회자는 이 토론의 논제를 제시하면서 토론을 진행하고 있어요.

3. 민정
제시된 내용은 야생화된 유기 동물이 지역 주민을 위협하거나 가축을 공격하는 등의 문제를 일으킬 수 있음을 보여 주는 것이에요. 따라서 이와 관련된 주장을 펼치는 민정이 활용할 자료로 적합해요.

4. (1) 찬성, (2) 찬성, (3) 반대, (4) 반대
(1)은 '영민'이 유기 동물 안락사 찬성의 근거로 제시했어요. (2)는 '민정'이 유기 동물 안락사 찬성의 근거로 제시했어요. (3)은 '윤서'가 유기 동물 안락사에 반대하는 이유예요. (4)는 유기 동물 안락사에 반대하는 '서정'이의 주장이에요.

* 유기: 내다 버림.
* 야생: 산이나 들에서 저절로 나서 자람. 또는 그런 생물.
* 식별: 분별하여 알아봄.

"토론에서 사회자의 역할"

토론에서 사회자는 찬성 측과 반대 측에 발언할 기회를 공평하게 주고, 토론을 잘 이끌어야 합니다. 또한 토론의 주제를 알려 주고, 토론의 내용이 주제에서 벗어나지 않도록 노력해야 해요. 토론 과정에서 질문을 하거나 중요한 내용을 요약하며 토론을 돕고, 토론의 결과를 정리하고 토론을 마무리해야 합니다.

설명하는 글 문제 ❺~❽

1 민화란 백성들이 그린 그림이라는 뜻이다. 따라서 선사 시대의 바위 그림이나 고구려 고분 벽화, 도자기에 그린 그림 등도 크게 보면 민화에 속한다. 하지만 보통 민화라고 하면 조선 후기에 일반 백성들이 그린 그림을 가리킨다. 이러한 민화는 주로 집안 벽이나 다락문, 대문간, 병풍 등에 붙여 집안을 장식하는 데 사용했다. 민화의 개념과 용도.

2 민화는 주로 그림에 소질은 있지만 전문적인 그림 공부를 하지 못한 평민이나 천민들이 그렸다. 이들은 종이와 붓, 먹, 물감 등을 봇짐*에 넣고 전국 방방곡곡을 돌아다니며 의뢰받은* 그림을 다 그릴 때까지 며칠 또는 몇 달씩 머물렀다. 민화는 그림을 그리는 관청인 도화서의 화원들이 그린 그림이나 양반들이 그린 문인화와 비교하면 예술성이 떨어지지만 서민들의 생활과 문화를 잘 보여 준다. 민화의 작자층.

3 이러한 민화는 일반적으로 화조(花鳥), 산수(山水), 민속(民俗), 교화(敎化)를 담은 그림으로 나누어진다. 민화 중에서도 가장 수효*가 많았던 것은 화조도인데, 대개 꽃과 암수 한 쌍의 새를 함께 그려 집안의 풍요와 부부 화합을 염원했다*. 자연을 그린 산수도는 양반들이 그린 그림과 달리 중국의 화법을 따르지 않았다. 민속화는 무속*적인 내용을 비롯해 사냥꾼의 사냥 장면, 농사짓는 장면 등 일상생활의 풍속 등을 그렸다. 교화적인 내용이 담긴 민화는 유가 및 도가의 사상에 따라 권선징악의 윤리관, 삼강오륜과 충효를 강조한 그림이다. 민화의 종류.

4 민화는 비슷한 대상물을 일정한 형식으로 그린 것이 많다. 예를 들어 '까치 호랑이'는 민화에 자주 나오는 동물 그림인데, 대부분의 민화에서 그 모양새가 비슷하다. 하지만 문인화와는 달리 그림의 구성이 파격적이고, 대상물을 익살스럽게 표현하거나 특징을 과장하여 그리는 것이 특징이다. 또한 화려한 색깔을 사용하고, 그린 사람이 누구인지 알 수 없는 점도 민화가 가진 특징이다. 민화의 특징.

5 한때 민화는 예술성이 떨어진다는 이유로 낮은 평가를 받았지만, 요즘에는 그 자체가 우리의 삶을 대변해 주는 예술품이라는 점에서 민화의 내용에 담긴 의미와 제작 기법 등이 미술적 가치를 인정받고 있다. 오늘날 다시 평가받는 민화의 가치.

주제: 민화의 특징과 가치.

핵심 요약에 체크해 보세요.

[✔민화 / □문인화]의 개념, 민화를 그린 화공, 민화의 소재, 민화의 특징 등을 [✔설명하는 / □주장하는] 글입니다.

5. 집안

1문단에서 민화는 주로 집안 벽이나 다락문, 대문간, 병풍 등에 붙여 집안을 장식하는 데 사용했다고 했어요.

6. ⑤

민화의 유래에 대해서는 언급하지 않았어요. ①은 1문단, ②는 3문단, ③은 4문단, ④는 5문단에 설명되어 있어요.

7. (1) 양반, (2) 떨어짐

2문단에서 문인화는 양반들이 그렸다고 했어요. 그리고 2문단 마지막 부분에서 민화는 양반들이 그린 문인화와 비교하면 예술성이 떨어진다고 했어요.

8. ③

4문단에서 '까치 호랑이'는 민화에 자주 나오는 동물 그림인데, 대상물을 익살스럽게 표현하거나 특징을 과장하여 그리는 것이 특징이라고 했어요. 그림을 보면 호랑이의 표정이 익살스럽고 과장되게 표현되어 있어요.

* **봇짐:** 등에 지기 위하여 물건을 보자기에 싸서 꾸린 짐.
* **의뢰받다:** 남에게 부탁을 받다.
* **수효:** 낱낱의 수.
* **염원하다:** 마음에 간절히 생각하고 기원하다.
* **무속:** 무당과 관련된 풍속.

"문인화"

알아두면 도움이 돼요!

그림을 직업으로 하지 않는 선비나 사대부들이 여가로 자신들의 마음을 표현하여 그린 그림을 일컫는 말이에요. 이들 사대부의 그림은 서화나 서예, 인물화, 묵죽화 등 소재에 구애받지 않고 다양한 분야에 걸쳐 있으며, 전문 화공이 그린 그림과는 기교면에서 분명한 차이가 나요.

17 일차

설명하는 글 문제 ❶~❹

1 옛날에는 봄이 시작되는 때를 한 해의 시작으로 여겼습니다. 2-가 1560년대 프랑스인들은 3월 25일부터 4월 1일까지 춘분제를 열고 축제 마지막 날에는 선물을 주고받으며 새해를 맞았다고 합니다. 그래서 460년 전까지만 해도 프랑스의 새해 첫 날은 4월 1일이었지요. 프랑스의 새해 첫날 4월 1일.

2 그런데 당시 프랑스 왕이었던 2-나 샤를 9세(Charles IX, 1550~1574)가 1564년에 달력 계산법을 율리우스력*에서 그레고리력*으로 바꾸면서 신년이 1월 1일로 바뀌게 되었습니다. 그 뒤 새해 첫날이 1월 1일로 바뀌었는데도 어떤 사람들은 그것을 깜빡 잊은 채 여전히 4월 1일에 선물을 주고받거나 파티를 열었답니다. 장난치는 것을 좋아하는 사람들은 이런 사람들에게 장난삼아 선물을 보내거나 있지도 않은 파티에 초대해 놀렸지요. 1월 1일로 바뀐 신년.

3 이처럼 ㉠쉽게 놀림을 당한 사람들을 '4월의 물고기'라고 불렀습니다. 왜냐하면 4월에 갓 부화한 물고기들이 쉽게 잡히는 것처럼 아무것도 모른 채 쉽게 '낚였기' 때문입니다. 2-라 새해 날짜가 바뀐 것을 기억 못하는 사람들에게 장난을 쳐서 놀려 주었던 [ⓐ]은 계속 되었는데, 이것이 만우절의 [ⓐ]이 되어 지금까지 전해 오는 것이랍니다. 만우절의 유래.

4 2-다 우리나라 궁중에서도 지금의 만우절과 비슷한 날이 있었다고 해요. 바로 첫눈 내리는 날이에요. 첫눈이 내리는 날만큼은 궁궐 사람들이 임금님에게 가벼운 거짓말을 해도 용서되었다고 합니다. 우리 조상들은 첫눈이 많이 오면 이듬해에 풍년이 든다고 생각했어요. 그런 까닭에 첫눈 내리는 날에는 가벼운 거짓말을 해도 눈감아 준 것이죠. 우리나라 궁중의 만우절과 비슷한 날.

5 4월 1일, 가벼운 장난이나 그럴듯한 거짓말로 남을 속이기도 하고 헛걸음을 시키기도 하는 만우절이지만, 그 유래를 알고 나면 유쾌한 웃음과 배려가 함께 공존하는* 날임을 알 수 있답니다. 웃음과 배려가 공존하는 만우절.

주제: 만우절의 유래.

4월 1일, [☑만우절 / □새해 첫 날]이 생기게 된 유래를 [☑설명하는 / □주장하는] 글입니다.

1. ②
이 글은 프랑스의 새해 첫 날이었던 4월 1일이 만우절이 되게 된 유래를 밝히고 있어요.

2. ④
1문단과 2문단을 보면 1564년 이후에 프랑스의 새해 첫날은 4월 1일에서 1월 1일로 바뀌었다는 것을 알 수 있어요. 3문단에서는 새해 날짜가 바뀐 것을 기억 못 하는 사람들에게 장난을 쳐서 놀려 주던 풍습이 만우절의 풍습이 되었다고 했어요.

3. ④
3문단에서 쉽게 놀림을 당하는 사람들을 '4월의 물고기'라 부른 이유는 4월에 갓 부화한 물고기들이 쉽게 잡히는 것처럼 아무것도 모른 채 쉽게 속아 넘어갔기 때문이라고 했어요.

4. 풍습
'풍습'은 '예로부터 되풀이 되어 온 특정 집단의 행동 방식, 풍속과 습관을 아울러 이르는 말.'이라는 뜻을 가지고 있어요.

* **율리우스력**: 로마의 시저인 율리우스가 B.C. 45년에 제정한 달력. 4년에 한 번씩 윤년 있음.
* **그레고리력**: 율리우스력의 역법상 오차를 수정해서 공포한 것. 오늘날 거의 모든 나라에서 사용하는 세계 공통력.
* **공존하다**: 두 가지 이상의 사물이나 현상이 함께 존재하다.

"율리우스력"

기원전 45년, 율리우스 카이사르는 당시 혼란스러웠던 달력을 폐지하고 율리우스력을 공식화하고자 했어요. 이때 카이사르는 이집트의 천문 지식에 따라 1년이 365일이 아닌 365.25일이라는 것을 알았어요. 카이사르는 0.25일의 오차를 없애기 위해 4년에 한 번씩 1일을 추가했어요. 이것이 4년에 한 번씩 돌아오는 윤달, 2월 29일이 있는 이유예요.

주장하는 글 문제 ⑤~⑧

1 요즘 공동 주택에 사는 사람들은 층간 소음 문제로 갈등을 겪는 경우가 많다. 층간 소음이란 입주자 또는 사용자의 활동으로 인해 발생하는 소음이나 음향 기기* 를 사용하면서 발생하는 소음으로, 다른 입주자 또는 사용자에게 피해를 주는 소음을 말한다. 층간 소음의 개념.

2 층간 소음은 아이들의 발걸음, 망치질 소리, 가구를 끄는 소리, 악기 소리, 문을 열고 닫는 소리, 그리고 TV나 청소기, 세탁기 등의 가전제품 소리 등이 원인인 것으로 조사되었다. 특히 아이들이 뛰거나 걷는 소리 때문에 생기는 소음은 전체의 70%를 차지할 정도로 비율이 높게 나타났다. 층간 소음의 원인.

3 층간 소음을 줄이기 위해서는 우선 아래층, 위층에 사는 사람들이 서로 이해하고 배려할 수 있어야 한다. 가장 높은 층수에 살지 않는 한 현실적으로 층간 소음을 완벽히 없애는 것은 불가능하다. 다만 층간 소음을 줄이기 위해 최대한 노력하고 서로를 배려해야 하는 것이다. 층간 소음을 줄이기 위한 방법 1

4 아이들에게 슬리퍼를 신게 하거나 바닥에 매트를 깔아 두는 것도 좋은 방법이다. 아이들이 뛰거나 걷는 소리로 인해 소음이 발생하지 않도록 주의하게 하고 그에 맞는 집안 환경을 만들어 줄 필요가 있다. 그리고 아이들에게 아래층 사람이 소음으로 고통 받을 수 있다고 알려 주는 것도 중요하다. 층간 소음을 줄이기 위한 방법 2

5 환경부에서는 층간 소음을 예방하고 분쟁*을 합리적으로 조정하기 위해 '층간 소음 이웃사이센터'를 개설하여 운영하고 있다. 이 센터에서는 층간 소음 피해 유형을 분석해 해결 방안에 대한 상담 서비스를 제공한다. 또한, 전문가가 현장을 방문해 층간 소음을 측정하여 원인을 진단하고, 위층, 아래층, 관리 사무소 등 이해관계자*들에 대한 면담을 실시하여 해결 방안을 찾도록 도와주기도 한다. 만약 층간 소음으로 인한 갈등이 잘 해결되지 않는다면 이 센터를 통해 조정하는 것도 하나의 방법이다. '층간 소음 이웃사이센터' 소개.

6 우리 집은 누군가에게는 아랫집이고, 또 다른 누군가에게는 윗집이 된다. '당신들이 문제야!'라고 말하기보다는 이웃을 이해하고 배려하며 동시에 지나친 층간 소음이 발생하지 않도록 서로가 노력해야 한다. 층간 소음을 줄이기 위한 노력의 필요성 강조.

주제: 층간 소음을 줄이기 위한 방법.

층간 소음의 [☐대책 / ☑원인]을 분석하고 그 해결 방안을 제시함으로써 층간 소음을 줄이기 위해 노력하자고 [☐설명하는 / ☑주장하는] 글입니다.

5. 층간 소음

1문단에서 공동 주택에서 다른 입주자 또는 사용자에게 피해를 주는 소음을 층간 소음이라 한다고 했어요.

6. ④

2문단에서 층간 소음의 원인에 대해 살펴보고, 그 해결 방안으로 3, 4문단에서 층간 소음을 줄이기 위한 방법에 대해 말하고 있어요.

7. ③

2문단에서 문을 열고 닫는 소리가 층간 소음의 원인이 된다고 했어요. 따라서 문이 한 번에 잘 닫힐 수 있도록 있는 힘껏 닫는 것은 오히려 층간 소음을 유발할 수 있어요.

8. 도윤

5문단에서 '층간 소음 이웃사이센터'에서는 전문가가 현장을 방문해 층간 소음을 측정하여 원인을 진단해 준다고 했어요.

* 음향 기기: 소리를 내는 기구나 기계 따위.
* 분쟁: 말썽을 일으키어 시끄럽고 복잡하게 다툼.
* 이해관계자: 이익과 손해가 걸려 있는 당사자.

"소음도 공해"

알아두면 도움이 돼요!

소음의 허용 기준은 지역에 따라 다르지만, 낮 동안에는 50~70dB, 밤에는 40~58dB 정도예요. 허용 기준이 넘는 소음을 1개월 동안 들으면 소리를 제대로 들을 수 없는 장애가 생길 수 있어요. 소음은 공부나 일을 할 때 집중력을 떨어뜨릴 뿐만 아니라 휴식을 망치고, 잠을 방해해요.

설명하는 글 문제 ❶~❹

1 숯은 건조한 나무를 가마에 빈틈없이 채워 넣고 가마 입구를 막아 산소를 차단한 후 가마에 불을 지펴 오랫동안 태워서 만든 검은 덩어리이다. 재료로 보통 단단한 나무가 사용되는데, 우리나라에서는 참나무류를 주로 사용하여 참숯을 얻는다. 숯을 만드는 과정.

2 숯은 몸에 좋은 물질로 알려져 있다. ㉠숯은 수분, 습기, 냄새를 빨아들이는 효능이 있다. 그래서 숯을 사용하여 인체의 유익한 성분은 남겨 두고 유해한 바이러스, 박테리아, 독소* 등을 집중적으로 빨아들일 수 있다. 이 같은 원리를 바탕으로 우리 선조들은 장을 담글 때 장독에 숯을 넣어 불순물을 제거하도록 했다. 숯의 효능 1

3 또한 ㉡숯은 음이온을 발산하여 뇌파의 안정을 도와주며 혈액 순환을 돕고 숙면을 취하도록 해 준다. 따라서 불면증으로 고통받는 사람들은 종종 숙면을 위해 숯 침대, 숯 베개 등의 제품을 사용하기도 한다. 숯의 효능 2

4 숯은 ㉢방부* 효과도 뛰어나 미생물, 곰팡이의 발생을 억제하여 부패하는 것을 막아 준다. 우리나라의 뛰어난 목판 인쇄술을 보여 주는 팔만대장경*은 '해인사'의 '장경판전'에 보관되어 있다. 만들어진 지 1천 년이 지난 팔만대장경이 썩지 않고 원래의 모습을 유지할 수 있었던 것은 장경판전 아래에 숯을 묻은 조상들의 지혜 덕분이었다. 중국에서는 고대 귀족 여성의 무덤에 숯을 5톤이나 묻었는데, 발굴 당시 시신의 보존 상태가 매우 뛰어나 세계를 놀라게 한 적이 있다. 일본도 100년 전 무덤에서 미라가 발견되었는데, 시신이 숯에 덮여 부패하지 않고 잘 보존되었다고 한다. 숯의 효능 3

5 이런 숯의 이로운 점 덕분인지, 최근 시중에는 숯을 이용한 제품들이 쏟아져 나오고 있다. 숯 베개, 숯 바닥재, 숯을 이용한 화장품과 비누, 숯 성분이 들어간 속옷에 이르기까지 다양한 방면에서 숯이 활용되고 있다. 이처럼 숯은 선조들의 지혜가 담겨져 있는 우리의 소중한 자원으로 인정받고 있다. 숯의 가치와 활용의 예.

주제: 숯이 만들어지는 과정과 효능.

* **독소:** 해로운 요소.
* **방부:** 물질이 썩거나 삭아서 변질되는 것을 막음.
* **팔만대장경:** 고려 시대에 부처의 힘으로 외적을 물리치기 위하여 만들었는데, 경판(經板)의 수가 8만 1,258판에 이르며 현재 합천 해인사에 보관하고 있다.

숯을 만드는 과정, 숯의 [☑효능 / □부작용], 이를 활용한 다양한 제품들을 구체적인 사례를 들어가며 [☑설명하는 / □주장하는] 글입니다.

1. ⓐ 나무, ⓑ 산소, ⓒ 태운다

1문단에서 가마에 건조한 나무를 채워 넣고, 가마 입구를 막아 산소를 차단한 후 가마에 불을 지펴 오랫동안 태워서 만든 검은 덩어리가 '숯'이라고 했어요.

2. ②

2, 3, 4문단에서 숯의 효능을, 5문단에서 숯의 가치와 활용의 예를 소개하고 있어요.

3. ④

4문단에서 팔만대장경은 장경판전 아래에 숯을 묻어 두어 1천 년이 지난 지금까지 썩지 않고 원래의 모습을 유지할 수 있었다고 했어요.

4. (1) ㉠, (2) ㉡, (3) ㉢

(1) 2문단에서 장독에 숯을 넣어 불순물을 제거하도록 한 것은 숯이 수분, 습기, 냄새를 빨아들이는 효능이 있기 때문이라고 했어요. (2) 3문단에서 숯은 음이온을 발산하여 숙면을 취하도록 해 주므로 숯 침대, 숯 베개 등을 만들어 침구류로 사용한다고 했어요. (3) 4문단에서 중국 고대 귀족 여성의 무덤에 숯을 5톤이나 묻었는데 시신의 보존 상태가 좋았다고 했어요. 이는 숯의 방부 효과를 보여 주는 것이에요.

"병렬적 구성"

병렬적 구성은 각 부분이 유기적으로 연결되지 않고 독자적으로 존재하면서 주제를 형성하는 구성을 말해요. 주로 주장하는 글에서 각각의 근거를 제시할 때나, 설명하는 글에서 대상의 특징을 나열할 때 많이 쓰는 구성이에요. 이때 병렬적으로 구성된 각 내용들은 글의 주제를 형성하는 핵심 내용이 돼요.

설명하는 글 문제 ⑤~⑧

1 만화는 이야기 따위를 간결하고 익살스럽게 그린 그림이다. 만화는 글과 그림을 다양한 양상*으로 결합시켜 일정한 이야기를 전달한다. 예를 들면 글 없이 그림으로 제시되는 경우도 있지만, 글만 제시되는 경우나 글과 그림이 함께 제시되는 경우도 있다. 그러나 대부분은 글이나 그림이 결합되어 서로를 보완하는 역할을 한다. 만화의 개념.

2 만화가 보여 주는 삶의 모습은 문학의 세계와 닮아 있다. 문학이 우리 삶의 모습을 언어적으로 표현한 것이라는 관점에서는 만화도 문학의 일부로 볼 수 있는 것이다. 만화는 그림과 더불어 언어가 중요한 표현 방법을 이루고 있으며, 그 주된 목적은 삶의 모습을 구현하기* 위한 것이기 때문이다. 따라서 만화를 통해 경험하는 이야기는 전통적인 문학 작품을 통해 경험하는 이야기와 다르지 않다. 다만 이야기의 표현 방식이 언어적인 것에 한정된 것이 아니라 이미지나 영상으로까지 확대되었을 뿐이다. 만화와 문학의 공통점 및 차이점.

3 만화에는 '임꺽정'처럼 5년 동안 신문에 매일 연재된 장편 만화도 있지만, 그림 한 장면으로 완성되는 간단한 만화도 있다.[6-③] 이런 만화를 '한 컷 만화' 또는 '카툰'이라고 한다. 한 컷 만화는 흔히 신문에서 볼 수 있는데,[6-①] 세상에 이런저런 일들을 무엇에 빗대어 재미있고 재치 있게 깨우치고 비판한다는 뜻으로[6-⑤] '만평'이라고 부르기도 한다.[6-②] 한 컷 만화는 그림 한 장뿐이므로 그리기 쉬울 것 같지만 오히려 그렇지 않다. 한 컷 만화는 전하려는 내용을 한 장면 안에 간단하고도 확실하게 표현해야 하므로 생각하는 것보다 그리기가 어렵다.[6-④] 만화의 종류 1

4 한 컷 만화보다 조금 긴 것으로는 '네 컷 만화' 또는 '4단 만화'라고 부르는 것이 있다. 이야기를 전달하는 데에 최소한으로 필요한 요소를 흔히 '기-승-전-결'이라고 한다. 이것은 이야기를 꺼내서, 풀어내고, 핵심을 말한 뒤, 결말을 짓는 것을 말한다. 사실 아무리 긴 소설이나 영화, 드라마도 크게 나누어 보면 이 네 개의 순서로 이루어져 있다. 네 컷 만화는 이렇게 이야기에 필요한 최소한의 요소만 가지고 만드는 것이다. 만화의 종류 2

주제: 만화의 특징과 종류.

[☑문학 / □어학]의 일부로 볼 수 있는 만화의 특징과 만화의 종류 등을 [☑설명하는 / □주장하는] 글입니다.

5. ⓐ 삶의 모습, ⓑ 이미지와 영상

2문단에서 문학과 마찬가지로 만화는 언어가 주된 표현 방법을 이루고 있으며, 그 주된 목적은 삶의 모습을 구현하기 위한 것이라고 했어요. 그리고 2문단에서 만화의 표현 방식은 언어적인 것에 한정되지 않고 이미지나 영상으로까지 확대되었다고 했어요.

6. ④

3문단에서 한 컷 만화는 전하려는 내용을 한 장면 안에 간단하고도 확실하게 표현해야 한다고 했어요.

7. (1) ㉢, (2) ㉣, (3) ㉡, (4) ㉠

4문단에서 '기-승-전-결'은 '이야기를 꺼내서, 풀어내고, 핵심을 말한 뒤, 결말을 짓는 것.'을 말한다고 했어요.

8. 소설, 영화, 드라마

4문단에서 소설이나 영화, 드라마도 기-승-전-결의 순서로 이루어져 있다고 했어요.

* **양상**: 사물이나 현상의 모양이나 상태.
* **구현하다**: 어떤 내용이 구체적인 사실로 나타나게 하다.

알아두면 도움이 돼요!

"만화의 말풍선"

만화에서의 대사는 주로 말풍선을 이용해 표현돼요. 말풍선은 그 모양으로 대사의 상태를 나타내는 시각적 효과를 발휘해요. 평범한 모양의 말풍선은 평범한 대사를, 굵은 선으로 그려진 말풍선은 큰 소리의 대사를 나타내요.

19 일차

주장하는 글 문제 ❶~❹

1 우리는 경사스러운* 일을 축하하거나 명절에 마음을 표시할 때, 또 인간관계를 돈독하게 하고자 할 때 선물을 주고받는 경우가 많다. 한 통계에 의하면, 조사 대상이 된 100군데의 가정에서 평균 한 가정당 196개의 물건을 쓰지 않은 채 보관 · 방치하고* 있는 것으로 나타났다. 그런데 사용하지 않는 생활용품 가운데 선물, 사은품 등으로 받은 물건이 각 가정당 60개로, 전체의 31%를 차지했다.

집 안에서 방치되는 생활용품.

2 선물은 받는 순간에는 기쁘지만 일단 자기의 물건이 되고 나면 오히려 [ⓐ]이 되어 버릴 때가 많다. 문제는 그러한 물건들은 준 사람의 성의가 담겨 있어 함부로 처분하지도 못한다는 것이다. 사용하지 않는 생활용품 가운데 선물로 받은 물건으로는 특히 향수, 넥타이핀, 만년필, 수건, 스카프 등의 비율이 높은 것으로 조사되었다. 대부분의 사람들이 쉽게 선물로 떠올리는 품목들이 실제로는 가장 사용하지 않는 물건인 것이다. 또한 각종 사은품도 실제로는 필요하지 않은 것이 많아 자원을 낭비하고 쓰레기를 늘리는 원인이 되고 있다. 짐이 되는 선물과 사은품.

3 선물의 가치는 주고받는 기쁨과 ㉠그 물건에 담긴 정성에 있다. 다시 말해 ㉡물건 자체의 가격이나 쓰임새보다는 그에 담긴 의미가 더 중요하다는 말이다. 과연 우리가 받은 선물 가운데 평생 잊지 못하는 것, 그래서 언제까지나 소중하게 간직하고 싶은 것은 얼마나 되는지 헤아려 보자. 또한 내가 누군가에게 준 선물 가운데 그 사람에게 그런 ㉢추억으로 남을 만한 것은 얼마나 되는지 생각해 보자. 선물의 가치.

4 우리가 받은 선물 가운데 ㉣정말 귀한 것은 무엇일까? 아마도 그 사람에게만 줄 수 있는 ㉤이 세상에 하나밖에 없는 물건이 아닐까? 사형수로부터 비닐 빵 봉지를 이용해 [손수 만든 작은 짚신]을 선물로 받은 어떤 수녀님은 그것을 행운의 마스코트인 양 묵주에 달고 다니며 기도할 때마다 하늘로 간 그를 생각했다고 한다. 이렇게 오랜 손길이 닿은 선물에는 소중한 추억과 애정이 살아 숨쉰다고 할 수 있다.

가치 있는 선물.

주제: 가격이나 쓰임새보다는 정성이 담긴 가치 있는 선물을 하자.

* **경사스럽다:** 축하 할만한 기쁜 일로 여겨 기뻐하고 즐거워할 만하다.
* **방치하다:** 내버려 둠.

핵심 요약에 체크해 보세요.

[☑선물 / □자원]의 가치는 물건 자체의 가격이나 쓰임새보다는 주고받는 기쁨과 그 물건에 담긴 정성에 있다고 [□설명하는 / ☑주장하는] 글입니다.

1. ①
경제가 성장함에 따라 선물에 투자하는 비용이 늘어나고 있다는 내용은 언급하지 않았어요.

2. ③
4문단에서는 이 세상에 하나밖에 없는 물건이 가장 귀한 선물이라 할 수 있어요.

3. ②
'비닐 빵 봉지를 이용해 손수 만든 작은 짚신'은 사형수가 직접 만든 이 세상에 하나밖에 없는 귀한 물건이라 할 수 있어요. 따라서 '물건 자체의 가격이나 쓰임새'는 이 물건에 담긴 의미와는 관계가 없어요.

4. ②
2문단 첫 번째 문장은 선물은 받는 순간에는 즐겁지만 일단 자신의 물건이 되면서부터는 함부로 처분하지도 못해서 부담이 된다는 내용이에요. 따라서 적절한 낱말은 '짐'이에요.

"통계에서의 표본"

알아두면 도움이 돼요!

통계를 낼 때 대상 전체를 조사하는 것이 현실적으로 어려울 때 대표 집단을 선발해서 조사를 하는데 이를 '표본 집단'이라고 말해요. 예를 들어 서울시 초등학교 6학년의 식습관을 알아보기 위해 1,000명의 학생을 뽑아 조사한다면, 이 1,000명의 학생이 표본 집단이 된답니다.

주장하는 글 문제 ⑤~⑧

1 요즘 도시를 걷다 보면 가로등 빛, 건물을 장식하는 네온사인, 나무를 휘감은 전구의 불빛 등 다양한 ㉠조명이 밤을 환하게 비추고 있는 모습을 쉽게 볼 수 있다. 이러한 도시의 ㉡조명은 건물의 외관을 아름답게 꾸미고 많은 볼거리를 제공하기도 한다. 그런데 이러한 조명으로 인해 많은 문제들이 나타나고 있다. 5-① 조명을 포함한 모든 빛에 과도하게 노출되면 건강에 문제가 될 수 있기 때문이다. 문제가 되고 있는 도시 조명.

2 빛과 ㉢조명은 우리가 살아가는 데 없어서는 안 되는 중요한 요소이다. 전구가 발명된 이후 ㉣조명은 인류에게 밤에도 안전하고 편리하게 생활할 수 있는 기회를 제공하였다. 그러나 사람을 포함하여 동물과 식물은 원치 않는 빛에 노출되면 스트레스를 받는다. 농경지의 밝은 빛은 농작물의 생장*에 영향을 미치고, 가축들에게 스트레스 요인이 된다. 5-⑤ 과도한 ㉤조명으로 인해 도심의 나무와 꽃은 성장이 가속되거나 둔화되는* 등의 이상을 보인다. 실제로 백화점, 호텔 등 건물 앞의 가로수는 전선과 전구로 장식되어 '전기 꽃'을 피운다. 도심의 밤거리에서 환한 빛을 내는 '전기 꽃'은 보기에 아름다울 수 있지만 전선과 전구에 휘감긴 나무들은 생장을 하지 못하거나 수명이 단축되고 있다. 이러한 이유로 '빛 공해'라는 용어가 등장하였다. 말 그대로 빛이 매연이나 폐수처럼 환경을 오염시키는 공해로 작용한다는 의미이다. 과도한 도시 조명의 심각성.

3 동식물이 받은 빛 공해 스트레스는 인간에게 부메랑이 되어 돌아온다. 여름철 도시에서는 밤에도 매미들이 울어 대는 현상이 나타나고, 이로 인해 사람들은 밤에 잠을 설치기도 한다. 5-③ 빛 공해는 이외에도 보행자에게 눈부심과 같은 불쾌감을 유발하거나* 운전자에게 교통사고의 원인을 제공하기도 한다. 전문가들은 이와 같은 '빛 공해'를 해결하기 위해 밤을 환하게 비추는 빛을 규제해야 한다며 ⓐ입을 모으고 있다. 빛 공해의 문제점과 규제의 필요성.

주제: 빛 공해를 줄이자.

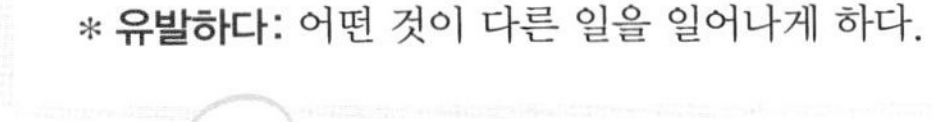

* **생장:** 나서 자람. 또는 그런 과정.
* **둔화되다:** 느리고 무디어지다.
* **유발하다:** 어떤 것이 다른 일을 일어나게 하다.

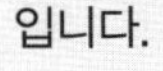

핵심 요약에 체크해 보세요.

도시의 [☑조명 / □나무와 꽃]이 빛 공해가 되고 있는 최근의 상황을 제시하면서 빛 공해의 문제점과 이에 대한 규제의 필요성을 언급한 [□기행문 / ☑주장하는 글]입니다.

5. ②, ④

글쓴이는 과도한 도시 조명을 '빛 공해'라 설명하면서 이로 인한 문제점과 규제의 필요성을 언급했어요. 따라서 글쓴이는 도시의 과도한 조명에 대해 부정적으로 인식하고 있어요. 그런데 ②, ④는 도시의 과도한 조명을 긍정적으로 인식하고 있어요.

6. ⑤

[보기]의 사진은 도시에서 흔히 볼 수 있는 가로수를 전선과 전구로 장식한 '전기 꽃'이에요. 2문단에서 전선과 전구에 휘감긴 나무들은 생장을 하지 못하거나 수명이 단축된다고 했어요.

7. ⑤

㉠, ㉡, ㉢, ㉣은 일반적인 의미나 긍정적인 기능을 하는 '조명'으로 사용되었다면, ㉤은 도심의 나무와 꽃의 성장을 가속하거나 둔화시키는, 부정적인 기능을 하는 '조명'을 의미해요.

8. ④

'입을 모으다.'는 관용구로 '여러 사람이 같은 의견을 말하다.'라는 의미예요. ④의 '입을 모으다.'에서 '입'은 '음식을 먹는 사람의 수효.'를 의미해요.

알아두면 도움이 돼요!

"관용구"

관용구는 '입을 모으다'처럼 두 개 이상의 단어가 결합하여 특별한 의미로 사용되어 하나의 단어처럼 취급되는 것이에요. 관용구는 단어들만으로는 그 뜻을 알 수 없고, 구로 결합됐을 때 독특하고 다채로운 표현 효과를 지녀요. 이와 비슷한 것으로 속담이 있는데 관용구는 완결된 문장의 구조를 이루지 못하는 반면, 속담은 대개 완결된 문장의 형태를 이루고 있다는 차이가 있어요.

20 일차

토의 문제 ❶~❹

사회자: 현재 우리 시에서 이루어지는 개인 기부는 전체 기부의 29% 정도에 불과합니다. 그래서 오늘은 개인 기부가 저조한 원인과, 개인 기부 활성화 방안에 대해 이야기를 나누었으면 합니다. 토의 주제 소개.

남자 1: 우리 시의 개인 기부가 저조한 원인을 설문 조사를 통해 파악해 보았습니다. 가장 큰 원인은 개인이 기부를 쉽게 할 수 있는 프로그램이 없기 때문이었고, 그 다음으로는 기부 모금 기관에 대한 정보가 부족하기 때문인 것으로 나타났습니다. 개인 기부가 저조한 원인.

여자 1: 그렇다면 우리 시 주민들을 대상으로 한 기부 모금 프로그램을 개발하는 것이 어떨까요?

남자 2: 좋은 생각이네요. 의견을 보태자면 ㉠기부 모금 기관의 정보를 공개하는 시스템도 필요해요. 이 시스템을 통해 기부자와 잠재* 기부자에게 4-② 기부 모금 기관을 안내하고 4-① 모금액을 밝히고, 4-③ 지출 내역과 지출액을 공개하면 기부 활성화에 도움이 될 것입니다. 또 4-⑤ 기부로 도움을 받은 사람의 사례를 전한다면 모금 기관에 대한 신뢰도 높아질 거예요.

사회자: 네, 두 분께서 좋은 의견을 말씀해 주셨습니다. 이런 외적 장치 이외에 기부를 활성화할 수 있는 방안이 또 있을까요?

여자 2: 왜 개인 기부가 저조한지를* 생각해 보면, '기부' 하면 '돈'이라는 생각을 하기 때문에 기부를 부담스러워 하는 것은 아닌가 싶습니다. 그렇다면 재능 기부를 원하는 사람과 필요로 하는 사람을 연결해 주는 채널을 마련해 주는 것이 어떨까요?

사회자: 이를테면 '재능 기부 은행' 같은 것을 운영하자는 말이군요. 좋은 의견입니다. 또 다른 의견 없을까요?

남자 2: 우리 시만의 마크를 제작해서 사회적 기업이나 마을 기업의 상품에 부착하게* 하고, 소비자가 이 상품을 사면 상품 가격의 일부분이 취약 계층의 기부금으로 활용되도록 하는 방안도 있습니다. 개인 기부를 활성화할 수 있는 방안.

주제: 개인 기부가 저조한 원인과 이를 활성화하는 방안.

개인 기부가 저조한 [✔원인 / □지역]과 이를 활성화할 수 있는 방안에 대해 논의하는 [□토론 / ✔토의]입니다.

1. ①

사회자는 토의의 배경으로 개인 기부가 저조한 문제를 제시하였어요.

2. 기부 모금 기관에 대한 정보 부족

'남자 1'은 설문 조사를 통해 파악한 개인 기부가 저조한 원인을 제시했어요. 그중 가장 큰 원인은 개인이 기부를 쉽게 할 수 있는 프로그램이 없기 때문이고, 그 다음 원인은 기부 모금 기관에 대한 정보가 부족하기 때문이라고 했어요.

3. ②

'여자 2'는 기부를 돈이라고 생각해 부담스러워하는 이들을 위해 재능 기부를 원하는 사람과 필요로 하는 사람을 연결해 주는 채널, 즉 '재능 기부 은행'과 같은 것을 운영하자고 했어요.

4. ④

'남자 2'는 기부 모금 기관의 정보를 공개하는 시스템을 통해 기부 모금 기관을 안내하고 모금액을 밝히고, 지출 내역과 지출액을 공개하자고 했어요. 그리고 기부로 도움을 받은 사람의 사례를 전하자고 했어요.

* **잠재:** 겉으로 드러나지 않고 속에 잠겨 있거나 숨어 있음.
* **저조하다:** 활동이나 감정이 왕성하지 못하고 침체하다.
* **부착하다:** 떨어지지 아니하게 붙다. 또는 그렇게 붙이거나 달다.

"토의"

토의란 어떤 공통 문제의 해결 방안을 찾기 위해 둘 이상의 사람들이 모여서 정보, 의견, 생각 등을 나누는 협동적인 의사소통 방법이에요. 토의의 주제로는 여러 사람이 함께 생각해 보아야 할 것이나 공통의 관심사, 해결 가능성이 있는 것 등이 적합해요.

설명하는 글 문제 ❺~❽

1 우리가 사용하고 있는 낱말은 고유어, 한자어, 외래어로 분류할 수 있다. 고유어는 우리말에 본디부터 있던 낱말이나 그것을 바탕으로 하여 새로 만들어진 낱말을 일컫는다. 우리말의 낱말 가운데에서 한자어와 외래어를 뺀 말이 바로 고유어인데, 이는 우리말의 기본 바탕을 이룬다. '어버이', '하늘', '땅', '아름답다'와 같은 낱말이 고유어에 속한다. 8-① 고유어는 토박이말, 순우리말이라고도 한다. 고유어의 개념과 예.

2 한자어는 한자를 바탕으로 하여 만들어진 낱말이다. 삼국 시대에 사람 이름, 땅 이름 등을 한자로 표기하면서 한자어가 많이 생기게 되었다. 8-④, ⑤ 고려 시대 이후에는 일상어까지 한자어가 대신하게 되면서 우리말의 절반 이상을 차지하게 되었다. 새로 생겨난 한자어는 고유어를 밀어내기도 하였다. '강'이 '가람'을, '동풍'이 '샛바람'을, '천 년'이 '즈믄 해'를 밀어내어 고유어는 잘 쓰이지 않게 되었다. 고유어와 한자어가 함께 쓰이는 경우도 있는데, '달걀'과 '계란', '오누이'와 '남매', '토박이말'과 '고유어' 등이 그것이다. 한자어의 개념과 예.

3 외래어는 다른 나라의 말이 들어와서 우리말처럼 쓰이는 낱말이다. 나라 사이의 교류에 따라 일본어, 영어 등의 말이 들어오면서 빌려 쓰게 된 말이다. '냄비', '라디오', '버스', '택시', '텔레비전' 등이 외래어이다. 8-② 외래어는 우리말을 더 풍성하게 해 주기도 하지만, 8-③ 다른 나라의 말을 그대로 쓰게 되면서 고유어가 설 자리를 빼앗기도 한다. 외래어의 개념과 예.

4 만약 특정 단어가 고유어인지, 한자어인지, 외래어인지를 판단해야 한다면 국어사전을 이용하면 된다. 먼저 '바다'를 국어사전에서 찾아보면 '바다'라는 낱말 뒤에는 괄호나 다른 글자가 없다. 그러나 '병원'을 찾아보면 '병원(病院)'처럼 괄호 뒤에 한자가 있다. 이를 통해 '바다'는 고유어, '병원'은 한자어라는 것을 알 수 있다. 그리고 '라디오'를 찾아보면 '라디오(radio)'처럼 괄호 뒤에 영어가 써져 있다. 이를 통해 '라디오'는 고유어나 한자어가 아닌, 외래어라는 것을 알 수 있다. 사전을 이용해 낱말의 종류를 확인하는 방법.

주제: 우리말의 분류.

핵심 요약에 체크해 보세요.

우리말의 [□유래 / ☑종류]와 사전을 활용하여 낱말의 종류를 확인하는 방법 등을 [☑설명하는 / □주장하는] 글입니다.

5. 고유어, 한자어, 외래어

1문단에서 우리가 사용하고 있는 낱말은 고유어, 한자어, 외래어로 분류할 수 있다고 했어요.

6. (1), (3)

2문단에서 한자어가 고유어를 밀어내기도 한다고 설명하면서 그 예로 '강'이 '가람'을, '동풍'이 '샛바람'을, '천 년'이 '즈믄 해'를 밀어냈다고 했어요. 따라서 전자가 한자어, 후자가 고유어임을 확인할 수 있어요.

7. (1) ㉠, (2) ㉢, (3) ㉡

(1)은 2문단에서, (2)는 1문단에서, (3)은 3문단에서 확인할 수 있어요.

8. ③

3문단에서 외래어는 다른 나라 말을 그대로 쓰게 되면서 고유어가 설 자리를 빼앗기도 한다고 했어요.

어휘력 쑥쑥 테스트

01. 저조 02. 잠재 03. 취약 04. 식별 05. 부착 06. 분쟁
07. 의리 08. 둔화 09. 가속 10. 면담 11. 양상 12. 유기
13. 방치 14. 유발 15. 방부 16. 교화

21 일차

설명하는 글 문제 ❶~❹

1 픽토그램은 그림을 뜻하는 픽토(picto)와 전보*를 뜻하는 텔레그램(telegram)의 합성어로, 사물이나 시설, 행위 등을 상징적인 그림 문자로 나타낸 것이다. 이를 통해 사람들은 대상의 의미를 시각적으로 쉽고 빠르게 인식할 수 있다. 픽토그램의 개념.

2 픽토그램은 문자 발생 과정에서 초기 단계의 그림 문자와 뚜렷이 구분된다. 초기 단계의 그림 문자는 선사 시대*의 동굴 벽화에 보이는 조각이나 그림처럼 문자 체계가 확립되기 이전에 사용된 의미 전달 수단이다. 반면 픽토그램은 문자의 사용이 고도화되고 체계화된 현대에 등장한 새로운 의사소통 수단이다. 픽토그램과 그림 문자의 차이.

3 픽토그램은 그림 언어이기 때문에 언어가 달라서 소통하기 불편한 외국인들을 위해 사용하는 경우가 많다. 언어가 통하지 않아도 그림 하나면 의미를 전달할 수 있기 때문이다. 그래서 픽토그램은 공항이나 관광지, 공공장소 등에서 많이 사용된다. 글씨보다 그림으로 이해하는 것이 훨씬 빠른 경우에도 픽토그램을 사용한다. 예를 들어 비상구 픽토그램은 긴급하게 도망쳐야 하는 상황에서 금방 읽을 수 있기 때문에 비상구에서는 언제나 비상구 픽토그램을 볼 수 있다. 픽토그램이 사용되는 경우.

4 그러나 이러한 픽토그램은 아직까지 국제적으로 표준화되어* 있지는 않다. 그래서 어떤 픽토그램은 그림의 모양새나 특징이 한 나라 안에서만 공식적으로 정해져 사용되기도 한다. ㉠우리나라의 화장실, 지하철, 버스 정류장 등의 픽토그램은 우리나라에서 정한 기준에 맞추어 사용하고 있다. 그러나 ㉡국제 올림픽 경기 대회 종목을 의미하는 픽토그램은 국제 표준으로 정해져 있기 때문에 필요한 기준에 맞추어 스포츠 종목을 표현해야 한다. 표준화된 픽토그램과 표준화되지 않은 픽토그램.

5 흔히 픽토그램을 마크나 로고와 혼동하기도 한다. 그러나 마크나 로고는 기업이나 단체, 브랜드 등 특정 대상을 상징화해서 대상의 시각적 홍보에 중점을 두는 반면, 픽토그램은 모든 사람들을 대상으로 하기 때문에 공공성과 일반성을 가진다는 점에서 차이가 있다. 픽토그램과 마크, 로고의 차이.

주제: 픽토그램의 개념과 특징.

픽토그램의 개념과 특징, [☑사용 / □악용]되는 예 등을 [☑설명하는 / □주장하는] 글입니다.

1. 픽토, 전보
1문단에서 픽토그램은 그림을 뜻하는 픽토와 전보를 뜻하는 텔레그램의 합성어라고 했어요.

2. ⑤
3문단에서 픽토그램은 언어가 통하지 않아도 그림 하나면 표현하고자 하는 의미를 전달할 수 있다고 했어요.

3. ⓐ 글씨, ⓑ 그림, ⓒ 빠르기
3문단에서 글씨보다 그림으로 이해하는 것이 훨씬 빠른 경우 픽토그램을 사용한다고 하면서 그 예로 비상구 픽토그램을 제시했어요.

4. ④
㉠은 우리나라에서 정한 기준에 맞추어 사용하고 있다고 했고, ㉡은 국제 표준으로 정해져 있다고 했어요.

* **전보**: 전신을 이용한 통신이나 통보.
* **선사 시대**: 문헌 사료가 전혀 존재하지 않는 시대. 석기 시대와 청동기 시대를 이른다.
* **표준화되다**: 자재나 제품의 종류, 품질, 모양, 크기 따위가 일정한 기준에 따라 통일되다.

"픽토그램과 닮은 이모티콘"

알아두면 도움이 돼요!

요즘 젊은층에서는 글쓰기에서 이미지를 나타내는 상징 기호들을 자주 사용해요. 흔히 이모티콘이라 부르는 그림들은 서로의 얼굴을 마주하지 않은 상황에서 감정을 전달하는 역할을 톡톡히 해요. 컴퓨터 사용자들은 문자보다는 오히려 이 같은 기호들이 더 많은 것들을 보여 줄 수 있다고 느끼지요. 그래서 그런지 이런 상징적인 그림들은 시간이 지날수록 사용이 늘어나고 있어요.

본문 ➔ 116쪽

동시 문제 ❺~❽

풀잎과 바람

정완영

나는 풀잎이 좋아, ⓐ풀잎 같은 친구 좋아.
ⓑ바람하고 엉켰다가 풀 줄 아는 ⓒ풀잎처럼
헤질* 때 또 만나자고 손 흔드는 친구 좋아. 1연: 헤어질 때 또 만나자고 인사하는 풀잎 같은 친구.

나는 바람이 좋아, ㉠바람 같은 친구 좋아.
풀잎하고 헤졌다가 되찾아 온 ⓓ바람처럼
만나면 얼싸안는 바람, ⓔ바람 같은 친구 좋아. 2연: 만나면 얼싸안는 바람 같은 친구.

주제: 풀잎과 바람처럼 포근하고 따뜻한 친구를 좋아하는 마음.

* 헤지다: '헤어지다'의 준말.

친구를 '풀잎'과 '바람'에 [□비교 / ☑비유]하여 친구를 좋아하는 마음을 표현한 [☑동시 / □동화]입니다.

5. 풀잎, 바람

1연에서는 헤어질 때 손 흔들며 인사하는 친구의 모습을 '풀잎'에, 2연에서는 다시 만나 얼싸안는 친구의 모습을 '바람'에 빗대었어요.

6. ③

2연에서 만나면 얼싸안는 바람, 바람 같은 친구가 좋다고 했어요.

7. ②

직유법은 '~같이', '~같은', '~처럼'으로 표현한다고 했어요. 따라서 ⓐ, ⓒ, ⓓ, ⓔ는 모두 ~같은, ~처럼 등의 표현이 쓰인 직유법으로 볼 수 있지만 ⓑ는 직유법이 쓰인 표현이라고 할 수 없어요.

8. (1) ×, (2) ○, (3) ○

1연에서 '바람하고 엉켰다가 풀 줄 아는 풀잎처럼 헤질 때 또 만나자고 손 흔드는 친구 좋아.'라고 했어요. 따라서 친구와 다시 만나지 못해 안타까워하는 것으로 이해하는 것은 알맞지 않아요. 바람하고 엉킨 것을 친구와의 다툼으로 본다면, 풀잎은 다투고도 쉽게 풀 줄 알고, 손 흔들며 인사할 줄 하는 친구의 모습이라고 할 수 있어요.

"비유적 표현"

알아두면 도움이 돼요!

어떤 사물의 모양이나 상태를 효과적으로 표현하기 위해 그것과 비슷한 다른 사물에 빗대어 표현하는 방법이 '비유적 표현'이에요. 비유에서 원래 표현하려고 하는 대상을 '원관념'이라고 하고, 그것을 표현하기 위해 끌어온 대상을 '보조 관념'이라고 해요. 이 시에서는 '친구'가 원관념이고, 그것을 표현하기 위해 끌어온 '풀잎, 바람' 등은 보조 관념이에요. 이때 보조 관념은 원관념과 모양, 색깔, 성질 등이 비슷해야 해요.

인터뷰 문제 ❶~❹

사회자: 지방 선거는 우리들의 손으로 우리 지역의 일꾼을 뽑는 중요하고 의미 있는 행위입니다. 오늘은 지방 선거에 대해 알아보겠습니다. 우선 지방 자치와 지방 선거는 무엇인가요, 선생님?

전문가: 지방 자치는 주민들이 스스로 선출한 대표를 통해 지역의 일을 결정하고 처리하는 제도입니다. 그리고 이러한 지방 자치를 실현하기 위해 주민들이 지역의 일꾼을 직접 뽑는 것이 바로 지방 선거입니다. 지방 자치와 지방 선거의 개념.

사회자: 그렇다면 말씀하신 지역의 일꾼들에는 누가 있나요?

전문가: 우선 지방 의회가 결정한 정책을 집행하고 처리하는 지방 자치 단체장이 있습니다. 이를테면 태풍이나 화재에 대한 대비책이나 안전 관리, 지역 경제 발전, 주민들의 불편 사항 등을 처리합니다. 그리고 지방 의원이 있습니다. 지방 의회를 구성하는 지방 의원들은 주민들이 선출하는데요, 주민들의 삶과 밀접한 사안은 조례*를 만들어 실행하기도 합니다. 마지막으로 지방 교육을 책임지는 교육감이 있습니다. 지역 일꾼의 종류.

사회자: 이런 지역의 일꾼을 뽑을 때 중요한 판단 기준은 무엇일까요?

전문가: 바로 공약(公約)입니다. 공약은 후보자가 당선 후 수행할 정책을 유권자*에게 알리고 실천을 약속하는 것입니다. 구체적인 목표나 우선순위*, 이행 방법 및 기간 등을 밝힙니다. 학교 선거에서도 교내 편의 시설 설치나 동아리 활성화 방안 등의 공약을 살피고 선택을 하는 것과 같습니다. 어린이들은 비록 투표권은 없지만 투표소에 가는 엄마 아빠에게 공약의 중요성을 얘기해 간접적으로나마 선거에 참여할 수 있겠죠. 지역 일꾼을 선발하는 판단 기준.

사회자: 마지막으로 지방 선거는 어떤 의의가 있을까요?

전문가: (4-(1)) 지방 선거는 민주주의의 학교입니다. 주민은 선거와 정치에 참여하면서 민주주의를 경험하고 배웁니다. 또 (4-(2)) 지방 선거는 우리 지역 일꾼을 뽑아 지역 문제를 직접 해결한다는 점에서 풀뿌리 민주주의가 실현되는 과정이라고 할 수 있습니다. 지방 선거의 의의.

주제: 지방 선거의 개념과 의의.

지방 선거의 개념과 의의, [□국무 위원 / ☑지방 의원] 선출 시 판단 기준 등을 알려 주는 [□토론 / ☑인터뷰]입니다.

1. ④

①, ②는 전문가의 첫 번째 발언, ③은 전문가의 마지막 발언, ⑤는 전문가의 세 번째 발언에서 확인할 수 있어요.

2. (1) ㉠, (2) ㉢, (3) ㉡

전문가는 두 번째 발언에서 지방 자체 단체장과 지방 의원, 교육감이 하는 일을 설명하고 있어요.

3. ④

전문가의 세 번째 발언에서 지역의 일꾼을 뽑을 때에는 공약을 중요한 판단 기준으로 삼아야 한다고 했어요.

4. (1) 민주주의 학교, (2) 풀뿌리 민주주의

(1) 전문가는 마지막 발언에서 선거와 정치에 참여하면서 주민들이 민주주의를 경험하고 배우기 때문에 지방 선거는 민주주의 학교라고 했어요. (2) 지역 일꾼을 뽑아 지역 문제를 직접 해결한다는 점에서 지방 선거는 풀뿌리 민주주의가 실현되는 과정이라고 했어요.

* **조례:** 지방 자치 단체가 법령의 범위 안에서 지방 의회의 의결을 거쳐 그 지방의 사무에 관하여 제정하는 법.
* **유권자:** 선거할 권리를 가진 사람.
* **우선순위:** 어떤 것을 먼저 차지하거나 사용할 수 있는 차례나 위치.

"풀뿌리 민주주의"

지방 자치 제도를 풀뿌리 민주주의라 해요. 풀을 뽑아 보면 잔뿌리가 무수히 많이 붙어 있는데, 이 뿌리들은 물과 양분을 흡수해 식물이 자랄 수 있게 해 줘요. 지방 자치 제도는 아주 작은 지역의 문제는 물론, 주민들의 생활에 밀접한 문제에 이르기까지 세심하게 처리할 수 있기 때문에 풀뿌리 민주주의라 하는 거예요.

설명하는 글 문제 ❺~❽

6-(4)
1 모든 동물 중에서 오직 인간만이 시체를 땅에 묻는다는 사실을 알고 있나요? 그러한 풍습이 언제부터 전해 내려왔는지는 알려져 있지 않지만, 이라크의 샤니다르 동굴에서 발견된 유적을 보면 약 6만 년 전에 네안데르탈인*들이 무덤을 만들었다는 것을 추측할 수 있습니다. 샤니다르 동굴의 땅속에서는 30세 정도의 네안데르탈인의 시체가 발견되었어요. 현미경으로 관찰한 결과, 시체 위에 소나무, 전나무의 가지를 얹고 꽃을 덮어 주었다는 것도 알게 되었습니다. 인류 최초의 장례식이었던 것이지요. 시체를 매장하는 풍습 및 인류 최초의 장례식.

2 장례식이 끝난 무덤에는 항상 묘비가 세워졌어요. 묘비는 무덤 앞에 세우는 비석입니다. 아마도 떠도는 영혼을 위로하거나, 아니면 도적들이 묘를 파헤치지 못하도록 동굴의 입구를 막기 위해 묘비를 세웠을 것입니다. 6-(3) 묘비의 형태는 나라마다 달랐지만, 죽은 자들을 그리워하고 걱정하는 마음은 똑같았습니다. 묘비를 세우는 이유.

6-(1)
3 또 묘비에는 죽은 사람을 기리기 위해 글을 쓰기도 했습니다. 영국의 한 공동묘지의 묘비에는 "벽난로에 불을 붙이는 법을 잘 몰랐던 누이동생 제인 때문에 온 식구가 타서 죽다."와 같은 슬픈 사연이 적혀 있습니다. 죽은 이를 기념하는 글을 담은 묘비.

6-(2)
4 그리스인들은 왕이나 연인, 어린이, 심지어는 애완동물을 위해서도 묘비에 글을 남겼습니다. "여기에 나의 개가 묻혀 있으니, 살아서는 우리 집의 충실한 파수꾼*, 지금은 죽어서 그 짖는 소리가 텅 빈 밤길에 잠자고 있도다!"라고 말이죠. 이처럼 묘비는 살아남은 자들이 먼저 떠나간 자들에게 보내는 사랑과 그리움의 표현이었습니다. 사랑과 그리움의 표현을 담은 묘비.

5 옛 사람들은 죽은 이가 홀로 이 땅을 떠나는 길이 외롭지 않도록 평생 그가 아꼈던 물건을 함께 묻기도 했었습니다. 바이킹 부족은 부족장을 매장할 때 갖가지 생활용품을 갖춘 그의 배를 함께 묻었습니다. 그러나 보다 지위가 낮은 바이킹의 무덤에는 돌에 배의 윤곽을 그려 놓기만 했는데, 어떤 것은 그 길이가 18미터를 넘는 것도 있었다고 합니다. 바이킹족의 묘비.

주제: 시체를 땅에 묻는 사람의 장례 문화와 묘비에 담긴 의미.

핵심 요약에 체크해 보세요.

시체를 땅에 묻는 인간의 장례 문화와 무덤 앞에 세우는 [□묘목 / ☑묘비]에 담긴 의미를 [☑설명하는 / □주장하는] 글입니다.

5. ④

이 글에서는 묘비를 세우는 이유와 묘비에 담긴 의미 등에 대해 중점적으로 설명하고 있어요.

6. (1) ○, (2) ○, (3) ×, (4) ×

(1) 3문단에서 묘비에는 죽은 사람을 기념하기 위해 글을 쓰기도 했다고 했어요. (2) 4문단에서 그리스인들은 애완동물을 위해서도 묘비에 글을 남겼다고 했어요. (3) 2문단에서 묘비의 형태는 나라마다 달랐다고 했어요. (4) 1문단에서 인간만이 시체를 땅에 묻는다고 했어요.

7. ③

2문단에서 묘비는 떠도는 영혼을 위로하거나 도적들이 묘를 파헤치지 못하도록 세웠을 거라고 했어요. 그리고 나라마다 묘비의 형태는 다르지만 죽은 자들을 그리워하고 걱정하는 마음은 똑같았다고 했어요. 3문단에서는 죽은 자들을 기리기 위해 글을 묘비에 적었다고도 했어요.

8. 매장

시체나 유골 따위를 땅속에 묻는다는 의미와 어떤 사람을 사회적으로 활동하지 못하게 함을 비유적으로 이르는 말은 '매장'이에요.

* **네안데르탈인**: 3만 5천 년에서 10만 년 전에 살았던 원숭이와 현재 인간의 중간 형태의 인류.
* **파수꾼**: 경계를 하며 지키는 사람.

알아두면 도움이 돼요!

"묘비명(墓碑銘)"

묘비에 새겨 고인(故人)을 기념하는 글이나 시가, 산문 등을 의미해요. 묘비에는 죽은 사람의 연령과 관직, 이름만을 새기기도 하지만 보다 장대한 건축에는 묘비명과 묘 임자의 업적 등이 함께 새겨져 있어요. 문학적인 묘비명에는 작자와 시대의 취향에 따라 슬픔을 나타내는 것이 있는가 하면 우스꽝스러운 것, 죽은 사람에 대한 냉소(冷笑)를 나타내는 것 등이 있어요.

23 일차

설명하는 글 문제 ❶~❹

1 벌은 곤충 가운데서 가장 큰 무리를 이루며 살아가는 사회적 동물로서, 세계에 10만 종 이상이 분포하고 있는 것으로 알려져 있습니다. 그러나 실제로 그 종의 수는 2배가 넘을 것으로 추측됩니다. 이렇게 많은 벌들은 서로 무리를 지어 살고 있습니다. 여러분들도 벌집에 수많은 벌들이 함께 모여 살고 있는 것을 본 적이 있을 것입니다. 무리지어 사는 벌의 습성.

2 벌집에는 여왕벌과 수벌, 일벌 등이 무리를 이루어 살고 있습니다. 이렇게 벌집에서 함께 사는 꿀벌들을 '사회적인 꿀벌'이라고 부릅니다. 그 뜻은 꿀벌들끼리 함께 살려면 사회성*이 있어야 한다는 것입니다. 사회성을 갖춘 꿀벌의 무리.

3 대개의 경우, 벌집 하나에는 여왕벌이 한 마리만 있습니다. 여왕벌은 평생 동안 알만 낳으며 지냅니다. 그런데 가끔 여왕벌이 한 마리 이상 태어날 때가 있습니다. 그러면 권력을 둘러싼 비극이 시작됩니다. 제일 먼저 태어난 여왕벌이 나머지 경쟁자들을 모두 죽여 버리기 때문입니다. 여왕벌의 역할.

4 수벌이야말로 ⓐ'상팔자'라 할 수 있습니다. 다른 꿀벌들이 수벌을 위해 집도 마련해 주고, 먹을 것도 갖다 주기 때문입니다. 수벌은 싸울 일이 없으므로 침도 없습니다. 그렇지만 수벌에게도 한 가지 괴로움이 있습니다. 그것은 바로 짝짓기를 위해 수백 마리나 되는 형제들과 경쟁해야 한다는 것입니다. 그리고 여왕벌과 한 번 짝짓기를 하고 나면 죽게 됩니다. 수벌의 역할.

5 일벌들은 눈을 뜨자마자 하루 종일 일만 합니다. 벌집 청소, 벌집 경비, 애벌레 돌보기, 꽃에서 꽃가루와 즙 가져오기(2-④), 꿀 만들기(2-②), 여왕벌의 수라상* 준비(2-⑤), 수벌 밥 먹이기(2-③) 등 그 다음날도, 또 그 다음날도 계속 일만 합니다. 그래서 일벌은 몇 주일을 넘기지 못하고 과로로 죽고 맙니다. 일벌의 역할.

6 사람들에게는 이러한 꿀벌들의 사회가 비민주적이고 비효율적인 것처럼 보이지만, 꿀벌들은 여왕벌을 중심으로 하여 ㉠그들만의 '사회성'으로 꿀벌 사회를 유지하고 지켜 나갑니다. 꿀벌 사회를 유지하게 하는 사회성.

주제: 꿀벌의 사회성.

1. 사회성
이 글의 2문단과 6문단에서는 무리를 지어 사는 꿀벌들이 사회성을 갖추고 있어서 사회를 잘 유지할 수 있다고 설명하고 있어요.

2. ①
5문단에서 일벌이 하는 일들이 설명되어 있어요. 그런데 알을 낳는 것은 3문단에서 여왕벌의 역할이라고 했어요.

3. ④
3문단에서 여왕벌은 평생 동안 알만 낳고, 4문단에서 수벌은 여왕벌과 짝짓기를 하기 위해 경쟁하고, 5문단에서 일벌은 하루 종일 일만 한다고 했어요. 이를 고려할 때 꿀벌 사회의 '그들만의 사회성'은 꿀벌 집단의 유지를 위해 각자 자기 역할을 하는 것이라 할 수 있어요.

4. ①
4문단에서 수벌은 짝짓기만 할 뿐, 다른 꿀벌들이 수벌을 위해 집도, 먹을 것도 마련해 준다고 했어요. 따라서 '상팔자'는 '아주 좋은 팔자.', '매우 편한 팔자.'를 의미한다고 할 수 있어요.

[☑곤충 / □동물] 가운데 가장 큰 무리를 이루며 살아가는 꿀벌 사회의 구성원의 역할과 그들의 '사회성'에 대해 [☑설명하는 / □주장하는] 글입니다.

* 사회성: 어울려 사회생활을 하려는 근본 성질.
* 수라상: 궁중에서 임금에게 올리는 밥상을 높여 이르던 말.

"꿀벌의 사회"

알아두면 도움이 돼요!

벌들은 자신이 속해 있는 집과 여왕벌에 대한 충성심이 아주 강해요. 위험이 닥쳤을 때 집과 여왕벌을 위해 기꺼이 희생하는 벌도 많지요. 그런데 벌집에 새로운 여왕벌이 태어나면 기존의 여왕벌은 새 여왕벌이 태어나기 전의 벌집에서 약 절반 정도의 벌들을 데리고 집을 떠나요. 새로운 집은 여러 마리의 정찰 벌을 뽑아 이 벌들이 탐색한 장소를 모든 벌이 함께 검증한 뒤 한 곳을 결정해요. 그리고 결정된 곳으로 단숨에 날아가 집을 짓기 시작하지요.

광고문 문제 ⑤~⑧

장바구니를 써 주세요.

대형 마트 어느 곳에서나 볼 수 있는 비닐봉지.

이제 환경과 자연 보호를 위해 보다 현명하게 활용해 주세요. 비닐봉지를 현명하게 써 줄 것을 요구.

일회용 비닐봉지는 너무 많이 사용된다는 지적을 받았지만, 편리성과 과대 포장의 습관으로 인해 사용량이 좀처럼 줄지 않았죠. 게다가 비닐봉지는 규제 사각지대에 놓여 제대로 관리되지 않았답니다. 일회용 비닐봉지의 사용 실태.

이제 일회용 비닐봉지 대신
튼튼하고 환경 보호에도 도움이 되는
장바구니를 사용하는 것이 어떨까요?
깜빡 잊고 마트에 가도 걱정 마세요.
대형 마트에서 대여도 가능하답니다. 장바구니 사용 권장.
여러분의 작은 실천이 ㉠큰 변화를 만들어 냅니다.

장바구니를 사용하여 비닐봉지 사용 줄이기에 동참해 주세요. 비닐봉지 사용 줄이기에 동참 촉구.

주제: 일회용 비닐봉지 대신에 장바구니를 사용하자.

환경과 자연 보호를 위해 일회용 비닐봉지 대신에 [□보자기 / ☑장바구니]를 사용하자고 강조하는 [☑광고문 / □안내문]입니다.

5. 비닐봉지의 사용을 줄이자. 장바구니를 사용하자.

마지막 부분에서 '장바구니를 사용하여 비닐봉지 사용 줄이기에 동참해 주세요.'라고 밝히고 있어요.

6. ④

이 글은 비닐봉지의 사용을 줄이고 장바구니를 사용해서 환경과 자연을 보호하자는 메시지를 담고 있어요. 따라서 특정 메시지를 전달하여 사람들의 행동 변화를 이끌어 내려는 목적이 있다고 할 수 있어요.

7. ①, ②, ⑤

일회용 비닐봉지의 편리성과 과대 포장 습관으로 그 사용량이 줄지 않았다고 했어요. 그리고 비닐봉지의 사용이 규제 사각지대에 놓여 제대로 관리도 되지 않는다고 했어요.

8. ⑤

장을 보러 마트에 오는 사람들의 불편함을 줄이는 것은 비닐봉지 사용을 줄임으로써 얻을 수 있는 것이 아니라, 대형 마트에서 장바구니를 대여해 줌으로써 얻을 수 있는 이점이라 할 수 있어요.

알아두면 도움이 돼요!

"비닐봉지 사용의 문제점"

비닐봉지는 석유를 이용해서 만드는데 우리나라는 이를 만들 자원도 없을 뿐 아니라 버려진 폐비닐은 매립이나 소각하는 과정에서 오염 물질이 배출돼요. 종량제 봉투에 버려지는 비닐봉지는 그 상태로 매립될 경우 최소 20년에서 많게는 100년 동안 썩지 않는다고 해요. 국제적 시민 단체인 제로 웨이스트 유럽에 따르면 비닐봉지의 평균 사용 시간은 25분이지만 100년 동안 쓰레기로 남아있는 셈이라고 해요.

설명하는 글 문제 ❶~❹

1 GMO* 식품, 즉 유전자 조작 식품은 유전자 재조합을 통해 새롭게 만들어진 농작물을 원료로 만든 식품이에요. 유전자 재조합은 유전자를 인위적*으로 바꾸는 거예요. 유전자의 순서를 바꾸거나 넣고 빼서 원래 생물의 단점을 없애고 사람에게 도움을 주는 생물로 탈바꿈하는* 것이지요. 유전자 조작 식품의 개념.

2 유전 공학 과학자들은 미생물과 유전자에 대한 연구를 거듭해서 유전자 재조합 기술을 얻어냈어요. 하지만 유전자의 기능을 밝히고 재조합하는 것은 쉬운 일이 아니에요. 유전자 단백질의 양을 늘리거나, 특정 유전자를 파괴하고 새로운 유전자를 넣는 등 다양한 첨단 기술을 적용해야 하기 때문이지요. 유전자 조작 기술의 복잡성.

3 이미 우리 식탁에는 유전자 조작 식품이 많은 자리를 차지하고 있어요. 유전자 재조합 기술로 농작물을 오래 보관하고, 대량 생산할 수 있게 해서 먹을거리에 대한 걱정을 해결할 수 있기 때문이에요. 반면에 유전자 조작 식품에 보이지 않는 위험이 담겨 있다고 생각하는 사람들도 많아요. 당장은 괜찮아도 언젠가 예상하지 못한 위험을 일으킬 수 있다는 거지요. 식물이 싹을 틔우고 열매를 맺는 등의 생명 현상을 수소와 산소가 만나 물을 만드는 것처럼 단순한 화학 현상으로만 볼 수 없다는 거예요. 유전자 조작 기술의 양면성.

4 유전자 재조합 식물은 생태계 질서에도 영향을 끼칠 수 있어요. 유전자 재조합을 통해 해충을 견디는 식물을 만들었는데, 다시 그 식물을 이기는 돌연변이 해충이 나오는 등 식물이 새로운 유전자를 받아들이면서 생태계의 먹이 사슬이 제대로 작동하지 않을 수 있다는 말이지요. 또 유전자 재조합 식물이 바람이나 곤충에 의해 경작지를 벗어나 다른 식물과 교배하거나* 유기농 경작지로 들어가면 [ⓐ] 될까요? 유전자 재조합 식물은 살아 움직이는 생물이기 때문에 전혀 예측하지 못한 결과가 나타날 수 있어요. 유전자 재조합 식물의 위험성.

5 이처럼 유전자 조작 식품은 ㉠약이 될 수도, ㉡독이 될 수도 있어요. 유전자 조작 식품이 약이 되기 위해서는 유전자 시스템을 확실하게 이해하고 부작용을 줄이기 위한 연구가 계속되어야 할 거예요. 유전자 조작 식품 연구의 필요성.

주제: 유전자 조작 식품의 긍정적 측면과 부정적 측면.

이 글은 유전자 조작 [☑식품 / □약품]의 긍정적 측면과 부정적 측면을 [☑설명하는 / □주장하는] 글입니다.

1. ③

이 글은 유전자 조작 식품이 먹을거리에 대한 걱정을 해결해 준다는 점과 생태계 질서에 악영향을 끼칠 수 있다는 점을 모두 언급하고 있어요.

2. (1) ㉡, (2) ㉠

(1)은 새로운 유전자로 인해 생태계 먹이 사슬이 제대로 작동하지 않을 수 있는 문제점을 언급한 것이에요.
(2)는 먹을거리에 대한 걱정을 해결할 수 있다는 긍정적 측면을 언급한 것이에요.

3. ③

2문단에서 다양한 첨단 기술을 적용해야 해서 유전자 재조합 기술은 쉬운 것이 아니라고 했어요.

4. 어떻게

ⓐ에는 '어떻다'의 부사형인 '어떻게'가 들어가는 것이 적절해요. '어떡해'는 '어떻게 해.'가 줄어든 말이에요.

* **GMO:** Genetically Modified Organism의 약자로, 우리말로 '유전자 재조합 생물체.'라고 함.
* **인위적:** 자연의 힘이 아닌 사람의 힘으로 이루어지는. 또는 그런 것.
* **탈바꿈하다:** 원래의 모양이나 형태를 바꾸다.
* **교배하다:** 생물의 암수를 인위적으로 수정시켜 다음 세대를 얻다.

"어떻게"와 "어떡해"

알아두면 도움이 돼요!

'어떻게'는 '어떻다'의 부사형이고, '어떡해'는 '어떻게 해.'가 줄어든 말이에요. 이에 따라, '요즈음 어떻게 지내십니까?', '오늘도 안 오면 어떡해.'와 같이 쓰여요.

본문 ➡ 128쪽

주장하는 글 문제 ❺~❽

옛날, 어느 마을에서 있었던 일이다. 가뭄이 들자 마을에는 농사에 쓸 물이 부족하였다. ⓐ그래서 사람들은 큰 저수지를 만들자고 하였다. ⓑ그러나 저수지를 만드는 일은 너무나 ⓒ큰일이어서 어느 누구도 섣사리 먼저 나서려 하지 않았다.

"아무것도 없는 땅에 그렇게 큰 못을 어떻게 판담?"

"그러게 말이네. 못이 필요하기는 해도 못을 파는 일이 언제 끝날지 모를 일인데……."

마을 사람들은 하나같이 말하였다.

그러던 어느 날, 마을의 한 젊은이가 저수지를 만들 자리에 막대기를 ⓓ꽂고 마을 사람들에게 큰 소리로 말하였다.

"우리 모두 여기 막대기가 꽂힌 곳을 지날 때마다 한 치*씩만 땅을 파고 갑시다."

마을 사람들은 그 말을 잊지 ⓔ않았지만 그곳을 지날 때마다 젊은이의 말과 저수지를 생각하였다.

그로부터 몇 년이 지나자 그곳에는 큰 저수지가 만들어졌다. 왜냐하면 사람들이 모두 "한 치 쯤이야."하며 지나갈 때마다 땅을 한 치씩 팠기 때문이었다. 그래서 사람들은 그 저수지를 '한치못'이라고 불렀다.

그 일이 있고 난 뒤부터 마을 사람들은 아무리 큰일이라도 조금씩 힘을 합하면 쉽게 이룰 수 있다는 것을 깨닫게 되었다. 그리고 어떤 환경과 어려움에서도 협동하면 잘 살 수 있다는 것도 알게 되었다. '한치못'을 만든 어느 마을 이야기 소개.

얼룩말이 함께 빙 둘러서서 먹이를 먹는 습성*은 공동의 힘으로 적을 물리치기 위해서이다. 그러지 않고 무리에서 떨어져 나와 혼자서 풀을 먹다가는 맹수의 공격을 받게 된다. 우리가 살아가는 이치도 ㉠이와 다르지 않다. 얼룩말의 먹이를 먹는 습성 제시.

우리 속담에 "백지장도 맞들면 낫다."라는 말이 있다. 가벼운 물건이라도 함께 들면 더 쉽게 일을 할 수 있다는 뜻이다. 사람이 혼자서 큰일을 하기는 힘들다. 때로는 자기 능력만 믿고 혼자 그 일을 다 하려다 결국 감당하지 못하여 포기하기도 한다. 그러나 여럿이 모여서 꾸준히 힘을 합하면 혼자서는 하기 힘든 일도 쉽게 할 수 있다. 아름다운 사회를 이루기 위하여 함께하는 지혜를 발휘하자. 함께 하는 것의 중요성 강조.

주제: 어려운 일도 힘을 합하면 쉽게 해결할 수 있다.

5. ④
마을 사람들이 만든 저수지를 '한치못'이라고 부르게 된 것은 모두 '한 치 쯤이야.'하며 지나갈 때마다 땅을 한 치씩 팠기 때문이에요.

6. ④
'이'가 가리키는 것은 '얼룩말의 습성'이에요. 즉 공동의 힘으로 적을 물리치기 위해 함께 빙 둘러서서 먹이를 먹는다는 것이죠.

7. ㉮ 아름다운 사회, ㉯ 함께하는 지혜
'한치못' 이야기, 얼룩말의 습성, 속담 등은 모두 협력의 필요성을 이야기하고 있어요.

8. ⓔ → 않았고
ⓔ를 경계로 앞부분은 마을 사람들이 젊은이의 말을 잊지 않았다는 것이고, 뒷부분은 젊은이의 말과 저수지를 생각했다는 내용이므로 서로 비슷한 내용을 이어 주는 역할을 하는 '그리고'가 결합된 '않았고'가 적절해요.

어느 마을 이야기와 얼룩말의 [□습관 / ☑습성] 등을 제시하며 여럿이 함께 하면 어려운 일도 쉽게 해결할 수 있다고 [□설명하는 / ☑주장하는] 글입니다.

* **치:** 길이의 단위. 한 치는 약 3.03 센티미터에 해당함.
* **습성:** 동일한 동물종 내에서 공통되는 생활양식이나 행동 양식.

알아두면 도움이 돼요!

"협력을 의미하는 속담"

'동냥자루도 마주 벌려야 들어간다.'에서 '동냥자루'는 동냥한 물건을 넣는 자루인데, 마주 잡고 벌리면 물건을 더 쉽게 넣을 수 있어요. 그러니까 이 속담은 간단한 일이라도 서로 협조하여야 잘된다는 뜻이지요.

설명하는 글 문제 ❶~❹

1 바쁜 일상에서 휴식을 취할 수 있게 만든 ㉠샌프란시스코의 한 공공 벤치가 화제이다. 이 공공 벤치는 철제 쓰레기 수거함을 재활용한 친환경 시설물이다. 이 벤치의 장점은 1-④ 언제든지 움직일 수 있어 행사나 교통이 복잡할 때는 이동시켜 교통이 원활하도록 돕는다는 것이다. 샌프란시스코 공공 벤치.

2 사실 공공 벤치의 경우 한 번 설치하면 철거하기가 쉽지 않다. 하지만 이런 방식을 활용하면 1-① 철거 역시 손쉽게 할 수 있다. 철제 쓰레기통을 재활용했기 때문에 1-② 설계비도 비교적 저렴하다. 1-⑤ 빨간 색감의 벤치와 초록의 녹색 공간이 어우러져 보기에도 멋스럽다. 이 벤치는 실험적으로 두 개가 설치되었고, 시민들의 의견을 수렴하여* 현재는 여섯 개가 기관과 기업 건물에 설치되었다. 샌프란시스코 공공 벤치의 장점.

3 이처럼 사적인 공간의 일부와 공공의 공간뿐만 아니라 공공시설 등을 아름답고 기능적으로 꾸미는 것을 공공 디자인이라 한다. 이러한 공공 디자인이 갖춰야 할 중요한 요소는 먼저, 시민들과 함께 공유하고 소통하여 시민들 누구나 누릴 수 있도록 설계되어야 한다는 것이다. 그런 점에서 지나치게 규모가 크거나 엄청난 예산을 들이는 것만으로 공공 디자인의 효과가 나타나지는 않는다. 즉 값비싼 유명한 작가의 작품을 공공 광장에 세우는 것이 전부는 아니라는 이야기이다. 공공 디자인이 갖춰야 할 요소 1

4 다음으로 공공 디자인은 시민들의 편의를 고려하면서도 공감을 유도할 수 있어야 한다는 것이다. 그러기 위해서는 시민의 삶에 가까워야 한다. 보기에 좋은 것으로 끝날 것이 아니라 시민들의 삶을 더욱 풍요롭게 할 수 있어야 한다. 공공 디자인이 갖춰야 할 요소 2

5 마지막으로 공공 디자인은 사람들의 편의만을 고려하는 것으로는 충분치 않고 자연과의 공감도 함께 고려할 수 있어야 한다는 것이다. 이러한 측면에서 볼 때 앞에서 언급한 공공벤치는 공공 디자인의 특성을 보여 주는 좋은 사례라고 할 수 있다. 공공 디자인이 갖춰야 할 요소 3

주제: 공공디자인의 주요 요소.

* **수렴하다:** 의견이나 사상 따위가 여럿으로 나뉘어 있는 것을 하나로 모아 정리하다.

[☑공공 디자인 / □산업 디자인]의 사례를 제시하면서 공공 디자인의 주요 요소를 [☑설명하는 / □주장하는] 글입니다.

1. ③
1, 2문단에서 이 공공 벤치는 철제 쓰레기 수거함을 재활용하여 만들었다고 했을 뿐, 쓰레기 수거함으로 쓸 수 있다고 하지는 않았어요.

2. ①
5문단에서는 공공 디자인은 자연과의 공감도 함께 고려할 수 있어야 한다고 했어요.

3. ④
3문단에서 지나치게 규모가 크거나 예산을 많이 들이는 것으로는 공공 디자인의 효과가 나타나지 않는다고 하며, 시민들과 함께 공유하고 소통하여 시민들 누구나 누릴 수 있도록 설계되어야 한다고 했어요.

4. 수렴
의견이나 사상 따위가 여럿으로 나뉘어 있는 것을 하나로 모아 정리하다는 뜻을 가진 단어는 '수렴'이에요.

"공공 미술"

알아두면 도움이 돼요!

공공의 장소에 놓이는 미술이에요. 초기에는 미술관이나 갤러리에서 소수가 미술을 누구나 감상하고 일상생활에서 접할 수 있도록 하기 위한 노력에서 비롯되었어요. 광화문 광장의 이순신 장군 동상 같은 조형물에서부터 청계천에 설치된 올덴버그의 「스프링(Spring)」 등 도심의 거리에서 쉽게 마주치는 예술적 조형물 등이 그 예라고 할 수 있어요.

주장하는 글 문제 ❺~❽

1 2016년 6월 22일부터 부산 지하철 1호선에서는 '여성 배려칸'을 운행 중이다. 이는 사람들이 가장 많이 붐비는 출퇴근 시간대에 5호차 한 량*을 여성들을 위한 칸으로 만든 것이다. 이 정책은 사회적 약자인 여성을 배려하고 보호하기 위한 방안으로서 반드시 필요하다고 할 수 있다. 부산 지하철에 마련된 여성 배려칸.

2 여성 배려칸이 필요한 이유는 첫째, ㉠여성 배려칸은 여성을 성범죄에서 보호할 수 있기 때문이다. 여성 배려칸은 임산부와 영유아*를 동반한 여성을 성추행 등의 지하철 범죄에서 보호하려는 취지에서 시작되었다. 실제 여성이 성범죄를 당할 가능성은 남성에 비해 더 높다. 서울지방경찰청의 발표에 따르면 지난 2015년부터 최근 3년 간 서울에서 발생한 성범죄는 27.8% 증가했으며, 특히 지하철에서 발생하는 성범죄는 해마다 늘어나고 있다고 한다. 이러한 통계가 보여 주듯이, 여성을 위협하는 성범죄율이 날로 증가하고 있는 상황에서 지하철의 여성 배려칸은 반드시 필요하다. 여성 배려칸이 필요한 이유 1

3 이러한 주장에 대해 일부에서는 여성 배려칸을 마련하는 것이 성범죄를 예방하는 데에 별다른 도움이 되지 않는다고 주장하기도 한다. 이들은 지하철 범죄의 가해자가 전부 남성이라는 것은 편견이며, 여성이 여성의 신체를 촬영하는 몰래카메라 범죄도 충분히 일어날 수 있다고 주장한다. [ⓐ] 이러한 주장은 일반적인 상황이 아닌 특수한 상황에 국한된 것이라 할 수 있다. 여성 배려칸 성범죄 예방에 대한 반론.

4 둘째, ㉡여성 배려칸은 사회적 약자인 여성을 위한 정책이기 때문이다. 여성들은 지하철에서 성추행을 당해도 보복을 당하거나 신상이 알려지는 것을 걱정하고, 실제로 범인을 잡더라도 강력한 처벌이 이뤄지지 않아 신고를 주저하게* 된다. 여성 배려칸은 이렇게 피해자가 되어서도 제 목소리를 내지 못하는 여성들의 억울함을 대변하지는 못해도, 그런 일을 최소화하자는 의도에서 시작되었다. 많은 사람들이 '정의'의 관점에서 사회적 약자를 배려하고 보호해야 한다고 주장한다. 이에 따라 사회적 약자를 위한 많은 정책들을 이미 시행하고 있다. 여성 배려칸 정책 역시 여성을 사회적 약자로 바라보고 마련한 작지만 의미 있는 정책이라 할 수 있다. 여성 배려칸이 필요한 이유 2

주제: 여성 배려칸 정책의 필요성

핵심 요약에 체크해 보세요.

[☑여성 / □어린이] 배려칸이 필요한 이유를 근거로 제시하면서 이에 대한 정책의 필요성을 [□안내하는 / ☑주장하는] 글이다.

5. ③
여성 배려칸이 필요한 이유에 대해 서술한 글이에요.

6. ④
2문단에서 여성 배려칸은 임산부와 영유아를 동반한 여성을 성추행 등의 지하철 범죄에서 보호하려는 취지에서 시작되었다고 했어요.

7. (1) (나), (2) (가)
(가)는 진정한 사회적 약자의 의미를 밝히면서 남성 중 사회적 약자를 위한 남성 배려칸도 있어야 한다고 주장하고 있어요. 따라서 이는 ㉡에 반론을 제기하는 사람들의 견해를 드러내는 데 활용할 수 있어요. (나)는 여성 배려칸 도입 이후 성범죄가 줄었다는 자료이므로 ㉠을 뒷받침하는 근거로 활용할 수 있어요.

8. ③
ⓐ의 앞 문장은 지하철 범죄의 가해자가 남성이 아닐 수 있다는 것인데, 뒤 문장에서는 이를 특수한 상황에 국한된 것이라 반박하고 있으므로 ⓐ에 들어갈 말은 '그러나'가 적절해요.

* 량: 전철이나 열차의 차량을 세는 단위.
* 영유아: 3세 미만의 어린이와 3세로부터 초등학교 취학 시기에 달하기까지의 어린이를 합쳐 부르는 말.
* 주저하다: 머뭇거리며 망설이다.

어휘력 쑥쑥 테스트
01. 유도 **02.** 사안 **03.** 습성 **04.** 교배 **05.** 선출 **06.** 동참
07. 국한 **08.** 취지

십자말 풀이
[가로 열쇠] **1.** 표준화 **2.** 대여 **3.** 유권자
[세로 열쇠] **1.** 고도화 **2.** 대변 **3.** 유적 **4.** 투표권

[숨마 어린이®]는

중·고교 상위권 선호도 1위 브랜드 숨마쿰라우데®가 만든
초등학생들을 위한 혁신적인 **초등 브랜드**입니다!

초등국어 독해왕 시리즈 (수준별 1~6단계)

"초등국어 독해왕" 시리즈는
교사·학부모님들의 의견을 적극 반영하였습니다.

의견 1 **다양한 종류의 글을 읽히고 싶어요.** 설명문, 논설문, 전기문, 동화, 동시, 생활문, 기행문 등 다양한 장르의 글과 인문, 사회, 과학, 예술 등 다양한 제재의 글이 모여 있는 책이 있으면 좋겠어요.

의견 2 **평소 책을 좋아하지 않는 아이도 쉽고 재미있게 글 읽기 훈련**을 할 수 있는 책이 있으면 좋겠어요.

의견 3 **글 읽기를 20~30분 짧게 집중해서 하고 잘 이해했는지를 점검**할 수 있는 문제집이 있으면 좋겠어요.

의견 4 **글 읽기에서 어떤 부분이 부족한지**, 또 어떤 종류의 글 읽기를 좋아하고 싫어하는지 판단할 수 있었으면 좋겠어요.

의견 5 **글 읽기의 핵심인 글 전체의 주제나 요지 파악, 제목 찾기** 등을 쉬운 단계부터 차근차근 훈련이 가능한 책이 필요해요.

의견 6 **혼자 집에서 조금씩 꾸준하게 공부**할 수 있도록 학습 계획(스케줄)을 쉽게 짤 수 있는 교재가 있으면 좋겠어요.

의견 7 **아이를 지도하기에 편하게 해설이 자세한 독해 연습서**가 있으면 좋겠어요.

이룸이앤비로 통하는
HOT LINE

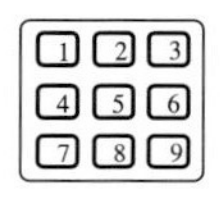

CALL
02) 424 - 2410

FAX
02) 424 - 5006

INTERNET
www.erumenb.com

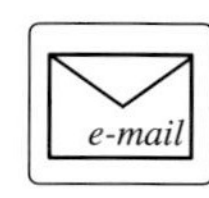

E-MAIL
webmaster@erumenb.com

이룸이앤비의 특별한 중등 국어교재 시리즈

숨마 주니어® 중학국어 어휘력 시리즈

중학교 국어 실력을 완성시키는 **국어 어휘 기본서** (전3권)

- 중학국어 **어휘력** ❶
- 중학국어 **어휘력** ❷
- 중학국어 **어휘력** ❸

숨마 주니어® 중학국어 비문학 독해 연습 시리즈

모든 공부의 기본! 글 읽기 능력을 향상시키는
국어 비문학 독해 기본서 (전3권)

- 중학국어 **비문학 독해 연습** ❶
- 중학국어 **비문학 독해 연습** ❷
- 중학국어 **비문학 독해 연습** ❸

숨마 주니어® 중학국어 문법 연습 시리즈

중학국어 **주요 교과서** 종합!
중학생이 꼭 알아야 할 **필수 문법서** (전2권)

- 중학국어 **문법 연습 1** 기본
- 중학국어 **문법 연습 2** 심화

ERUM BOOKS 초등교재

숨마어린이 초등국어 **독해왕** 시리즈
글 읽기 능력 향상을 위한 초등국어 필수 교재
[1단계/2단계/3단계/4단계/5단계/6단계 (전 6권)]

숨마어린이 초등국어 **어휘왕** 시리즈
어휘력 향상을 위한 초등국어 맞춤형 교재
[3-1/3-2/4-1/4-2/5-1/5-2/6-1/6-2 (전 8권)]

ERUM BOOKS 중등교재

숨마주니어 **중학국어 어휘력** 시리즈
중학국어 교과서(8종)에 실린 중학생이 꼭 알아야 할 필수 어휘서
[❶❷❸ 전 3권]

숨마주니어 **중학국어 비문학 독해 연습** 시리즈
모든 공부의 기본!
글 읽기 능력 향상 및 내신 · 수능까지 준비하는 비문학 독해 워크북
[❶❷❸ 전 3권]

숨마주니어 **중학국어 문법 연습** 시리즈
중학국어 주요 교과서 종합! 중학생이 꼭 알아야 할 필수 문법서
[❶기본 ❷ 심화 (전 2권)]

숨마주니어 WORD MANUAL 시리즈
주요 중학영어 교과서의 주요 어휘 총 2,200단어 수록 어휘와 독해를 한 번에 공부하는 중학 영어휘 기본서
[❶❷❸ 전 3권]

숨마주니어 **중학 영문법** MANUAL 119 시리즈
중학 영어 마스터를 위한 핵심 문법 포인트 119개를 담은 단계별 문법 교재
[❶❷❸ 전 3권]

숨마주니어 **문장 해석 연습**
문장 단위의 해석 연습으로 영어 독해의 기본기를 완성하는 해석 훈련 워크북
[❶❷❸ 전 3권]

숨마주니어 **중학 영어 문법 연습** 시리즈
필수 문법을 쓰면서 마스터하는 문법 훈련 워크북
[❶❷❸ 전 3권]

숨마쿰라우데 **중학수학 개념기본서** 시리즈
개념 이해가 쉽도록 묻고 답하는 형식으로 설명한 개념기본서
[중1 상 하 | 중2 상 하 | 중3 상 하 (전 6권)]

숨마쿰라우데 **중학수학 실전문제집** 시리즈
기출문제로 개념 잡고 내신 대비하는 실전문제집
[중1 상 하 | 중2 상 하 | 중3 상 하 (전 6권)]

숨마쿰라우데 **스타트업 중학수학** 시리즈
한 개념씩 쉬운 문제로 매일매일 꾸준히 공부하는 연산 문제집
[중1 상 하 | 중2 상 하 | 중3 상 하 (전 6권)]

* 중학수학 교재는 적용 교육과정에 따라 계속 출간 예정

“ 이룸이앤비
책에는 진한 감동이
있습니다 ”

http://www.erumenb.com

이룸이앤비